EL EXILIO DE LAS ESPAÑAS DE 1939 EN LAS AMÉRICAS: «¿ADÓNDE FUE LA CANCIÓN?»

ESTUDIOS

Serie dirigida por Francisco Tovar

22

MEMORIA ROTA

Exilios y Heterodoxias

Colección dirigida por Carlos Gurméndez

José María Naharro-Calderón
(Coord.)

EL EXILIO DE LAS ESPAÑAS DE 1939 EN LAS AMÉRICAS: «¿ADÓNDE FUE LA CANCIÓN?»

M. Andújar	K. McNerney	S. Rivera
F. Carrasquer	J. Malagón	J. Rubio
M. Durán	K.N. March	R. Ruiz
J. Ferrán	L. Martul Tobío	A. Sánchez Romeralo
V. Fuentes	J.M. Naharro-Calderón	G. Sobejano
A. González	J.M. Naharro Mora	G. Supervía
E.F. Granell	G. Palau de Nemes	M. de Ugalde
E. Irizarry	R.D. Pope	M. Ugarte
C.E. Lida	J. Prat	A. del Villar

La presente edición se ha realizado con la ayuda del Centro de las Letras Españolas de la Dirección General del Libro y Bibliotecas, Ministerio de Cultura

ANTHROPOS
EDITORIAL DEL HOMBRE

El EXILIO de las Españas de 1939 en las Américas :
«¿Adónde fue la canción?» / José M.ª Naharro-Calderón,
coord. — Barcelona : Anthropos, 1991. — 431 pp. ; 20 cm.
— (Memoria Rota. Exilios y Heterodoxias ; 22. Estudios)
ISBN: 84-7658-268-4

I. Naharro-Calderón, José M.ª, coord.   II. Título   III. Colección
1. Exiliados (España)-«1939/1975»   2. Intelectuales (España)-
Exilio «1939/1975»   3. España-Historia-«1939/1975»
946.0 "1939/1975"

Primera edición: marzo 1991

© José María Naharro-Calderón, 1991
© Editorial Anthropos, 1991
Edita: Editorial Anthropos. Promat, S. Coop. Ltda.
  Vía Augusta, 64, 08006 Barcelona
ISBN: 84-7658-268-4
Depósito legal: B. 3.456-1991
Impresión: Indugraf, S.C.C.L. Badajoz, 147. Barcelona

Impreso en España - *Printed in Spain*

Por motivos de la composición en EEUU y pese a la voluntad del coordinador y del editor, no fueron incorporadas en la edición de esta obra las correcciones que figuran en esta

FE DE ERRATAS

En la pág. 37 se hace referencia a un dibujo de Juan G. Macías que debería ilustrar la cubierta de este volumen. Por cuestiones técnicas no fue posible su inserción. Lo insertamos ahora a modo de testimonio en la presente *Fe de erratas*.

Pág.	Línea	Donde dice	Debe decir
12	32	República dominicana	República Dominicana
		(y también en: 23:35; 72:35-36; 133:12; 155:6; 156:29, 34; 166:6, 17; 169:29; 171:5, 28; 173:18, 24, 44; 175:34; 176:33; 181:16, 35; 182:22-23; 184:16; 185:3, 31; 186:17, 37; 188:10-11; 353:39; 430:2)	
13	19	Champourcín	Champourcin
14	31	En los años	Sin olvidar a Vicente Llorens, en los años
15	21	deconstrucción	desconstrucción
18	3	Sosnowsky	Sosnowski
20	4	gobierno republicano	Gobierno republicano
21	9	América latina	América Latina
22	38	exilio para	exilio pasa
25	17	Champourcín	Champourcin
26	34	glosa de labor	glosa la labor
27	2	«conterrados»	«consterrados»
27	22	sartreana, y de Wittgenstein	sartreana y de Wittgenstein,
28	10-11	primera	segunda
28	19	interior	anterior
30	1	Dieste se	Dieste sí
30	7	literatura gallega	literatura en lengua gallega
30	38-39	identificados con	identificados éstos con
33	21	aprender	reaprender
35	31	está claro todos	están todos
38	13-14	Orígenes	Ed. Universal
38	35-36	*la Cruzada* (1939)	*España*, Madrid, Ed. F. Bonilla, 1939, pp. 179-184.
39	5	publicaría luego	publicaría en castellano como *Cristo de 200.000 brazos*, México, Novaro, 1958, y luego

39	6	Barcelona,	Barcelona, Martínez Roca,
51	7-8	ocupado entonces por	colaborador entonces de
54	25	*Mientra*	*Mientras,*
55	12	el deseo, el impulso, la	del deseo, del impulso, de la
55	27	escrita	escrito
58	13	llena	lleno
59	37	concluir	conducir
60	31	mexicanoandaluz	mexicano-andaluz
61	38	*plage,*	*plage,* México,
62	14	S. E.	Mijares Hnos.
65	19	destista	dentista
65	19	cartucho	cuartucho
65	28	podríamos	podría
69	27	de las	de
71	29	del Havre	de Le Havre
72	32	de las	de
76	25	expectador	espectador
78	23	siguente	siguiente
80	21	*escrito*	*escribo*
81	34	ellos».	ellos».^{27}
81	39	canción.^{27}	canción.^{28}
82	6	hogar.^{28}	hogar.^{29}
82	12	*dado.*^{29}	*dado.*^{30}
83	28	tierra».	tierra», *Antología*, Barcelona, Plaza y Janés, 1982, p. 272.
84	1	(1952).	(1952), *Prosa completa*, Barcelona, Barral, 1975, p. 138.
84	3	*Franco.*	*Franco*, México, Libro Mex, 1960.
84	10	nombre».	nombre», *La mirada del hombre*, Barcelona, Anthropos, 1988, p. 303.
84	13	27. León	27. *Prosa completa, op. cit.*, pp. 114, 122 y 157.
84	13	27.	28.
84	17	canción?».	canción?», *Ganarás la luz* (1943), Madrid, Cátedra, 1982, pp. 112-113.
84	18	28.	29.
84	22	29.	30.
84	22	*americanos.*	*americanos*, México, Joaquín Mortiz, 1945, p. 68.
88	31	el examen	al examen
91	30	el Gobierno	al Gobierno
93	17	en Tribunal	del Tribunal
98	22	*status quo*	*statu quo*
106	25-26	considerar los	considerar a los
117	32	doctor Negrín	Doctor Negrín
119	11	Cortes, el	Cortes; la
127	12	allí	allí,
129	25	del 27	del 27),
129	32	cipresicas	ciprésicas
134	29	en general,	un general,
137	23	golpe de Estado	golpe de estado
137	38	golpe de Estado	golpe de estado
138	22-23	Tal vez	Tal es
141	21	John	Johns
154	4	solo	sólo
158	2	«refugíbero»	«refugíberos»
158	24	periódicos,	periódicos, *Democracia*
158	26	Democracia ofrecía	[...] ofrecía
160	33-34	Jesús Galíndez	Jesús de Galíndez

164	7	inlcuido	incluido
167	27	Ramón, López	Ramón López
170	4	adopción	adaptación
170	25	o al hablar	al hablar
172	25	pico	Pico
173	9	*Homejane*	*Homenaje*
173	20	a la Jornadas	a las Jornadas
173	22	la JARE	La JARE
174	33	*op. cit.*	*Memorias...*, *op. cit.*
174	41-42	Buenos Aires	Imprenta Universidad de Buenos Aires,
175	3	*op. cit.*,	*Memorias...*, *op. cit.*,
175	20	dice	dice:
175	26	en la	en el *Manual de*
175	42	Madrid María	Madrid, María
176	7	1988	Ed. Corripio, 1988
176	20	*op. cit.*	*Memorias...*, *op. cit.*
177	3	dictador éste	dictador, éste
179	37	experencia	experiencia
182	14	secretario	Secretario
184	32	asimiliar	asimilar
185	28	inciar	iniciar
186	4-5	aquella	aquel
192	19	Historia	«Historia»
197	32	extraña	extrañeza
200	1	*Pensamiento español 1939-1947*	*Notas para una historia del pensamiento actual 1939-1973*
200	6	xx España	xx, España
200	8	xviii integrarse	xviii: integrarse
202	20	respondían el	respondían al
204	37	esparanza	esperanza
207	29	López *Narrativa*	López, *Narrativa*
215	7	Lerman	Lerma
215	34	hacía	hacia
219	14	*sobre un tema*	*sobre tema*
219	39	Kolker:	Kolker,
220	1	Que	que
224	9	Jorgen	Jorge
229	10	ha	han
231	6	el presidente	al presidente
235	4	esta,	ésta [...]
237	12	*del nómada*	*del Nómada*
245	16	le duele	me duele
248	23	creador	creado
249	33	*Gesellschft*	*Gesellschaft*
249	36	1x.	LX.
250	2	escrita de	escrita en
262	31	1937-37	1936-37
262	37	293:292;	293;
276	26	muerte:	muerte.
278	16	la escritura la	la escritura le
280	21	La Florida	la Florida
280	30	A Poetic Autobiography	*A Poetic Autobiography*
281	1	John	Johns
281	11	*tempos*	*temps*
287	13	extensa;	extensa,
288	12	epistolar acopla	epistolar se acopla
292	tít.	NABÍ	*NABÍ*
294	35	*malaventurat;*	*malaventurat!*
295	34	simbolizaba	simbolizaban

303	10	amoldarse. La	amoldarse: la
312	23	a a	a la
316	5	socialnacional	social-nacional
330	23	o *camiño*	o *camiño*
332	1	*dibuixo*	*dibuxo*
334	29-30	reminisciente	reminiscencia
335	2	*adebuxando*	*debuxando*
341	35	el libro que	a la vez que
342	38	en el «quinqué	en «El quinqué
343	39	liberarse.	liberarse de él.
345	11	dominicana.	Dominicana.
347	11	de librería	de la librería
350	39	julio, día nacional de Francia de 1939;	julio de 1939, día nacional de Francia;
351	13	me llega	me llegó
351	21	vascos, Argentina, digo, fue	vascos, fue
352	36	en exilio	en el exilio
354	28	*Personal*	*personal*
357	7	sesenta,	sesenta;
358	25	América latina	América Latina
360	6	solo	sólo
362	16	de retraso	del retraso
364	26	*ipuintxoak*	*Ipuintxoak*
365	15	Cicerón,	Cicerón;
379	22	si parar	sin parar
386	6	juego,	juego
386	11	la ha	le ha
388	14	*corazón.* [pp. 163-164]	*čorazón* [pp. 163-164; subrayado mío].
389	10	sucio. al	sucio. Al
391	32	es la palabra	es palabra
392	6	novea	novela
392	11-12	insignificantes	insignificante
395	30	Zaragoza, 1983,	Zaragoza, Diputación General de Aragón, 1983,
396	29	había	habría
396	41	*Eldorado*	*El Dorado*
402	8	*eye*	*Eye*
402	15	*twenties*	*Twenties*
403	5	*Sapin*	*Spain*
403	39	MOA	MOMA
405	10	«southward	«Southward
405	10	films	Films
405	10-11	latin america	Latin America
405	11	y U.S.	and U.S.
405	29-30	América latina	América Latina
406	2	*Traslator*	*Translator*
411	24-25	Arte Contemporáneo	Arte Moderno
412	31	*review*	*Review*
414	23	Unión soviética	Unión Soviética
416	10	on of Us if	one of us if
416	42	HOWARD LAWSON	LAWSON Howard
416	44	*The rise*	*The Rise*
423	11	Suplementos Anthropos	*Suplementos Anthropos*
423	35	por la editorial Anthropos;	por Alianza Editorial;
424	11	Lenguas Romanes	Lenguas Romances
424	30	actualmente senador por Madrid,	ha sido senador por Madrid, y
426	22	catedrático	catedrático en Columbia University
427	6	y director	y directora

Este volumen se compuso en EE.UU. gracias a la ayuda del Programa de Cooperación Cultural entre el Ministerio de Cultura de España y las Universidades de EE.UU.

También se recibieron ayudas para su publicación de la Dirección General de Relaciones Culturales del Ministerio de Asuntos Exteriores de España y la Escuela Graduada, la Facultad de Artes y Humanidades y el Departamento de Español y Portugués de la Universidad de Maryland en College Park (EE.UU.).

In memoriam Javier Malagón

DES-LINDES DE EXILIO

José María Naharro-Calderón

En el año 1989 se cumplió el cincuentenario de un acontecimiento cuyo impacto cultural no se ha sopesado todavía con el suficiente cuidado. Se trata de los difíciles pasos del exilio republicano español, y en particular de aquel grupo que retornó 447 años después del Encuentro de Dos Mundos a dar con la realidad de las Américas. Por ello, entre los días 18 y 20 de octubre de 1989, con la presencia de una veintena larga de participantes, tuvo lugar en la Universidad de Maryland en College Park (EE.UU.), y bajo el auspicio del Departamento de Español y Portugués, el Simposio Internacional que generó estos trabajos: «El exilio de las Españas de 1939 en América: ¿Adónde fue la canción?».

«Donde habite el olvido»

La guerra civil trajo para más de medio millón de españoles, además del horror de los combates, las penalidades de la experiencia de la huida a través de las fronteras para aspirar a la libertad que se les negaba dentro de sus patrias. Para unos, el camino fue corto, y de Francia regresaron en los primeros años a una España que ya no reconocían como suya: allí les esperaba la feroz represión de una dictadura dispuesta a dictarles la muerte, prolongar su encierro concentratorio, o agraciarles con una vida llena de peros. A otros, les aguardaba una Europa en guerra, y la continuación de la barbarie fascista contra la que habían luchado en España. Algunos sobrevivieron y prolongaron su epopeya española en aquellos nuevos escenarios bélicos. Otros menos afortunados cayeron víctimas de la violencia o la muerte organizada, del hambre, de la enfermedad, del cúmulo de penalidades en los campos de refugiados del sur de Francia (Saint Cyprien, Argelès, Barcarès, Gurs...), de castigo y trabajos forzados (Le Vernet [Francia]; Djelfa, Berrouaghia [Argelia], Büchenwald, Orianemburg [Alemania]), y de exterminio (Mauthausen [Austria]; Dachau [Alemania]). Finalmente, los menos y los más favorecidos, los auténticamente privilegiados para aquella situación, fueron los que consiguieron llegar a la seguridad de las tierras americanas en un número cercano a los ¿50.000?

Aunque ligeros de equipaje personal, aquellos «transterrados», como felizmente los llamó José Gaos, aportaron un enorme bagaje cultural que se puso al servicio de las repúblicas americanas. México en particular, gracias a los acuerdos previos establecidos con el Gobierno republicano y a la iniciativa personal del presidente Lázaro Cárdenas, acogió una importante remesa de aquellos republicanos, entre ellos a un grupo considerable de intelectuales. Al permitirles su inmediata integración en el mercado laboral, la República mexicana no sólo alivió la precaria situación económica y social de los emigrados españoles, sino que acabó beneficiándose del legado que traían. Pero también la República dominicana y Chile oficialmente para expediciones más reducidas, Argentina para los refugiados vascos, y entre otros países, Cuba, Venezuela, Uruguay, Colombia y los Estados Unidos, de forma no oficial, también se convirtieron, en las Américas, en espacios de acogida con diversos grados de receptividad.

Por consiguiente, los republicanos de «las Españas», en particular los del área cultural, contribuyeron sustancialmente al desarrollo intelectual de los países americanos. Pertenecían con amplitud generacional a esa «Edad de Plata» de la cultura española que floreció al principio del siglo xx hasta los días de la guerra civil. América heredó uno de los grupos de pensadores españoles más aptos, el más brillante desde el Siglo de Oro, sin duda alguna. Nombres como los de José Gaos, Américo Castro, Rafael Altamira, Claudio Sánchez Albornoz, Josep Carner, Adolfo Sánchez Vázquez, Vicente Llorens, Luis Jiménez de Asúa, Juan David García Bacca, María Zambrano, Eugenio Imaz, José Prat, Luis Buñuel, Paulino Masip, Agustín Bartra, José Ferrater Mora, Ramón J. Sender, Francisco Ayala, Juan Ramón Jiménez, Rafael Alberti, Jorge Guillén, Pedro Salinas, Luis Cernuda, Jesús de Galíndez, Manuel Altolaguirre, Guillermina Medrano de Supervía, Emilio Prados, Juan Larrea, Manuel Andújar, Martín de Ugalde, Eugenio F. Granell, Antonio Sánchez Barbudo, Rafael Dieste, Francisco Giner de los Ríos, Juan José Domenchina, Javier Malagón, Manuel Durán, Rosa Chacel, Ernestina de Champourcín, Juan Rejano, Roberto Ruiz, Lorenzo Varela, Francisco Garfias y León Felipe..., sólo conforman una reducidísima lista de aquel maremágnum.

Ha coincidido este aniversario con la víspera del Quinto Centenario del Encuentro de Dos Mundos, por lo que cabe considerar esta circunstancia, en línea con la reevaluación de 1492, como otra reflexión sobre las repercusiones que para ambos hemisferios tuvo el exilio. Si América se benefició de aquella presencia, España sintió hondamente su falta y durante varios años anduvo a la deriva sin la presencia de un sustrato de cultura vital para su futuro. Por otro lado, los españoles exiliados volvieron a confrontar y contrastar sus diferencias lingüísticas y culturales en forma similar a la de los años coloniales (castellano-hablantes, gallegos, catalanes y vascos); algunos reflexionaron sobre su nueva relación con América, y experimentaron un aislamiento forzoso respecto a España comparable en cierta medida al de sus predecesores de siglos anteriores.

Hay que detenerse también en el hecho de que haya llegado hasta el presente una historia cultural del período

1939-1977, cuyo punto de vista ha sido generalmente el de los vencedores de la guerra civil. Por ello se ha heredado una terminología partidista e insatisfactoria cuya parca connotación se ha reducido muchas veces a incorporar únicamente el fenómeno de la España del interior. El exilio, o brilla por su ausencia, o aparece diluido por medio del carácter individual de algunos de sus protagonistas. Pero no se han estudiado con la profundidad requerida los nexos y diferencias que surgen respecto a la cultura del interior.

Por contraste a este punto de vista reduccionista, el exilio representa una complejísima fuente de reflexión, pues comparte con la realidad americana una afinidad histórica, una tradición cultural y una base lingüística común en el caso del castellano, lo que sitúa a este destierro en América en una categoría aparte de los otros (Cataluña, País Vasco y Galicia) y de muchas otras manifestaciones de la diáspora mundial. El caminar de la «España peregrina» a través de este «mestizaje cultural», como lo ha llamado Manuel Andújar, debe tener el eco necesario en cualquier estudio del fenómeno en las Américas. Por un lado, se trata de explorar las trazas que produjo este contacto mutuo en el ámbito americano. Por otro, la inusitada riqueza de sus protagonistas hace necesario que se revise, dentro de una categoría mucho más abierta, la cultura española de la «posguerra», ya que ésta no puede explicarse sin las aportaciones que realizaron los transterrados.[1]

Como reflejo de lo ya esbozado, no se dispone todavía del corpus bibliográfico apropiado que explore con suficiente profundidad ni extensión este problema en las vías apuntadas. En los años de la transición, existió un impulso para el estudio inicial del exilio gracias a libros como los seis volúmenes coordinados por José Luis Abellán, *El exilio español de 1939* (Madrid, Taurus, 1976), la edición bibliográfica del Ateneo Español de México, *Obra impresa del exilio español en México (1939-1979)* (México, Museo de San Carlos, 1979), el volúmen sobre México, *El exilio español en México (1939-1982)* (México, FCE, 1982), los trabajos de Francisco Caudet sobre las revistas peregrinas, *Cultura y exilio: La revista «España Peregrina» (1940)* (Valencia, Fernando Torres, 1976), *Romance (1940-41): Una revista del exilio* (Madrid, José Porrúa Turanzas, 1975), el de Marielena Zelaya Kolker, *Testimonios americanos de los escritores españoles transterrados de 1939* (Madrid, Instituto de Cooperación Iberoamericana, 1985), y los recientes en torno a la efemérides del cincuentenario, de Clara Lida y José Antonio Matesanz, *La Casa de España en México* (México, El Colegio de México, 1988) y José Luis Abellán, *El pensamiento español contemporáneo* (vol. II, *El pensamiento en el exilio*, Barcelona, Anthropos, 1989). Pero casi todos ellos no han tenido su muy necesaria continuación en una línea más formal. Prácticamente todo lo anterior gira en el ámbito de la crónica histórica, testimonial o temática y pocos han intentado estudiar los procesos formales del fenómeno (si exceptuamos el trabajo de Michael Ugarte, *Shifting Ground: Spanish Civil War Exile Literature* [Duke, Duke University Press, 1989]), así como los puntos de contacto antes apuntados. El apartamiento de las raíces, en particular de las de la lengua, son para un escritor exiliado palabras mayores. Esto ha llevado a la deconstrucción en particular, a postular no la escritura del exilio, sino el exilio de la escritura (y de la lectura). Tampoco quiere eso decir que debamos centrarnos en los análisis exclusivamente formales, pues no podemos olvidar la cronología en la sincronía, ni desplazar la historia del factor determinante del exilio: la expulsión territorial.

A su vez, los congresos del exilio parecen estar afectados por dos de sus rasgos caracterológicos: el de la incomunicación y la dispersión, ya que las diversas reuniones que en los últimos años congregaron a los estudiosos en torno al tema («La emigración ante sí misma: historia y literatura» [Wesleyan, 1969], «The Literature of the Hispanic Exile» [Columbia-Missouri, 1982], «El exilio español de la postguerra» [Fundación Sánchez-Albornoz, Madrid, 1987]), al no publicarse actas, han visto como su palabra, en su mayoría, se la llevaba el viento.[2] También existen intentos monográficos mediante la revista *Anthropos* (números dedicados a Manuel Andújar, Rafael Alberti, Juan David García

Bacca, Adolfo Sánchez Vázquez, María Zambrano, etc.) y su contraparte editorial (edición en España de textos de exiliados), por lo que las contribuciones al estudio del exilio deben proseguir por estas y otras vías.

Si el exilio es el espacio del olvido, tanto para sus protagonistas como para sus homónimos que quedaron en la patria, el aniversario se ha visto a su vez rodeado de un sospechoso silencio en las esferas del «Poder», reflejado específicamente en la política del Ministerio de Cultura, normalmente presto a otras celebraciones. Esta vez no ha tenido ninguna iniciativa específica con la conmemoración, algo todavía más extraño si pensamos que su actual portavoz fue protagonista político y literario del exilio y que el partido en el poder es pariente, eso sí cada vez más lejano, de una de las formaciones políticas desterradas con la derrota republicana.[3] ¿Falsa modestia, amnesia o producto de un planteamiento cultural y político destinado a olvidar la historia y su carga de pasado, con lo que ello implica de memoria y por ello de ejemplo para nuestro presente, cegado por las antiparras de una posmodernidad tan vacía como fugaz?[4] Si es verdad que afortunadamente la sociedad española actual muy poco tiene que ver con aquella que se enfrentó en contienda fratricida, esto nos obliga a reduplicar aún más el esfuerzo de preservación de una memoria que evite los errores del pasado, y ahondar en el estudio de muchos temas todavía sepultados en los archivos para reconocer errores y enmendar yerros.[5]

A esta desmemoria contribuyeron dos acontecimientos que la pequeña historia aportó para mayor ironía de esta reflexión: la ausencia en el simposio del Presidente del Gobierno español, a pesar de coincidir su estancia en Washington con las fechas de éste, y la concesión del Premio Nobel a Camilo José Cela, un escritor claramente comprometido con los vencedores, sobre todo en los años de mayor acritud del exilio. De nuevo, parecía que la historia se contagiaba del olvido que la reunión quería rescatar. *Noblesse oblige* y, signo también de la temperancia de los tiempos, y frente a la tradición de «un país acostumbrado a jugar a la contra», según palabras de Ángel González, junto con Manuel Durán y Gonzalo Sobejano, los tres rindieron un espontáneo homenaje al escritor «laureado» con cuyo premio la Academia sueca parecía querer sellar con ignorante desprecio el ciclo de cincuenta años de desconocimiento de los escritores desterrados.[6]

Por lo tanto era aún más apremiante y significativo realizar en este aniversario una contribución relevante y reevaluar los diálogos y los silencios iniciados en 1939, para de esa forma añadir otras bases para futuras indagaciones en los estudios del destierro español. Hay preguntas fundamentales para nuestro pasado cultural que siguen sin tener respuestas satisfactorias o que no se han llegado a formular: ¿Cuál fue la percepción estética que tenían los exiliados y viceversa de los españoles del interior? ¿Cómo difiere la literatura exiliada de la peninsular y qué dialogismo se produce con la realidad y la literatura de las Américas...? ¿Qué textos debemos seleccionar y de qué forma nuestro olvido sobre el exilio ha afectado el canon y su evaluación? ¿Cuáles son las similitudes y contactos del exilio castellano, del vasco, gallego o catalán? Quizá este volumen empiece a desentrañar algunas de estas cuestiones y plantee, eso se espera, muchas otras.

Nada tiene de extraño que fuera Maryland el lugar escogido para realizar esta conmemoración. El mismo Estado fue refugio principal para tres ilustres exiliados: Juan Ramón Jiménez y Zenobia Camprubí que formaron parte del claustro de la Universidad de Maryland (1943-1951), y Pedro Salinas en la vecina Johns Hopkins (Baltimore). Estos ejemplos son representativos de las contribuciones del exilio a los estudios hispánicos en EE.UU., los cuales crecieron significativamente en aquellos años para alcanzar su renombre actual. Como botón de muestra en Maryland, la traza de mi predecesor, José Ramón Marra-López, con su estudio todavía fundamental, *Narrativa española fuera de España (1939-1961)* (Madrid, Guadarrama, 1962); y como continuidad de aquellos años, la todavía incansable labor juanramoniana de Graciela Palau de Nemes y el ciclo de congresos que en torno al tema de los exilios latinoamericanos (argentinos, uruguayos y brasileños)[7] y del Quinto

Centenario ha organizado en la década de los ochenta, y proyecta para los noventa, nuestro director de Departamento, Saúl Sosnowsky. Por consiguiente, los cimientos estaban puestos...

Hacia el refugio en las Américas

Para la ordenación de estos trabajos se ha seguido un criterio, tanto temático como cronológico, yendo de lo general a lo particular (historiografía, visiones panorámicas, testimonios, exégesis culturales, literarias o cinematográficas). Abarca lo «inabarcable» del exilio, pues hay que tener en cuenta que siempre se trata de un fenómeno disperso y que todo intento de totalización sólo contribuye a su mayor diseminación: la visión y el impacto de y desde las Américas —de la América sajona a Latinoamérica—, las afinidades con el interior, la teoría sobre el exilio, las diferencias entre las Españas desterradas, entre sus generaciones... También los lectores notarán una natural atención hacia el caso mexicano, y un tono que va desde la moderación y el equilibrio científico, pasa por la nostalgia del recuerdo, hasta empinarse por el «apasionamiento» ideológico. Las comunicaciones señalan nuevas vías de investigación, aportan datos desconocidos y remarcan la necesidad de proseguir ampliando los estudios exiliados y la autocrítica.

En este primer apartado, emprendemos el «largo viaje» hacia las Américas pasando por la crueldad de los campos de concentración y la rueda de la fortuna de los destinos. Michael Ugarte trata la imposibilidad de teorizar sobre la escritura de la literatura concentracionaria. Los textos del exilio son muchas veces testimoniales, por lo que tienen que luchar con otra lacra, además de la de su desplazamiento, es decir su catalogación como inferiores, como testimonios «demasiado realistas» y no como «literatura» de refinado formalismo. Un modelo importante son los textos del holocausto, aunque el lenguaje según George Steiner sea impotente para representar lo irrepresentable, por lo que debe partir centrípetamente de sí mismo para referirse a dicho inimaginable esperpento. El internamiento provoca la escritura para luchar contra el olvido, gracias al *leit-motiv* del manuscrito, viejo recurso literario ahora provocado por la experiencia del campo. De ahí la insistencia aubiana en la realidad, como lo muestra el título de *Campo* dado a su pentalogía, en la que yo remarcaría un lenguaje mucho más hablado que escrito, abundante en el diálogo, muestra de las necesidades comunicativas que acarrearon aquella experiencia.[8] El manuscrito (lo cambiable, lo no definitivo, lo borrable) es fuente de vida o de desgracia según sobreviva o sea descubierto durante el proceso concentracionario; es puente hacia una mejor vida y necesario compañero en búsqueda del equilibrio mental frente al horror cotidiano.

Ya embarcados, Clara Lida repasa el largo periplo de las diferentes oleadas de exiliados, y en especial el caso de México, el cual entre 1937 a 1941, tanto desde España como Francia, fue sin duda el país americano que recibió incondicionalmente y oficialmente al mayor contingente de republicanos y se mantuvo fiel durante toda la dictadura franquista a los preceptos éticos de solidaridad que habían facilitado aquella protección. Diserta sobre el privilegiado grupo mexicano del exilio que se «transterró» plenamente en el país de acogida, en el momento en que el tiempo del destierro se transforma en espacio de la morada, en el ámbito del arraigo y mestizaje, de la bienvenida del otro idioma. Es el instante en que el exiliado se torna refugiado, como señala María Zambrano.[9] Hasta los «gachupines», cuya ideología era contraria al exilio, tuvieron gestos de solidaridad y simpatía hacia los emigrados, como lo muestra la aceptación por algunos refugiados de la positivación del verbo «agachupinarse» (prosperar), frente al sentido despectivo del sustantivo. Espacio que no obstante se puebla de paradojas como la de la inadaptación vital de los más jóvenes educados asépticamente para una vuelta que no se produjo, la reticencia de diversos grupos (indigenistas, derechistas) ante la presencia foránea o la de la marginación política a pesar de la ciudadanía mexicana aceptada por muchos, lo que condenó a los «transterrados» a un perenne exilio político vuelto hacia una España deseada.

Fragmentos de una historia del exilio

Javier Rubio se ocupa del primer periplo americano del gobierno republicano en el exilio, es decir el período mexicano de los años 1945-46 cuando todavía la esperanza del regreso y el desmantelamiento de la dictadura franquista era posible. Destaca la amplia presencia parlamentaria en América de resultas del fuerte contingente de refugiados de carácter intelectual que llegan en las expediciones mexicanas de 1939 y 1940. La presencia americana es plena en esos años de febril actividad republicana, tanto desde el punto de vista retórico al testificar los oradores republicanos su perenne agradecimiento a las repúblicas latinoamericanas, como también gracias al apoyo diplomático aportado por varias repúblicas en las Naciones Unidas. Pero la acogida americana tenía para los exiliados políticos el factor negativo de la excesiva distancia de España y de los centros de poder europeos donde se seguía ya una línea no rupturista con el caso franquista. Rubio apunta sutilmente que la desconexión del Gobierno en el exilio con el interior, advertida por Prieto y Tarradellas y anunciada por Azaña, terminó por inhabilitar la futil representatividad caduca de unas instituciones ya demasiado alejadas en tiempo y en espacio de la realidad del interior. Pero a mi parecer, son menos convincentes sus argumentos respecto a la inefectividad de la retórica violenta postulada por el Gobierno Giral, su escasez representativa, o la ausencia en el interior de partidarios de las armas como posible salida ante la opresión de la dictadura. De lo que no hay duda es de que una involución del régimen franquista pasaba decisivamente, muy a pesar de los esfuerzos de los republicanos en el exilio y de los resistentes en el interior, por los deseos de las potencias occidentales vencedoras de la segunda guerra mundial, y que éstas frente a las tesis de Stalin, se alinearon «favorable y vergonzosamente» para mantener el *statu quo* español.

El trabajo a cargo de José María Naharro Mora glosa el significativo papel de Luis Jiménez de Asúa, penúltimo presidente en funciones de la República, del que el simposio también conmemoraba el centenario de su nacimiento. Jiménez de Asúa puede ser tomado como ejemplo del equilibrio político del socialismo democrático y la rectitud ética del exilio. Fue un político siempre fiel a sí mismo y a sus ideas a pesar de la aparente futilidad de su resistencia antifranquista. Pero también se advierte, como para casi todo el exilio, la continuidad de los trazos emprendidos en España, en este caso por medio de la insigne labor que realiza como penalista en América latina a despecho de la notable falta de continuidad en la ciencia criminológica española.

Testimonios de exilio

Era normal que el simposio sirviera de foco de atención y homenaje a los sobrevivientes del destierro, y que a pesar de la distancia fuera la memoria personal, como protagonista y como testigo, la voz dominante. Por desgracia, los imponderables no permitieron que asistieran todos los invitados deseados: Rafael Alberti, Francisco Ayala, Carlos Blanco Aguinaga, Ramón Gaya, Francisco Giner de los Ríos y Antonio Sánchez Barbudo. También se ausentaron por motivos de salud Manuel Andújar y José Prat pero nos acompañaron respectivamente, gracias a la imagen de un vídeo y la palabra de un texto. Tampoco faltó la polémica, sobre todo en cuanto surgieron los temas políticos de la guerra civil, el exilio o los nacionalismos, pero los diálogos se mantuvieron siempre dentro de la mesura actual en la que se ha sabido superar, en muchos casos, la crispación que creó el conflicto. Si la acritud, el despecho y la intolerancia caracterizaron el año 1939, sería la cordialidad la que dominó este encuentro medio siglo después. Aunque habría que destacar que la calma chicha que supura el bisbiseo cultural, político y social de hoy, quizá se pudiera contagiar de la energía y del debate, nunca de la violencia, que aporta la historia del exilio.

El escritor Manuel Andújar dibuja el mapa de la diáspora americana distinguiendo para el exilio el norte sajón del continente, mientras que al sur de esa línea surge para él, propiamente, el transtierro. Al seguir una ya establecida clasificación generacional, se refiere a los tres grupos fundamentales: el de los intelectuales que salieron con una obra ya reconocida en España; el suyo propio, el de los jóvenes republicanos insertos en el mestizaje cultural y obligados a una reflexión aislada «enfrentada» a la otra insatisfactoria visión del «interior» y, finalmente, la angustia de los cachorros, que el novelista ha plasmado en *Cita de fantasmas*, cuya dificultad de arraigo se esconde en la sequedad de una nada existencial que les asfixia desde todos los polos. También apunta Andújar hacia otras ramificaciones, como la de la necesidad de cotejo de la obra exiliada con la de las Américas y la de la labor de los profesores en EE.UU. y Canadá, cuyo esfuerzo debe ser estudiado en el contexto de lo hipánico.[10] Y finalmente apela con urgencia al necesario despertar de una juventud que rechace la ahistórica insatisfacción posmoderna y se adentre por las raíces de la España peregrina.

Eugenio Granell, en «Exilio partido en dos», tras el anecdotario de la travesía ya marcado por las divisiones intestinas de la guerra civil, estudia la rivalidad entre partidarios estalinistas y las otras fuerzas de izquierda, así como la amalgama de clases exiliadas en las que, para él, hay que excluir a los del «exilio interior». Para los no estalinistas, llega a concluir Granell, sólo desde muy temprano el exilio quedaba como el único camino, negado sin embargo a Andrés Nin, dirigente del POUM y a José Robles, voluntario republicano, profesor de la Johns Hopkins. La guerra civil y el exilio atravesaron por consiguiente las barreras ideológicas defendidas por rebeldes y leales para diezmar el campo republicano, quizá con mayor quebranto que el que pudo tener el frente de batalla.

El fracaso de la resistencia antifranquista exiliada también hay que atribuirlo a la disensión interna de los republicanos. Como dice un personaje de Max Aub: «lo que es juntarse para ver de hacer algo en favor de los españoles de España, ¡ni hablar! No sea que salga bien y caiga Franco y entonces ¿qué?». Indagar el exilio para ineludiblemente por sus causas, la de una guerra perdida, en parte por estas luchas intestinas, cuyos efectos también deben ser palpables en el difícil capítulo de los criterios empleados para favorecer el camino americano de unos frente a la peor suerte de otros. Si a veces se afirma que el exiliado no puede nunca volver del exilio porque su memoria se encuentra anclada en el tiempo de su destino, sería importante purificar esa memoria para liberarla de los fantasmas que la encantan. Ganar la guerra del tiempo es reencontrarse limpiamente con la memoria perdida en la derrota.

El presidente del Ateneo, José Prat, repasa el exilio a través de la dicotomía «política» y «crítica», entre las cuales la política idealista desprovista de crítica lleva a un quijotismo unamuniano producto de la distancia que se plasma en la utopía editorial de las revistas exiliadas ya presentes desde los arduos momentos de los campos de concentración y la travesía hacia América. Esta retahíla de publicaciones merece y exige su minucioso estudio. Aquella América distante por un océano unía lo que una arbitraria frontera pirenaica había roto. Allí, a falta del territorio, se dieron los intentos quijotescos de reconstrucción política de la República en el exilio, que Prat recorre con su pluma un 12 de octubre de otros ecos americanistas.

Roberto Ruiz se ocupa de su generación, la de los escritores que por primera vez surgen ya en el exilio de México, describiéndola como poético-ensayística, seria, culta, independiente ideológicamente, dispersa geográficamente e «ignorada» en el interior de España. Acabado el periplo del exilio, Ruiz cree que perdura, al menos en su obra, una escritura de exilio reflejada en el grupo de marginados que la pueblan y los espacios periféricos que la conforman.

Javier Malagón hace su revisión del período dominicano del exilio pespunteado por la ominosa presencia del dictador Trujillo, paradójico anfitrión para aquellos huidos de su homónimo «Generalísimo». La República dominicana fue una mezcla de paraíso infernal ya que sus reducidos recursos no pudieron remediar las necesidades de gran parte de los refugiados españoles y la presencia del sátrapa la convirtió en lugar de transición hacia mejores «climas».

Pero como todas las repúblicas hispanoamericanas, fue refugio culturalmente afín para los «transterrados».

Guillermina Supervía estudia el sector triplemente marginado en tantos cenáculos exiliados: el papel de la mujer, ya que el exilio se suele ver como palabra genérica e históricamente masculina, así como fenómeno de elites donde no tiene cabida la intrahistoria de la mujer anónima que forjó con su abnegado trabajo su camino y el de compañeros e hijos en la diáspora.

El exilio desde España

Ángel González, del que Gonzalo Sobejano señaló la humana profundidad de su poesía, aporta una crónica a flor de piel de la otra cara del exilio, el interior, siempre tomado como metáfora. Para Ángel González, «exilio interior» implica no sólo autorretiro, sino que precisa que este apartamiento venga ordenado por un programa represivo que catapulta a sus víctimas hacia un país de extraña fisonomía, laboralmente inadaptable y sembrado de trampas para «domesticar» a cualquier espíritu libre. Un país aparentemente tan «irreconocible» para el residente como lo serían las lejanas tierras americanas que aguardaban a los desterrados. Sólo que uno añadiría que para el «transterrado» la extrañeza se tornaría en libertad productiva, en acogida cordial, en morada protectora y para el residente sería una continua pesadilla de cuatro décadas. La canción desterrada seguía su curso de libertad mientras que en el interior surgía «otra» canción que se oponía a los sonsonetes oficiales y que llegaría a imponerse como voz de la mayoría en busca de la salida del laberinto, a pesar de la dificultad que tenía, en particular la poesía, para entroncarse con aquella tradición escondida. Lejos se hallaba el exilio, como vacío, como esperanza, como fuerza moral, como regreso no claudicante, como faro de resistencia y liberación. Y alejado todavía está —concluye muy acertadamente Ángel González— ya que su vigencia entre el canon literario es todavía dudosa, y su desconocimiento por la masa lectora, palpable.

La poesía desde el transtierro de México

La poesía inicia su singladura con el «paseo lírico» que otro exiliado, el poeta y crítico Manuel Durán, da mediante los nichos poéticos de la ciudad de México donde se concentraron las más diversas voces del destierro: así conocemos el aislamiento huraño de Cernuda renacido en el español de México, el silencio trabajador de Larrea, la grandilocuencia de León Felipe que encarnaba en sí el doble exilio de los poetas, la angustia de la poesía catalana de Bartra o Carner, el factor aglutinante de Prados respecto a los jóvenes poetas exiliados (Jomi García Ascot, Tomás Segovia), la alcohólica odisea de Pedro Garfias, la otra cara de la moneda de la adaptación de Moreno Villa a lo mexicano, la claridad vital de la poesía de Salinas y Guillén, y el paréntesis temporal que se respiraba en casa de Juan José Domenchina y Ernestina de Champourcín, antesala para ascender a los espacios eternos de la poesía juanramoniana.

Susana Rivera se ocupa de la poesía transterrada en México, a través de la óptica de los poetas hispanomexicanos, los «cachorros» como los llama Andújar, y cumple con el deseo de Roberto Ruiz de que estos «olvidados» encuentren su merecido contexto. En los inicios de su ensayo, al señalar la dificultad de ubicar a este grupo poético, se enfrenta con la esquizofrenia que tanto para sus protagonistas, como para los estudiosos, tiene el exilio de los más jóvenes, abocados al anonimato entre dos nadas. Y es para contrarrestar esta crisis de identidad, que los más jóvenes (Rius, Buxó, Rivas) claman con más fuerza que nadie por su pasado, inexplicablemente perdido, como si la escritura fuera un arma para suplir la impotencia de lo que de forma catastrófica ha desaparecido bajo sus plantas, sin ninguna posibilidad de albedrío en el pasado de sus destinos. Si nacer es ya una caída, aquéllos nacieron para caer doblemente: en el destierro de la existencia y en la existencia del destierro. Vivir el exilio en el dulce momento del paraíso de la niñez fue para ellos una experiencia cruel, no una reconfortante alternativa ante el panorama del interior. Niños anormales y seres marginados para siempre, obsesionados por el exilio como esencia, como enigma (Rodríguez Chicharro, Deniz, Rius, Segovia).

Juan Ramón Jiménez en sus «espacios» de exilio

Como sabemos, muchos han sido los protagonistas anónimos del largo exilio de 1939. También otros sus figuras. Quizá nadie tan merecidamente destacable y destacado como Juan Ramón Jiménez, que supo seguir en el destierro la escritura «pura pero total» de su lírica. De ahí que junto a las figuras de Luis Jiménez de Asúa, Manuel Andújar, Ramón J. Sender y Luis Buñuel, el simposio destacase su personalidad cultural inabarcable. En Maryland, Juan Ramón encontró aires de inmanencia que le trajeron el soplo definitivo de su *Animal de fondo* al acogerse al espacio exiliado de la nada creadora.

Son tres los juanramonianos destacados que participan en este homenaje. Graciela Nemes, su discípula predilecta, incansable estudiosa y biógrafa de su vida y obra, bucea en el fondo de este exilio para ascender por la escala de luz de la mística de sus versos. Magistralmente nos conduce por la diáspora poética desde la época caribeña, por medio de la dispersión de *Espacio* y *Tiempo* en la época de Miami, a la «colina meridiana» de Washington que vertebra la alegría que desembocará en la concentración lírica de *Animal de fondo*.

Ni Antonio Sánchez Romeralo ni Arturo del Villar pudieron estar presentes en Maryland en octubre, pero sí ha sido posible su colaboración para este volumen. Sánchez Romeralo, otro juanramoniano ejemplar en su «quijotesco» intento de reconstruir el último proyecto editorial, «Metamórfosis», glosa de labor aforística de Juan Ramón plasmada en *Ideolojía*, del que dará próximamente su «totalidad» y de la que aquí adelanta una selección, inédita en su mayoría, sobre el tema del destierro.[11] Exilio que al poeta como a todos los escritores les tenía cogidos por la lengua, su verdadera «patria o matria», en particular a aquellos que como Juan Ramón se «deslenguaron» largos años en tierras sajonas, lejos de sus «conterrados». Y este asedio de lo «extranjero» le llevó hacia la palabra hablada de su infancia, la que siempre preconizó como más duradera para la poesía, para defenderse de la aporía de un espacio amorfo, como el del destierro, entre Europa, «mi muerte material», y América, «mi ausencia definitiva». De ahí la necesidad de conciliar esta nueva fase de su destierro, físicamente ahora separado no sólo por el tiempo vital, sino también por el espacio del exilio de la trascendencia anhelada, ya que para él lo eterno no es *en sí* sino *en dónde*.

Arturo del Villar habla de *Tiempo* y *Espacio* como escrituras de exilio, frente a *Una colina meridiana* que califica de poemario escrito en el exilio. Se fija en los aspectos cronosóficos de la «Obra», anclados en el ejemplo de *Eternidades*, en los esfuerzos de escritura temporales, entre las que *Tiempo* es un intento en y no sobre la temporalidad, una búsqueda de la «música callada» de los místicos, al modo de los diferentes tiempos de una sinfonía. Guiado por la inteligencia, el monólogo interior se plasma también en *Espacio*, dictado por el otro yo, el del tiempo psíquico presentificado a la manera sartreana, y de Wittgenstein en la felicidad eterna del presente total que permite superar la angustia de la tierra y la lengua perdidas.

Los exilios de Catalunya, Galiza y Euskadi

También es por medio de la poesía, principalmente, dando la razón a Roberto Ruiz respecto a la mayor facilidad de este género para enfrentarse inicialmente con el exilio, debido a las mayores facilidades de edición y a la temática del recuerdo de la tierra perdida, que se estudian las «diferencias» de los exilios catalanes (Murià, Bartra, Carner), gallegos (las revistas mexicanas, Seoane, Varela, Dieste y Granell), y vascos. Todos ellos forzados a sobrevivir a través de entornos lingüísticamente ajenos y por ellos menos «afortunados» que los «transterrados» de lengua castellana, lo que obligará a transplantes de la escritura.

El trabajo de Kathleen McNerney presenta el exilio mediante la pluma de Anna Murià, sometida como tantas mujeres conocidas o anónimas al capricho del destino y también al dominio de sus compañeros. La reiteración epistolar en la obra de ésta, real o novelística, hacen de la carta otra fuente para conocer el exilio y un posible género para definirlo (su marido, Bartra, también las utiliza en las crónicas concentratorias de *Xabola*; novela que muestra el doble exilio de estas literaturas, ya que la tradición catalanista de Bartra se vio truncada al tener que escribir su primera versión en castellano).[12]

Jaume Ferrán, otro ausente-presente en el simposio, analiza *Nabí* de Josep Carner, donde el poeta-vate entona la palabra profética en un poema largo que sorprende en la tradición del canto breve del propio Carner.[13]

El caso del ostracismo gallego, condicionado por una larga tradición migratoria hacia las Américas, apunta en forma determinante hacia la identidad partida de la Galicia interior al exilio. Por ello, el exilio encuentra, a pesar de su marginación lingüística, una infraestructura culturalmente receptiva. Luis Martul Tobío se enfrenta con el vasto dominio de las revistas gallegas del exilio en México, caracterizadas por su endémico aislamiento producto de la hegemonía lingüística del castellano y la necesidad de crear una fuente de identidad nacional, de tender un puente con la patria perdida. Dicho cordón umbilical conservado por la emigración gallega finisecular hizo que la trayectoria cultural no fuera en principio innovadora, sino continuista. Utilizando los esquemas de la «literatura de emigrados» anterior a la guerra civil, el galleguismo se preocupó siempre más por la añoranza del pasado que por la inmediatez del presente en la exploración de la condición de exilio. Y a medida que avanzan los años de resistencia, el ciclo del «retorno definitivo» expresado en la saudade se va conjuntando al proyecto de Galicia como nación, con vistas a superar el sentimentalismo precedente, según lo ejemplifica la revista *Vieiros*. Percibido por medio del análisis científico de la realidad y de un arte y una literatura comprometidos, es una corriente paralela a la de la generación gallega del cincuenta en el interior. De la moderación y el folclorismo asociados a la emigración, se pasará al radicalismo según vaya adentrándose el exilio por la nueva conciencia nacionalista. En esta dialéctica tuvo cabida un diálogo galleguista transnacional, cuyo período republicano salía desde un punto de vista nacionalista (Castelao) excesivamente bien parado.

Kathleen March ahonda en la necesidad de deslindar las patrias del exilio, las cuales no son exclusivamente la española. Para los gallegos los espacios del destierro son ya conocidos, como ocurre en el caso de escritores hijos de emigrantes nacidos en América como Lorenzo Varela y Luis Seoane. Emigrantes y emigrados se confunden aquí, mientras que el bilingüismo plasma la esquizosemia del exiliado cuya lengua madre no era el castellano. En el caso de Varela, su producción vernácula se manifiesta mediante el contacto con el galleguismo exiliado, la facilidad para la edición autóctona, respaldada por la comunidad de emigrantes ahora libre de presiones o impedimentos centralistas, así como por el deseo de deslindarse de la Galicia oprimida por el castellanismo del franquismo. La piedra como símbolo de la nación perdida y anhelada va metamorfoseándose desde la torre reminiscente de la solidez castellana hasta el dolmen evocador de las raíces célticas, tradición que Varela luego percibirá como olvidada a su regreso a la Galicia posfranquista, al despertar del espejismo del exilio. Luis Seoane muestra también al unir emigración y exilio que las divergencias de la guerra civil eran muy anteriores a ésta, y por ello la cultura galleguista del exilio tenía que ser mucho más nacionalista que «transterrada». Así su poesía que rebosa de optimismo busca, entre otros motivos, la identidad medieval del camino jacobeo, con Santiago como centro, cuando la identidad gallega se afirmaba plenamente frente a Castilla.

El trabajo de Estelle Irizarry se acerca a la narrativa. Si muchos escritores gallegos pudieran ser calificados de galleguistas, no se podría decir lo mismo de Eugenio F. Granell, cuya obra está más inserta en la corriente surrealista, iconoclasta y desenfadada de su humor crítico, ajena a la etiqueta nacionalista o estilística. Por el contrario, Dieste se reflejaría con su constante preocupación por el tema del «retorno» la dinámica de la emigración gallega. Pero irónicamente, fue en *Historias e invenciones de Félix Muriel* donde optó por el castellano para aumentar la difusión de la obra, proyectando así sus dudas sobre la salud y la vigencia de la literatura gallega.

Si México fue el anfitrión principal del destierro español, se podría entonces decir que Venezuela y Argentina lo fueron del vasco. Al tratar del destierro de Euskadi en las Américas, Martín de Ugalde nos recuerda la importancia de estos núcleos desterrados, hecho posible por los contactos del Gobierno vasco en el exilio con el Gobierno de Caracas y los decretos del de Buenos Aires autorizando su emigración. Exilio a su vez más largo y penoso que ningún otro, tanto porque para muchos se inició tan pronto como en 1936 con la rebelión de Mola; para otros, las generaciones jóvenes que quedaron en Euskadi, se prolongó durante el franquismo a través de la frontera francesa, por donde huyeron hacia la libertad americana. Allí se encontraron a sus mayores, los cuales, en busca de la solidaridad americana, ya se habían configurado como fuerza de resistencia a la dictadura. Apoyo requerido por los más diversos métodos, hasta los más heterodoxos, como los del Partido Nacionalista Vasco que llegó a colaborar con la CIA y el FBI a la espera de que el Gobierno de Washington apoyase la defenestración del régimen franquista en Euskadi. En Jesús de Galíndez, luego secuestrado en su piso de Nueva York y asesinado por Trujillo con la complicidad de las autoridades estadounidenses, tuvo su mayor exponente esta paradoja del exilio anclada entre el idealismo resistente y el colaboracionismo condenable.[14] Exilio doblemente dramático para el «euskara» asfixiado por la penetración histórica del castellano, aherrojado por una diglosia endémica y ferozmente fustigado por el genocidio cultural franquista. Exilio dentro del exilio en la vida diaria, como lo muestran las divergencias entre vascos nacionalistas, afines a los centros autóctonos y vascos republicanos, identificados con la unidad de los ateneos republicanos. Para la lengua vasca, nada tan esencial para su integridad que América convertida en pulmón de resistencia y voz de libertad que logró aglutinar en revistas, editoriales y centros vascos la continuidad de la cultura euskérica asediada en el interior.

La prosa en el exilio de las Américas

A la poesía y el ensayo habría que añadir la importancia de la memoria autobiográfica que puede recoger con efectividad la crisis personal y colectiva que supone la rotura existencial del exilio. La autobiografía, nos dice Randolph Pope, ya no es la orquídea que decora el nuevo vestuario de la personalidad alcanzada, sino los harapos de la crisis hundida en las estelas del mar de la diáspora, y disfrazada por el intimismo de las memorias. Las de Alberti en *La arboleda perdida* ya buscan precisamente, antes de sufrir la expulsión patria, el reconfortarse en la exploración de una infancia, nunca asumida como propia, sino ya «ocupada» por otros fantasmas y percances. Y las de su compañera María Teresa León, *Memoria de la melancolía*, son aún más desgarradoras ya que se encuentran difuminadas en el presentimiento de la muerte. Si la escritura masculina y androcéntrica viaja hacia adelante, vemos aquí cómo la femenina tiende a desinteresarse por la historia y a borrar los hitos de una aventura que tantas veces le ha sido ajena para concentrarse en la intrahistoria de los detalles sentimentales del amor, de la gran creación de éste, su hija Aitana, y de la pérdida de los seres queridos.

Aunque ausente en el simposio, Francisco Carrasquer nos dejó su memoria de exiliado y su visión de la obra de Ramón J. Sender durante su visita a la Universidad de Maryland en mayo de 1989. Aquí afronta el americanismo en la obra de Sender, por medio de su obra más tempranamente mestiza, *Epitalamio del prieto Trinidad*, curiosamente nunca estudiada por el crítico. Novela que sorprende por sus rasgos amerindios y su profusión de exilios; novela casi alegórica de la condición desterrada pero que también muestra, mediante el personaje del maestro, Darío, la esperanza que guía a Sender. De la misma forma, el exilio no corta, sino que vivifica, la producción del novelista, que entrega con extrema celeridad y riqueza para su universo novelesco gran cantidad de títulos a su llegada a América y conjunta tradiciones diversas. Sender ratifica lo que dice Juan Carlos Onetti del exilio: «Lo que natura no da, el exilio no presta. Lo que natura da, el exilio no quita».[15]

Luis Buñuel en el exilio

El repaso que Víctor Fuentes da al cine de Buñuel en su etapa estadounidense nos presenta la contradicción de que Hollywood fue, como tantas veces —habría que recordar el manifiesto afín de Wim Wenders en *El estado de las cosas*—, enemigo del cine-arte y de su verdad. Este episodio desconocido muestra cómo la raíz de la intolerancia ideológica del cine estadounidense y de la caza de brujas del «macartismo» se gestó en torno al compromiso de la guerra española *(Blockcade)*, y se cebó contra los planes de «agitación» cinematográfica de Buñuel, ya sospechoso desde su iconoclasta manifiesto de *L'âge d'or*. Dicho rechazo facilitó que Buñuel dirigiera dos películas en inglés desde México (*La joven* y *Robinson*) para incluir a miembros de las listas negras del macartismo y realizar toda una serie de guiños intertextuales respecto a las peripecias censorias en EE.UU., que acabarían con el retorno del hijo pródigo al Oscar de 1973.

Punto y seguido

La mesa redonda que cerró el simposio, moderada por Gonzalo Sobejano, mostró cómo la diversidad de puntos de vista de los trabajos y los enfoques interdisciplinarios plantearon divergencias sintomáticas y la necesidad de extender la exploración de todas estas cuestiones. Como prolongación de la omisión del exilio en el debate de la cultura de «posguerra», anotado por diversos comunicantes, se erigió como protagonista de la mesa redonda la controvertida y debatible categoría de «exilio interior».[16] Respecto a ella, se podría observar que hubo participantes que apoyaron su utilización con ciertas matizaciones (Ángel González, Gonzalo Sobejano, Michael Ugarte y Víctor Fuentes), otros que mostraron su recelo hacia el término (Roberto Ruiz, Clara Lida), pero cuyas reticencias hacia él los entroncaría finalmente con una tercera corriente que muestra su total disconformidad (Eugenio F. Granell). Esta división se podría ver sutilmente partida por las líneas circunstanciales de la emigración y el exilio, al defender los españoles emigrantes el término y disentir de él los emigrados (exiliados), siguiendo la terminología de Vicente Llorens, como recordó Clara Lida.

Entre los defensores, Ángel González insistió en el carácter metafórico de la expresión y la indispensable presencia de la violencia en todo exilio, lo cual excluye de sí la expatriación. También recordó que si los exiliados aman a España, los residentes la odian por lo que tuvieron que aprender a amarla. Michael Ugarte recordó la dependencia del concepto «exilio interior» respecto al de destierro, por lo que dichos interrogantes apuntan hacia la dificultad de teorizar sobre la literatura del exilio. Víctor Fuentes apeló a su historia personal tras las hostilidades como «repatriado» en brazos de su madre a una tierra y un lenguaje irreconocibles. Y Gonzalo Sobejano recalcó el carácter disidente que comporta el término.

Para Roberto Ruiz, «todo mal *du pays*» es «un mal *du siècle*» por lo que el concepto hermana ambos lados de la diáspora, pero exige matizaciones profundas cuya amplitud da idea de los problemas que acarrea esta terminología. En efecto, el desfase de tiempo y espacio (circunstancias vitalmente diferentes para ambas perspectivas) y la incógnita del tiempo del regreso y los problemas de reencuentro y adaptación, elementos claves en todo exilio, señalan su inadecuación. Clara Lida sugirió la necesidad de rastrear la etimología del término en España, y apuntó preclaramente que en la España de los cuarenta no se hablaba de exilio interior, pero sí de fascismo, o de derrota.[17] Por ello sería un término que surge asociado al movimiento económico de los emigrantes de los cincuenta y los sesenta, muy diferentes del de los emigrados-exiliados de los treinta y cuarenta. Gracias al ejemplo maireniano de la patria como madre, recordó las diferencias terminológicas que dividen a ambos grupos. La patria es sentida por los emigrados pero no por los emigrantes, que prefieren hablar de España, país, región o provincia. Finalmente Eugenio Granell no sólo rechazó el término sino que apuntó que parece querer emular al exilio, como si éste fuera un estado superior o mejor.

Para «concluir» el debate aquí, diría que la categoría de «exilio interior» indudablemente intenta reunir ambas caras de la moneda de una cultura escindida por la separación, pero su carácter estático y, sobre todo, su utilización para resaltar aún más los ejemplos culturales peninsulares, producen el efecto contrario: el aún mayor apartamiento de las manifestaciones exiliadas del canon de «posguerra», y el ninguneo que tiene ahora raíces editoriales y oficiales. Sólo aquellos exiliados que se han reintegrado activamente al espacio interior (Rafael Alberti, Francisco Ayala, Manuel Andújar, Ramón Gaya, Eugenio F. Granell, María Zambrano) han conseguido un cierto reconocimiento. Desafortunadamente para muchos otros ese regreso llegó o demasiado tarde (Max Aub, Sender) o nunca se produjo (Paulino Masip, Segundo Serrano Poncela) o no ha tenido lugar (Roberto Ruiz). Mucho me temo que hoy aún sea mucho más difícil su consideración canónica, ya que la labor de los críticos es siempre relativa y marginal y esta recuperación depende mucho más de las modas (vigencia del anarquismo senderiano en los sesenta y setenta), de la adaptación cinematográfica o televisiva de ciertas obras *(Crónica del alba, Vísperas, La forja de un rebelde)* —lo cual no garantiza tampoco su lectura— o, principalmente, de los esfuerzos de promoción de los propios autores, como lo muestra el caso de Francisco Ayala tan opuesto al horror comercial de Max Aub o la discreción de Manuel Andújar.

Si exiliados y residentes amaban y odiaban las mismas

vertientes de aquellas patrias forjadas y arruinadas por una caprichosa historia, aquella República añorada y la repulsiva dictadura, éstos contaban con incalculables ventajas. Estaban ineludiblemente inclinados hacia el futuro a pesar de su mortecino presente frente a la fijación en el pasado que domina al exilio. Descartadas sus indudables dificultades, las manifestaciones culturales marginadas del interior terminaron infectando el cordón «sanitario» de la cultura oficial hasta gangrenarla totalmente y reemplazarla como alternativa real, teniendo en cuenta que en este proceso también intervinieron asimilados o como reflejos ejemplos particulares exiliados, y de ahí mi insistencia de que la labor de reconstrucción sólo puede pasar por el cotejo de ambas orillas. La dependencia del «exilio interior» respecto del exilio (me niego a ser pleonástico y añadirle el innecesario apéndice de «exterior») muestra cómo la categoría se sostiene por sí misma con enorme dificultad, sin evitar la siembra de una considerable opacidad sobre todo el problema. Dicha matización quizá se pudiera resolver apelando a términos como el de «insilio», común para el caso uruguayo, pero que también precisa de un amplio paréntesis explicativo. Se está mucho más cerca de llamar a las cosas por su nombre, por muy difícil que el posestructuralismo nos lo haya puesto, cuando nos referimos sin ambages a la España perseguida, resistente, disidente o soterrada, repitiendo un término de Ignacio Soldevila.

Coda

En este volumen no está claro todos los que son ni son todos los que están. Y entre las ausencias a destacar, la que me acompaña al redactar estas líneas por la desaparición de Javier Malagón, noticia que a todos los que convivimos con él aquellos días, quizá para muchos por última vez, nos llena de la tristeza de ver partir a ese definitivo exilio al hombre generoso que tanto ayudó y contribuyó para que el destierro no quedara como una interrogación en nuestra historia cultural. Fueron muchas las conversaciones que tuve desde mi llegada a Maryland con Javier Malagón, y en especial durante el año de preparación del simposio. A su memoria vaya el sentido homenaje de este volumen que recoge parte de los frutos que sembró y cosechó durante su ejemplar peregrinar.

Entre otras faltas a reseñar, una también dolorosa por la coincidencia de fechas fue la de María Elena Zelaya Kolker, tan vinculada a Maryland y a los estudios del exilio, cuyo esposo falleció el primer día del simposio. Tampoco pudieron acudir Ricardo Gullón, Germán Gullón y Antonio Ramos Gascón. Y la laguna en la nómina de trabajos, además del de Salvador J. Fajardo sobre Cernuda y de Gerardo Piña sobre Andújar, es la de mi colega José Emilio Pacheco, que con un estudio pespunteado de su acostumbrado lirismo, «Recoger la canción», contribuyó a la «verdad» de la visión del exilio en México. Pacheco fue serenamente tajante al hablar de la actitud abierta de México respecto al exilio y contrastarla con los impedimentos legales que las autoridades españolas, para nuestro sonrojo, hoy barajan con emigrantes y visitantes latinoamericanos. Con la nostalgia de lo perdido se refirió al privilegio de la lectura y amistad con los poetas españoles, con el «ayer» que «es nunca jamás» para el «hoy» que «es siempre todavía».

Si la escasez de iniciativa oficial rodeó al cincuentenario no se puede decir lo mismo del apoyo que obtuvo el simposio. El congreso fue patrocinado por diversos organismos, como el Programa de Cooperación Cultural entre el Ministerio de Cultura de España y las universidades de EE.UU., el Maryland Humanities Council, Iberia, que generosamente facilitó el transporte de los participantes de España, la Dirección General de Relaciones Culturales del Ministerio de Asuntos Exteriores de España, la Embajada de España en Washington, DC, y la Oficina Cultural de ésta, la Asociación de Licenciados y Doctores Españoles en EE.UU., la Escuela Graduada, la Facultad de Artes y Humanidades y el Departamento de Español y Portugués de la Universidad de Maryland en College Park. A su vez, hay que agradecer la ayuda prestada por el embajador de España en Washington, don Julián Santamaría, que cerró la reunión recordando cómo la visita de Felipe González a la par que el simposio servían simbólicamente para reconstruir los puentes «hundidos» desde hacía un siglo entre España y las Américas. Y muy en especial gracias al constante apoyo y amistad de José Ramón Remacha, el ministro para Asuntos Culturales en Washington, que inauguró el simposio, y a Antonio Ramos Gascón de la Fundación Ortega y Gasset y el Programa de Cooperación Cultural. Ambos contribuyeron doblemente a que se celebrara el simposio y viera la luz este volumen. En este apartado también hay que destacar las eficaces gestiones de la Fundación España 92.

Como todo congreso, fue una labor de equipo que no se hubiera podido llevar a cabo sin el decisivo apoyo de las autoridades de la Universidad de Maryland en College Park (el presidente Dr. William E. Kirwan, el rector Dr. J. Robert Dorfman, los decanos de la Escuela Graduada, Dr. Jacob K. Goldhaber, y de la Facultad de Artes y Humanidades, Dr. James Lesher y Robert Griffith). También habría que destacar la colaboración de todos mis colegas, personal administrativo y alumnos del Departamento, en especial su director Saúl Sosnowski, que destacó en la clausura la necesidad borgiana de «ser memorioso con los destierros»; de Graciela Nemes, cuya experiencia y ayuda fueron determinantes en tantos momentos, y de Álvaro Cano, cuya entrega en las labores epistolares y motrices fue decisiva. También gracias a Carmen Benito-Vessels, Carolyn Boyd, Kathleen March, Luis Martul, Randolph Pope y José Rabasa por moderar diferentes sesiones, y a Ángel Puente Guerra por leer un trabajo *in absentia*. A Juan G. Macías hay que reconocerle el dibujo que figuró en el programa del simposio y que ilustra la tapa de este volumen. Y, finalmente, un recuerdo para mi propio padre, participante en el simposio, que ató desde España tantos cabos de última hora que la distancia de mi «otro costado» me impedía alcanzar con la celeridad exigida.

NOTAS

1. En una reciente comunicación sobre la poesía de posguerra leída por Ángel González en el Simposio de «España ante el siglo xxi» de la Ohio State University (abril de 1990), señalaba el poeta asturiano que debía extenderse el período de la guerra civil al mal llamado período de «posguerra», mientras que este último se aplicaría a lo que hoy se llama transición. De este y otros temas del exilio trato en un próximo libro.

2. Los trabajos del Simposio de Syracuse University (1986), «La emigración y el exilio en la literatura hispánica del siglo veinte» se reunieron en un volumen editado por Myron I. Lichtblau (Miami, Orígenes, 1988). En 1989, cuatro congresos más han tratado el exilio: el de la Universidad de Amsterdam, «Medio siglo de cultura: Exilio, franquismo y democracia (1939-1989)», el de la Universidad de Puerto Rico, con el título, «La guerra civil y el exilio español en Puerto Rico y el Caribe», el de la Universidad Internacional Menéndez y Pelayo, «El destierro español en América: un trasvase cultural» y una reunión celebrada en Chile sobre el exilio a aquel país. Esperemos que no ocurra lo ya mencionado con estos trabajos.

3. Hay que recordar que organizada en parte por el Ministerio de Cultura, tuvo lugar en Madrid entre diciembre de 1983 y febrero de 1984 una exposición sobre *El exilio español en México*, Madrid, Ind. Gráf. Caro, 1983. Y frente al olvido reseñado en el texto, este volumen contó con el inmediato apoyo por parte de José María Merino, entonces director del Centro de las Letras Españolas del Ministerio de Cultura.

4. En una reciente presentación de la reedición de su *Autobiografía de Federico Sánchez* Jorge Semprún apuntó que «*quizá* ya era hora de revitalizar la memoria histórica» (el subrayado es mío).

5. Como las todavía discriminatorias pensiones para los miembros del Ejército de la República.

6. Sobre todo si se recuerda que uno de los primeros textos de Cela fue publicado en un volumen colectivo titulado *Laureados de la Cruzada* (1939).

7. De los cuales surgieron dos volúmenes indispensables para la bibliografía general del exilio: Saúl Sosnowski (comp.), *Represión, exilio y democracia: la cultura uruguaya*, College Park/Montevideo, University of Maryland/Ed. de la Banda Oriental, 1987, y *Represión y reconstrucción de una cultura: el caso argentino*, Buenos Aires, Editorial Universitaria, 1988.

8. Algo que no se aplicaría a todos los «manuscritos concentracionarios» como lo muestra *St. Cyprien, plage... Campo de concentración* de Manuel Andújar, 1942 (Huelva, Diputación Provincial de Huelva, 1990). En Andújar, como en general en toda su escritura, la tendencia, a pesar de la explícita declaración inicial de urgencia en *St. Cyprien*, es hacia un lenguaje circular y «escrito».

9. *Los bienaventurados*, Madrid, Siruela, 1990.

10. Mucho me temo que en este último apartado tendríamos una mengua cosecha.

11. Publicado por la Editorial Anthropos.

12. Se publicaría luego en catalán como *Crist de 200.000 braços*, Barcelona, 1968.

13. Se trata de la personificación característica de la voz del exilio, como lo estudio en la obra de Pedro Garfias, *Primavera en Eaton Hastings*, Juan Ramón Jiménez, *Espacio*, Carles Riba, *Elegies de Bierville*, Luis Cernuda, *Las nubes* o Vicente Aleixandre, *Sombra del paraíso*, en mi anunciado estudio.

14. Es posible que la reconocida popularidad de un escritor de grandes ventas como Manuel Vázquez Montalbán le preste un servicio de divulgación al exilio español, y al vasco en particular, *malgré eux*, en estos años de amplia amnesia histórica, con la muy interesante novela «histórico-negra» *Galíndez*, Barcelona, Seix Barral, 1990. Completaría el capítulo de ominosos olvidos y cobraría ello un tono mordazmente cruel que el «gran» público se enterase del exilio por medio de la literatura de tema exiliado y no mediante la propia.

15. *Represión, exilio, y democracia...*, *op. cit.*, p. 12.

16. Muy difundida tras el estudio de Paul Ilie, *Literatura y exilio interior. Escritores y sociedad en la España franquista*, Madrid, Fundamentos, 1981.

17. En la tradición de los estudios exiliados alemanes se empezó a utilizar el término «exilio interior» para referirse a los alemanes disidentes que habían permanecido en la Alemania hitleriana (1933-1945). En el ámbito español, parece que surge con la novela de Miguel Salabert, irónicamente publicada en Francia y en francés, con el título, *L'exil intérieur* (1961). Ver la edición española, *El exilio interior*, Barcelona, Anthropos, 1988.

HACIA EL REFUGIO
DE LAS AMÉRICAS

TESTIMONIOS DE EXILIO: DESDE EL CAMPO DE CONCENTRACIÓN A AMÉRICA

Michael Ugarte

Hay acontecimientos en la historia que nunca se deben olvidar. Ya lo había dicho el norteamericano-español Jorge Santayana —y no olvidemos a Marx— en una sentencia que se ha convertido actualmente en un lugar común intelectual: «el que se olvida de la historia está condenado a repetirla». La conmemoración española del año 1989 es una perfecta ilustración de la lección de Santayana porque, en efecto, el esfuerzo de olvidar el exilio español de 1939 ha sido intenso. Es más, lo sigue siendo, particularmente por los que se deberían acordar más que nadie: los sucesores de Pablo Iglesias. Me refiero a los del PSOE actual, los que tienen la manía de proclamarse europeos —cuando siempre lo fueron— y los que quieren solucionar los problemas de la humanidad importando MacDonalds y Disneylandias y otros grandes avances económicos y tecnológicos a los países que, como España, según ellos, más los necesitan.

Es irónico que uno de los promotores a su manera de dicha política, el actual Ministro de Cultura y autor de *El largo viaje*, haya criticado elocuente y apasionadamente el silencio, las mentiras, la mentalidad torpe y siniestra que continúa negando la existencia del Gulag y otros fenómenos parecidos, productos de un comunismo fracasado y patéticamente anticuado. Lo que parece ignorar Jorge Semprún es que ese tipo de olvido ideológico se extiende al mundo capitalista y «democrático». Y uno de los ejemplos más ilustrativos, como dije antes, es el silencio ante la experiencia de miles de españoles que pasaron del holocausto nacional de 1936-1939 a otro holocausto plenamente universal. En aquellos casos los españoles eran europeos por definición. Es más, su experiencia era entonces la alegoría histórica para el ser humano. Hay fenómenos históricos que deberíamos recordar pública y colectivamente, pero para el caso español de 1939 —y los años inmediatamente posteriores—, desafortunadamente, no se han recordado ni lamentado de una forma apropiada, de una manera que representaría el comienzo de un esfuerzo por no repetir la historia de los holocaustos del pasado y por haber. Quizá tenga la colección que ustedes, lectores, tienen ahora en las manos tal importancia; esperamos que sí.

Como parte de dicho esfuerzo de la memoria, quisiera considerar algunos textos olvidados, testimonios españoles de las experiencias en los campos de concentración de Francia y del norte de África, incluyendo los esfuerzos a veces sobrehumanos para llegar finalmente —si se puede hablar de finalidad— a América. La literatura del exilio es, entre otras muchas cosas, literatura testimonial, un término que tiene para algunos críticos connotaciones peyorativas. Santos Sanz Villanueva, en uno de los trabajos de la colección dirigida por José Luis Abellán *(El exilio español de 1939)*, comenta que la literatura testimonial tiene la desventaja de ser demasiado realista, faltándole así el elemento más importante de toda literatura: la imaginación (IV, pp. 181-182). Pero tales juicios estéticos pierden de vista otro elemento literario tan crucial o quizá más: la referencialidad, la división eterna entre la palabra y el significado de la misma, lo que se dice o escribe, por un lado, y por otro la referencia, o la serie de referencias, que existen en una realidad concreta fuera del texto hablado o escrito. Se trata de una de las características más destacadas de la literatura de nuestro exilio: la imposibilidad de recrear el drama de una experiencia real y terrible, una experiencia que podríamos llamar épica.

¿Y quién disminuiría la importancia literaria de la epopeya? ¿Se podría decir que *El Cid*, una entre tantas epopeyas de exilio, es «demasiado realista»? En esto mismo se destaca la famosa épica castellana: en la tensión entre la historia «real» y la inventada, entre la figura del Cid histórico y la del héroe del *Poema*. Y ya sabemos bien los que estudiamos la literatura que los orígenes —si los hay— de la misma historia, en el sentido moderno de ciencia social, no se pueden concebir sin tomar en cuenta una serie de elementos literarios. La imaginación, claro, es imprescindible, pero también hay que considerar la referencialidad y esa elusiva realidad.

Pero el juicio de Sanz Villanueva sobre el valor estético de la literatura testimonial nos invita a reinspeccionar ese tipo de texto, y analizar las estrategias explícitas e implícitas de una estructura literaria que tiene como base no la invención, sino la realidad. Y si esa realidad es horrenda, como en el caso español de los años treinta y cuarenta, tenemos un modelo a la vez específico y universal que ha servido en la segunda mitad de nuestro siglo como una lección tanto literaria como moral. Me refiero a la literatura del holocausto, los centenares, quizá miles, de testimonios de los sobrevivientes judíos de la conflagración europea de aquel tiempo. Porque de allí han surgido toda clase de textos —diarios, memorias, autobiografías, ensayos, novelas, poemas, obras teatrales, películas— que tienen como principio una frase: «Yo estuve allí».

La mera cantidad de textos escritos sobre tal experiencia es irónica porque el testimonio del holocausto es el único género, o subgénero literario, sobre el cual se ha comentado que nunca debería haberse escrito, y que la mejor respuesta ante tales acontecimientos era el silencio. Theodor Adorno lo ha dicho en una declaración que suena como una sentencia moral: «Después de Auschwitz, escribir un poema es un acto salvaje» (*Writing after the Holocaust*, p. 179). Y lo repite a su manera George Steiner: «La elocuencia después de Auschwitz sería obscena, ¿qué tipo de orden lógico de las circunstancias sociales y psicológicas humanas? ¿Qué procesos de análisis racional y explicación causal son accesibles al lenguaje después del cáncer de la razón y la violación a todo tipo de significación que se realizaron en el *Shoah* (holocausto)?» (p. 156). Postular que las aserciones de los dos pensadores no son más que giros retóricos, o sea, que ni Adorno ni Steiner se lo creen, representaría, creo, una falta de comprensión de la inmensidad de la cuestión. Continúa Steiner citando de nuevo la famosa declaración de Adorno, y con un tono casi burlón y autoacusatorio escribe lo siguiente: «Possibly the only language in which anything intelligible, anything responsible, about the Shoah can be attempted is German. It is in German, at the very source of its modern genius, and its linguistic conventions, that is, in Luther's pamphlets of the early 1540's that the elimination, the *Austrottung* of the Jew from Europe, that the burning alive of the Jew, is clearly enunciated. It is in the seminal call to German nationhood, in Fichte's *Addresses to the German Nation*, that Jewhatred is given the sanction of a major philosophy. [...]» («The Long Life of Metaphor», p. 157).

A continuación, con su propia elocuencia «obscena» y resonancia eminentemente moral escribe Steiner: «The literally unspeakable words that are used to plan, to prescribe, to record, to justify the Shoah; the words that entail and set down the burning alive of children in front of their parents' eyes; the slow drowning of old men and women in excrement; the eradication of millions in a verbose bureaucracy of murder —these are German words. [...] It is in German that we find the only poet —dare I say the only writer— on a level (and I use that phrase with extreme, literal intent) with Auschwitz» (p. 157).

Lo que más destaca, tanto en este pasaje como en todo el ensayo «The Long Life of Metaphor», es esa elocuencia autoirónica, una retórica que contradice por su mera elegancia verbal el argumento del ensayo. También es de notar la importancia otorgada por Steiner a la palabra: la impotencia del lenguaje frente a una realidad tan inconcebiblemente terrible. Entonces, en vista de tal dilema, el recurso para Steiner es reivindicar como punto de partida no la inimaginable realidad, sino la concepción de la misma a base del lenguaje. Para Steiner, el poeta que mejor capta esa necesidad de autoanálisis lingüístico es Paul Celan, poeta que milagrosamente sobrevivió al campo de exterminio años antes de suicidarse en París en 1970. En uno de los versos más significativos de Celan, pregunta el poeta: «Wer, zeugt für den Zeugen?» (p. 166) (¿Quién diera testimonio para el testigo?) En este verso tan nítido y sintético reside, creo, el dilema inherente de la literatura testimonial, que es a su vez uno de los conflictos principales de nuestra época posmoderna: cómo dar cuenta del pasado sin tener fe en ninguna forma, ni en ninguna entidad, ningún dios, ningún ser humano capaz de representarlo.

El dilema para los republicanos del exilio español quizá no sea idéntico al de los judíos, porque las experiencias de aquéllos en los campos nazis son no sólo diferentes de las de los judíos, sino relativamente menos horrendas. Pero soy partidario, como Steiner, de una postura universalista frente al holocausto. Sigo la línea que arguye que la diferencia entre el holocausto por un lado, que exterminó a más de seis millones de judíos y las demás matanzas colectivas de la historia humana por otro —Armenia, Camboya, el exterminio casi total de indios norteamericanos, hasta la Palestina de la última mitad del siglo actual— es una diferencia cuantitativa y no cualitativa. Y al contar la historia de la raza judía en Europa en los años treinta y cuarenta, se produce la misma tensión, la misma mano trémula cuando se escribe sobre la trayectoria de miles de españoles republicanos hacia la frontera francesa durante la última etapa de la guerra civil. Y de allí, unos a los campos de refugiados e internamiento en Francia —St. Cyprien, Argelès, Vernet, Bram—, deportados algunos de allí a campos de trabajo en diversos lugares de Francia y Alemania —Buchenwald, Dachau, Mauthausen—, donde residieron, se calcula, 10.000 españoles, entre los cuales salieron vivos unos dos mil (*El exilio español de 1939*, II, Alfaya, p. 119); otros enviados a los campos argelinos de Bu-Arfa, Meridje, El-Urak, Djelfa, para terminar sólo los más afortunados después de un viaje fantasmagórico a través del Atlántico en barcos de carga que tenían nombres como *Ipanema* y *Sinaia*, en diversas partes de América, particularmente México, que casi se podría calificar metafóricamente como el Zion de los españoles exiliados.

De esa trayectoria épica tenemos tantos testimonios que sería imposible incluirlos todos en el esfuerzo de rescatarlos del olvido. Quisiera, por consiguiente, proponer algunos límites y categorías para llegar a esa comprensión incomprensible a la que se refería Steiner. Considero aquí los testimonios intencionalmente literarios, algunos de ellos escritos por figuras relativamente conocidas en los años cuarenta en el campo de la escritura. También para los fines de esta colección me detengo en los testigos «privilegiados», los que acabaron en América y pudieron dar cuenta de sus experiencias desde una distancia geográfica y temporal y luego publicar los manuscritos. Pero tampoco quiero subestimar los testimonios no literarios, porque es en esos mismos diarios y memorias escritas por personas que se denominan «Don Nadies» donde se ve el esqueleto retórico y temático de los demás testimonios.[1]

Una de las imágenes que aparece con una frecuencia intensiva y que abarca el dilema de cómo recrear y llegar a comprender una serie de acontecimientos psicológica y socialmente terribles, es la del manuscrito. Esta imagen, o mejor dicho, *leit-motiv*, tan frecuente en la historia de la novela de diversas culturas —y no sólo de la novela— subraya el tema principal de la literatura testimonial y quizá sea el tema central de la literatura del exilio. Imaginamos que entre los aproximadamente 500.000 españoles que pasaron algún tiempo en un campo de concentración, por breve la estancia o relativamente leve la circunstancia, una gran parte de ellos escribió algo sobre la experiencia. Y si incluimos el género epistolar, como la típica carta que intenta apaciguar a la familia frente a la incertidumbre del bienestar del que escribe, bastante más de la mitad.

Lo que se debería subrayar es la necesidad, las ganas de escribir, que producen tales circunstancias. No olvidemos la cantidad de literatura «seria» que se engendra por experiencias en cárceles, presidios, internamientos y prisiones. Son tantos los ejemplos (Cervantes, Dostoyevsky, Buero

Vallejo, Miguel Hernández) y de tantas culturas diversas que tendríamos que sugerir por lo menos que el impulso de escribir, de recordar, de grabar algo para la generación venidera o simplemente para luchar contra el olvido, es una fuerza primordial y humana. Es más, los escritores profesionales que tuvieron el mismo impulso después de las experiencias «concentracionarias», el término que emplea David Rousset en su famoso libro sobre el asunto, *L'Univers concentrationnaire*, parecen ser conscientes del impulso; y la prueba está en ese motivo tan frecuentemente manipulado en estos textos, el motivo del manuscrito.

Max Aub, uno de los máximos representantes de la literatura de nuestro exilio y sobreviviente del campo francés de Le Vernet y el argelino de Djelfa, escribió muy deliberadamente sobre la experiencia en los campos: varios cuentos, un guión cinematográfico *(Campo francés)* que cierra el ciclo de *El laberinto mágico*, y particularmente una colección de poemas que se titula *Diario de Djelfa con seis fotografías* —y no olvidemos las fotografías—. En estos textos se percibe una obsesión por el manuscrito no tanto como una metáfora o signo de una idea transcendente, sino como calidad. Al hablar de la obra de Max Aub tendríamos que hacer tal distinción muy claramente, porque el novelista judío español ha escrito intensivamente sobre sus propios manuscritos, particularmente en los prólogos, algunos de ellos geniales. En el relato de Simón Otaola sobre la vida mexicana de los españoles republicanos, *La librería de Arana*, se pinta un cuadro no muy positivo de Aub al sugerir que Max era, como decía Cervantes de Lope, «un monstruo de la naturaleza» por haber escrito y publicado tanto; le llamaban Max Aún con esa eterna ironía despectiva española. Y todos los que conocían a Aub dicen lo mismo, que tenía la manía de acumular escritos, uno después de otro sin freno. Una explicación psicoanalítica postularía que tal acumulación y obsesión por el manuscrito viene de su experiencia en el campo. Como han dicho algunos pensadores judíos entre los sobrevivientes del holocausto, la vida después del campo de concentración se basa en un vacío, una ausencia que hay que llenar de cualquier manera, y al no poder satisfacer el impulso de llenar tal vacío, la vida se convierte en una lucha de Sísifo, eternamente frustrante y absurda. Lo sugiere el propio escritor en una carta a Rafael Prats. Cuenta que cuando estuvo en la cárcel de Niza antes de ser procesado para ir al campo de Le Vernet, tuvo que desposeerse, bajo las órdenes de los guardias franceses, de una maleta en que tenía manuscritos de cuentos que él estimaba mucho. La carta relata lo siguiente: «Desgraciadamente, todo lo que escribí en la cárcel de Niza desapareció... Lo siento porque tuve tiempo de escribir, primero totalmente a solas, incomunicado, y luego durante quince días, doce horas diarias, ya en libretas decorosas, la historia de los seis ladrones y asesinos con quien andaba encerrado en una horrenda celda personal. Son cosas que no he contado nunca. No por nada, sino porque siempre me ha faltado el tiempo» (Prats, *Max Aub*, p. 52).

El manuscrito perdido, un recurso empleado con frecuencia en todo tipo de textos literarios, es aquí algo real, un objeto tangible que el Max Aub de carne y hueso perdió en un calabozo del sur de Francia. Quizá el carácter frenético de sus trabajos en México no sea más que un vano intento de encontrar, o sea, reescribir, ese manuscrito.

También cabe señalar la frecuente insistencia de Aub en la «realidad» de su escritura narrativa. El título de un cuento que también tiene como tema el campo de concentración lo indica muy bien: «Yo no invento nada». Y lo afirma con la misma insistencia en el prólogo a su *Diario de Djelfa*... Pero en este texto la aserción sobre la «realidad» de sus relatos tiene un carácter irónico. Dice el prólogo: «No son estos versos —memorias o diarios— "ligeros y ardientes hijos de la sensación", [...] sino hijos de la intranquilidad, del frío, del hambre y de la esperanza —o de la desesperación». Continúa con el tono irónico, típico de toda su escritura, reduciendo el valor literario de los versos de *Diario de Djelfa*... y citando una frase nada menos que de fray Luis de León, que también tuvo su experiencia «concentracionaria». Dice que escribió estos poemas «por más que, como fray Luis haya hecho lo posible "para que el estilo de decir se assemejasse al sentir, y las palabras y las cossas fuessen conformes". Fueron escritas estas poesías [sigue], "en el campo de concentración de Djelfa [...]: todo cuanto en ellas se narra es real sucedido"» (p. 5).

Pero lo que se narra es pura hiel: invectivas, acusaciones, declamaciones a los gendarmes del campo, a los franceses, a los españoles traidores y chivatos y a los moros, ellos mismos víctimas del Gobierno francés ocupado entonces por los nazis: «El comandante y su perro, / el ayudante y su perro, / el sargento y su perro / Dios cuánto perro». Y después, «Al buen lamer llaman francés. / ... Oh mis gabachos de mil perritos!» (pp. 20-22). Con excepción al primer poema de la colección, «Paisaje», hay relativamente poca descripción, y los únicos poemas narrativos se escriben en forma de romances heroicos al estilo medieval: soldados valientes de la Segunda República que sufrieron condenas y torturas después de la derrota, etc. O sea la supuesta «realidad» del diario es por lo menos cuestionable, o mejor dicho: mientras que el contenido del diario sea emotivo e intangible, el manuscrito no; es la prueba concreta y tangible de haber vivido la experiencia del campo.

No olvidemos el mismo título de la serie de novelas que intentan incluir la experiencia histórica de la guerra en su totalidad, una totalidad laberíntica y caótica, a veces absurda. No creo que sea arbitraria la designación de «campo» que aparece como primera palabra de los títulos de cada una de las novelas de *El laberinto mágico*, no sólo en *Campo francés*, que tiene que ver directamente con el internamiento de los refugiados, sino en todas las novelas de la serie. Me parece una palabra sumamente apropiada porque está abierta a diversas lecturas e interpretaciones. «Campo» sugiere libertad, bondad y naturaleza; sin embargo en el contexto social y específico de la España de los años treinta y cuarenta, significa todo lo contrario: límite, opresión, encarcelamiento, muerte. Tampoco hay que olvidar el significado o los significados concretos, demasiado concretos, que surgieron con el sistema nazi de detención, el llamado «universo concentracionario». El campo de concentración tenía sus subgéneros de diversos tipos de campos: campos de internamiento, campos de refugiados, campos de trabajo, campos de presos políticos de tipo *A*, *B* y *C* —Mauthausen era de tipo *C*—, según el nivel de «corrección» posible. Finalmente, nunca hay que olvidar ese tipo de campo impronunciable e incomprensible del que Max Aub, siendo judío, nunca quiso escribir: el campo de la muerte. Quizá a su manera siguió Aub la línea de Adorno cuando dijo éste que «después de Auschwitz escribir un poema es un acto salvaje». Efectivamente, *Diario de Djelfa*... es un libro salvaje pero quizá el mérito, el triunfo, de la obra no consista en la salvajada, sino en el hecho de que los folios de la misma no fueron víctimas del exterminio como en el caso del manuscrito realmente perdido en la cárcel de Niza.[2]

De manuscritos reales pasamos a los metafóricos, que también forman una parte central de la literatura testimonial del campo. Pero en algunos de estos casos los manuscritos que aparecen como ideas o partes de la estructura temática del texto en cuestión además son referencias a hechos concretos de la realidad de la experiencia del campo. O sea, en *Almohada de arena*, un libro de poemas de Celso Amieva, y en las novelas, *Cristo de 200.000 brazos* de Agustí Bartra, *Búsqueda en la noche* de Arturo Esteve, *Éxodo*... de Silvia Mistral, y *Nació en España*... de Cecilia de Guilarte, para dar los ejemplos más significativos, el motivo del manuscrito tiene una relación directa con manuscritos reales. En el siguiente poema de Celso Amieva que se titula apropiadamente «El manuscrito», se elabora la relación entre el folio y lo que representa:

> *Manuscrito de las trescientas páginas,*
> *me acompañaste por doquier*
> *durante seis años muy largos,*
> *seis años largos, seis.*
> *Diario de mis amores,*
> *el perfume de Nidia saturó tu papel.*
> *Mi manuscrito heterogéneo de hojas,*
> *de escritura y tinta también,*
> *en mi hégira de Asturias a Madrid*
> *te viniste conmigo breviario de mi fe.*
> *Entre mi corazón y mi camisa,*
> *como santa reliquia te llevé*

en las trincheras de noviembre
de San Isidro y de Carabanchel.
Y conociste el éxodo,
biblia de los pecados de Israel.
Yo hago contigo ahora, en junio del 40,
un doloroso auto de fe.
Los bárbaros invaden nuevamente la Francia
y yo en sus manos no quiero caer.
Veré de atravesar el Mare Nostrum:
una barca me aguarda en Saint-Cyprien
como la libertad me aguarda en África.
No cual Camoens te he de ver
salvada a nado, prosa mía,
prosa de miel, prosa de hiel.
Aquí te quedas enterrada
en el Arenal de Argelès
Leve te sea la arena.
En verso habrás de renacer.

Además de ser un poema conmovedor y muy representativo del tono de toda la colección de *Almohada de arena*, está claro que la idea del manuscrito surge de un manuscrito real y tangible, o por lo menos tangible entonces: en junio del 40 en Argelès-Sur-Mer. Pero el manuscrito también se sitúa en otro plano más trascendente. El lector del poema asiste al enterramiento de un manuscrito que parece haber llevado una vida casi autónoma de 1936 a junio del 40. No es, como en el caso de otros manuscritos que aparecen en la literatura del exilio, una entidad que se identifica integralmente con el poeta. Es en este caso más bien un compañero entrañable que el poeta lleva siempre «entre la camisa y el corazón». Pero ahora por lo visto hay que desprenderse de él por razones tanto pragmáticas como purgativas: pragmáticas primeramente porque el manuscrito «de 300 páginas» le va a estorbar en su lucha para sobrevivir, y además porque «los bárbaros» —los nazis— se lo secuestrarán seguramente si lo lleva a la próxima etapa «concentracionaria»; y es un acto purgativo, «auto de fe», porque es el documento que sirve de prueba de su condición de criminal entre los enemigos. O sea, es una «biblia de los pecados» como el éxodo de los judíos. Entonces el enterramiento del manuscrito en la arena no es tanto un acto heroico, sino un acto necesario que inicia la próxima etapa en la larga trayectoria de exilio. Es un rito y, como todos los ritos, absolutamente necesario para la continuación de la raza o la comunidad. El último verso lo expresa: «En verso habrás de renacer».

Hay una ocurrencia parecida en *Campo francés* de Max Aub. Se trata de uno de los muchos personajes, un tal Leslau, profesor de filología, que como la mayoría de los demás personajes, se encuentra detenido en el estadio parisiense de Roland Garros antes de que le lleven al campo de Le Vernet. En una maleta lleva manuscritos de los que, según los consejos de los compañeros encarcelados, debería desprenderse por su propio bien. Pero Leslau se mantiene firme en guardarlos: «Es lo único que me funciona todavía decentemente» (p. 173). Luego, en una escena tragicómica Leslau admite que no puede más con la maleta:

> GUARDIA: ¡Andando!
> LESLAU: No puedo más. Pesa demasiado.
> GUARDIA: No es cuestión mía. ¡Vamos! ¡Arreando!
> LESLAU: No puedo más.
> *(El guardia echa mano a la funda de su pistola. La cara de Leslau; levanta la vista, mira el campo; ve a Mantecón [uno de los compañeros] que vuelve hacia él. Mientras se ha acercado un suboficial.)*
> SUBOFICIAL: ¡Nadie puede detenerse!
> GUARDIA: No puede con eso... Pesa una tonelada.
> SUBOFICIAL: *(A Leslau)* ¿Qué lleva allí dentro?
> LESLAU: Libros.
> SUBOFICIAL: *(Tras una ligera duda, al guardia.)* Ayúdalo.

Pero lo gracioso es la explicación de la ocurrencia, un incidente en el que el profesor pudo muy fácilmente haber sido ejecutado:

> MANTECÓN: Para que veas; eso que te ha sucedido sólo te puede haber sucedido en Francia. La cultura puñetera.
> LESLAU: ¿Y en Aragón?
> MANTECÓN: Si hubieras llevado chorizos... [pp. 173-179].

Es de notar que la maleta del profesor Leslau lleva manuscritos de traducciones del sánscrito, y éstos, a su vez, le han causado el haber estado a punto de ser ejecutado. Pero en un juego siniestro y absurdo, los manuscritos también le han salvado.

Mientras que en Amieva vemos un manuscrito engendrador, una semilla que «renacerá en verso», en Aub se ve el elemento grotescamente absurdo de la maleta de manuscritos, folios inútiles y patéticos que por ninguna razón comprensible son el objetivo de la vida y de la muerte. Pero a pesar del ya mencionado elemento grotesco de *Campo francés*, existe algo sumamente significativo en los manuscritos tan pesados de Leslau. La razón por la cual no quiere el profesor desprenderse de ellos es difícil de descifrar, y desde luego el autor no explica el motivo. Pero el lector o espectador se lo puede imaginar, quizá no por medio de la razón, sino el deseo, el impulso, la obstinación de quedarse con un objeto tangible que pudiera ser la prueba de haber vivido la experiencia concentracionaria. Y al fin y al cabo el tema es el mismo en Amieva porque su manuscrito se percibe también como algo tangible, una semilla que dará a luz a otra cosa tangible, otro manuscrito.

El género en el que se ve con más frecuencia el motivo del manuscrito es en la narrativa del campo. Aparece directa e indirectamente en varias narraciones. Por ejemplo, *Éxodo: diario de una refugiada española* de Silvia Mistral está escrita literalmente en forma de diario. Es más, el texto de Mistral se autodefine «diario», porque como dice León Felipe en el prólogo, «Cuando no hay tema —decía ya Cervantes— hay que usar el ingenio, pero cuando el argumento es rico, basta con ir contando» (p. 10). Y eso es precisamente lo que hace Mistral: contar el cuento de la realidad. Hay que señalar, sin embargo, que *Éxodo...* también tiene su artificio novelesco: diálogos, metáforas de la diáspora, hasta alegorías como la siguiente, que trata de uno de los refugiados que desde la arena de Saint Cyprien se mete en el agua y quiere irse nadando hasta México. Cuenta Mistral: «"A México, a México...". E iba, hacia el mar, adentrándose en el agua. Los amigos corrieron hacia él. Marchaba a México, por el mar, como Jesucristo, sobre las olas. Había perdido la razón» (p. 59). Ocurre algo muy semejante en la novela de Cecilia de Guilarte, *Nació en España: novela o lo que el lector prefiera*, que trata de un joven parisiense nacido en España. Por un impulso caprichoso y ambiguo vuelve a España y se encuentra en medio de la contienda nacional. Luego pasa por todas las experiencias de los republicanos españoles. Lucha, es herido, se va otra vez a Francia ahora con la ola de refugiados, pasa tiempo en los campos de concentración y termina en México con una nueva identidad nacional: español desterrado. Los sucesos se narran con una inmediatez que se asemeja a un diario, como el de Mistral. Y al fin de cuentas, como señala el propio título, el lector tendrá que escoger entre los posibles géneros del texto: «novela o lo que el lector prefiera».

Para la mejor comprensión literaria, no sólo del *leit-motiv* del manuscrito, sino de toda la literatura del internamiento sería necesario un análisis detenido de las dos novelas más representativas y complejas: *Cristo de 200.000 brazos* de Agustí Bartra y *Búsqueda en la noche* de Arturo Esteve. En ambas obras vemos cómo los dos textos se autodefinen con la presencia del manuscrito, aquí no tanto en el sentido del borrador original que se espera revisar y publicar en tiempos menos difíciles —como en los casos de Aub y Amieva—, sino los folios de cuadernos, cartas, diarios o memorias escritas por un personaje como una búsqueda personal o espiritual.

Al leer *Cristo de 200.000 brazos* se descubre poco a poco que lo que estamos leyendo es uno de estos ya mencionados manuscritos: el cuaderno de uno de los cuatro personajes principales de la novela. Toda la información de las ocurrencias en el campo de Argelès se recibe por medio de lo que ha escrito Vives, que así se llama el escritor-personaje, junto con un narrador insólito que se confunde a veces con el mismo Vives. Por medio de cambios temporales y de punto de vista narrativos el narrador y Vives nos ofrecen descripciones del campo, memorias de una vida anterior y hasta cuentos fantásticos que les hacen olvidar las terribles circunstancias en que viven. En el epílogo subtitulado «Última hoja del carnet de Vives», todo parece quedar estéticamente resuelto en una síntesis de perspectivas entre el escritor-personaje, el narrador y el autor, que no olvidemos pasó varios meses en el campo de Argelès:

> En este carnet se encuentran muchas historias que he inventado para contarme a mí mismo en horas de desaliento y soledad, otras que me han sido narradas y otras todavía que he vivido. [...] Pero es un consuelo y al mismo tiempo una alegría pensar que lo que yo seguramente no podré realizar, alguien lo hará en el futuro, alguien a quien estas páginas llegarán como una visitación luminosa y una orden profunda [p. 121].

La referencia señalada por ese «alguien» es, claro está, el mismo autor. Pero lo que destaca en este pasaje clarificador de los propósitos del novelista es la nitidez estructural después de una serie de acontecimientos, observaciones y cuentos intercalados —los 200.000 brazos del texto— que no parecen estar directamente conectados al hilo temático. O sea, parece que todo ha sido resuelto por una maniobra estética, y más significativo aún es que todo lo ocurrido ha quedado en el reino del lenguaje, cosa que nos sugiere que el campo no es más que puro artificio.[3]

En la novela de Esteve ocurre algo semejante sin la nitidez estructural de la de Bartra. *Búsqueda en la noche* es un texto hermético, abierto a múltiples lecturas; y el motivo del manuscrito que se manifiesta mediante los escritos del narrador-personaje, incluyendo las cartas a su esposa, y del cuaderno de un tal Vicente Moyano, personaje que aprovecha su estancia en el campo para una búsqueda metafísica, contribuye a la aparente falta de prioridad temática. Pero como en *Cristo de 200.000 brazos*, en la novela de Esteve la «realidad» terrible del campo parece quedar cuestionada por el texto. Por medio de una memoria escrita por el yo-narrador, un militar republicano —Federico Bonastre— se relata cronológicamente la historia personal del mismo en el campo de trabajo de Bu-Arfa cerca del Sáhara argelino. Federico ha perdido todo tipo de conexión afectiva con el ser humano, no después del campo sino después de haber estado a punto de morir en el frente de batalla. Se siente solo, como un simple espectador en una vida que no tiene para él ni rumbo ni sentido. Irónicamente, después de los acontecimientos en el campo, particularmente los que elaboran su relación con Vicente, parece haberse recuperado. Entonces desde un punto de vista retrospectivo, el campo, el espacio geográfico y filosófico de la «búsqueda» le ha servido como una especie de terapia en la que se ha reencontrado. El problema reside en la posible ironía de la misma recuperación o «re-encuentro».

Los manuscritos encontrados en la novela son muchos y diversos: el cuaderno de Vicente, llena de especulaciones filosóficas extravagantes sin una referencia específica a algún pensador conocido que nos permitiría ubicarnos, poemas cuasi-místicos, las cartas de Federico a la esposa que parecen contener palabras de una persona diferente que la que vimos al principio del texto y que discrepan con la frialdad del personaje al comienzo del texto. Y la novela acaba, no como en *Cristo...* con una explicación del porqué de todo el relato, sino con una disquisición, o mejor dicho, un discurrir, sobre el principio metafísico de la vida. Este discurso final no es de los escritos de Federico, el protagonista, sino de Vicente. Las últimas palabras escritas de Vicente, que ha muerto en unas circunstancias arbitrarias y absurdas, son las siguientes: «Me maravillo por la facilidad con que encuentro explicación a todos los efectos. [...] Comprendo perfectamente frases como "Dios está en todas partes", "es principio y fin, es voluntad", etc., puesto que es ley fundamental de la materia» (p. 218). Después de todo lo que ha ocurrido, el lector tiene que quedarse asombrado de la aparente simpleza de la conclusión. Además, no falta el elemento patológico de la muerte de Vicente junto con su escritura. O sea, el campo, la política, la «realidad» de las circunstancias, quedan todas subordinadas a un discurso metafísico ambiguo y contradictorio.

Se podría interpretar este manejo del motivo del manuscrito en ambas novelas como un juego estilístico en que la misma experiencia en los campos ha sido borrada. Sin embargo, tal lectura sería incompleta sin tomar en cuenta el impulso de crear esos manuscritos tanto para los personajes que escriben como para los dos autores. En la novela de Bartra, como en la de Esteve, el manuscrito como objeto tangible es el mismo. Y también representa, creo, la lucha para sobrevivir y la misma prueba de haber vivido y sobrevivido. Aunque a fin de cuentas quede esa nebulosa realidad en un plano lingüístico, no podemos negar el esfuerzo de no olvidar y perderla. Tampoco sería válido —tanto estética como moralmente— negar la realidad concreta de tales experiencias. Lo que se busca en esta literatura no es precisamente la realidad, sino como dije la manera de contarla.

Quizá una de las diferencias más destacadas entre estos textos testimoniales de intelectuales españoles y los escritos de judíos sobre experiencias semejantes, es la constante presencia de América en aquéllos como una posible salvación; salvación no tanto en el sentido espiritual, sino otra vez un lugar real que podría representar el final de la trayectoria concentracionaria y el final del peligro inmediato de la muerte. Es curioso que aún en el aspecto americano de la experiencia se encuentra otra vez el impulso de grabar esas experiencias en forma de escritos y memorias. Ya lo ha contado con gran elocuencia Manuel Andújar, otro veterano del campo de concentración que pudo llegar a América para registrar la experiencia en un libro irónicamente titulado *Saint Cyprien, plage* y en el ensayo, «Hispanoamérica, crisol de mestizajes». Cito una vez más las palabras iniciales del apéndice del ensayo que se titula «Crisis de la nostalgia»:

> Érase un viejo barco, de larga y amarga historia. Cuentan de él que cobró ancianidad y una pátina sombría en la brega de transportar, durante muchos años, míseros creyentes de las costas norafricanas a la peregrinación sagrada de la Meca. Capas de mugre y sudor, de rezos y leyendas habíanse adherido a sus maderas y planchas, dábanle un aire correoso, como piel tostada de los profetas del desierto.
>
> [...] Se trataba de concluir de Francia a México una expedición, muy numerosa y variada por cierto, de republicanos españoles. Llegaron al puerto mediterráneo de Sète, desde

los campos de concentración de Provenza, centenares de hombres barbudos y desastrados, y de las capitales del fresco destierro, sin brizna de polvo y paja, compatriotas suyos, de áspero gesto nervioso, cicatriz de la derrota reciente [p. 105].

El tono del ensayo continúa de esta manera alegórica como una parábola de tiempos remotos —«érase», «dábanle», «profetas del desierto»—. También es de notar la voz testimonial de un narrador que ha hecho el mismo viaje que está describiendo. Al hacer Andújar el papel del humanista liberal que busca una reconciliación política e histórica entre España y América, también se percibe un hombre, un narrador testigo de la experiencia. Y en la descripción de tales experiencias, arguye Andújar que hay que tomar en cuenta el «hálito carnal, la dramática y transida pulpa». Sigue con la pregunta siguiente: «¿Valdrá la pena que nosotros, sujetos del avatar, ensayemos una explicación de lo que "creemos" nos ha ocurrido, qué síntomas notamos en nuestros huesos y en nuestro espíritu, de qué manera explicamos nuestro ámbito de relaciones, [...] en qué consisten nuestras virtudes y nuestros yerros?» (p. 108). La retórica de la pregunta es crucial porque el «ensayo» —ensayo en los dos sentidos— de la explicación de los hechos, realizado por los que lo han vivido, es imprescindible.

También es de notar una vez más la importancia que le da Andújar al lenguaje, no sólo la insistencia en la recreación de los hechos por los testigos de los mismos, sino los cambios que «sufre» el castellano después del viaje en el barco *Sinaia*. Pero el escritor andaluz, o mexicanoandaluz, no concibe tales cambios como una contaminación lingüística sino como un cruce verbal, un «mestizaje» conceptual sin seguir las normas anticuadas y repletas de asunciones de superioridad. Con la cita siguiente quisiera dar la palabra a Manuel Andújar y a los suyos, a los que deberíamos todos felicitar, admirar y sobre todo, recordar:

Lo decimos con locución española, ya de fonética más atenuada, menos estruendosa, injerta del tono cantarín que lo indígena superpone. Contemplamos el paisaje con ojos a cuya primitiva prosodia visual se agregó la luz intensa del cielo de la meseta. Nos familiarizamos con una literatura y unas artes plásticas que nos infunden la musicalidad a que el lenguaje en derredor aspira... Aquí estamos y así somos. En México para España.

Quizá debiéramos añadir que aquí estamos algunos de milagro y otros sólo pueden estar metafóricamente —si es que aún creemos en la metáfora— como testigos-fantasmas armonizando con León Felipe las canciones de dolor y angustia.

NOTAS

1. Sería otro trabajo aparte pero necesario el análisis de los diarios y memorias escritos por personas no literarias. Trato dicho tema en mi libro: *Shifting Ground: Spanish Civil War Exile Literature*, Durham, Duke University Press, 1989, pero se tendría que elaborar con más detalle y profundidad.

2. Para una comprensión más extensa de este tema, el ensayo de Javier Alfaya, «Españoles en los campos de concentración nazis», en *El exilio español de 1939*, vol. II, pp. 91-120, es fundamental.

3. Sería interesante comparar la novela de Bartra con la de Manuel Puig sobre el mismo asunto, *El beso de la mujer araña*, a pesar de la enorme diferencia entre los dos propósitos novelescos.

OBRAS CITADAS

ABELLÁN, José Luis (ed.), *El exilio español de 1939*, 6 vols., Madrid, Taurus, 1976; I. *La emigración republicana*; II. *Guerra y política*; III. *Revistas, pensamiento educación*; IV. *Cultura y literatura*; V. *Arte y ciencia*; VI. *Cataluña, Euskadi Galicia*.

AMIEVA, Celso, *Almohada de arena*, México, Suplemento de Ecuador, 1960.

ANDÚJAR, Manuel, «Crisis de la nostalgia», en *Andalucía e Hispanoamérica: crisol de mestizajes*, Sevilla, Edisur, 1982.

—, *Saint Cyprien, plage*, Ediciones Cuadernos del Destierro, 1942.

AUB, Max, *Campo francés*, Madrid, Alfaguara, 1979.

—, *Diario de Djelfa con seis fotografías*, México, Fondo de Cultura Económica, 1944.

—, *El laberinto mágico: Campo abierto*, México, Tezontle, 1951; *Campo cerrado*, Madrid, Alfaguara, 1978; *Campo de sangre*, México, Tezontle, 1944; *Campo del Moro*, México, Mortiz, 1963; *Campo de los Almendros*, México, Mortiz, 1968.

BARTRA, Agustí, *Cristo de 200.000 brazos*, Barcelona, Plaza y Janés, 1970.

BOTELLA PASTOR, Virgilio, *Así cayeron los dados*, París, Imprimeries de Gondoles, 1959.

ESTEVE, Arturo, *Búsqueda en la noche*, Buenos Aires, Buena Era, 1957.

GUILARTE, Cecilia de, *Nació en España: novela o lo que el lector prefiera*, México, S. E., 1944.

MISTRAL, Silvia, *Éxodo: diario de una refugiada española*, México, Minerva, 1940.

OTAOLA, Simón, *La librería de Arana*, México, Mortiz, 1963.

PRATS RIVELLES, Rafael, *Max Aub*, Madrid, España-Calpe, 1978.

ROUSSET, David, *L'Univers concentrationnaire*, París, Éditions de Pavon, 1946.

STEINER, George, «The Long Life of Metaphor: An Approach to the "Shoah"», en Berel Lang (ed.), *Writing after the Holocaust*, Nueva York, Holmes and Meier, 1988.

DEL DESTIERRO A LA MORADA

Clara E. Lida

Deseo rendir homenaje a uno de los estudiosos más destacados de la emigración española, que falleció hace diez años, al cumplir él mismo cuarenta años de destierro. Desde su morada en Princeton, con sus extraordinarios estudios sobre los emigrados liberales del siglo XIX y sobre los republicanos del XX, nos enseñó a comprender mejor estos temas. Me refiero, naturalmente, a Vicente Llorens. Con él aprendimos que el afán ecuánime por el estudio se puede aunar a la pasión por la tierra perdida. En su recuerdo vayan estas páginas.

Al cabo de 50 años es justo detenernos en este recodo del camino para volver la mirada sobre el sendero recorrido por la emigración española desde el inicio de su forzada expatriación en los años de la guerra civil. Sin duda las imágenes se nos agolpan; son como *flashbacks*. La primera es la de aquellos niños y jóvenes apenas adolescentes que, desde la cubierta de un barco, se despiden de sus padres; las caras serias o llorosas son las de poco menos de quinientos niños que México ofrece acoger mientras dure la guerra. Otra imagen es la de hombres, mujeres, niños, ancianos y jóvenes milicianos que, arrastrando su derrota, cruzan a pie los Pirineos en interminable fila: Cataluña ha caído. Una más es la de hombres y adolescentes, por una parte, y mujeres y niños, por otra, que rodeados por soldados senegaleses se encuentran hacinados en las barracas de los campos para refugiados en el sur de Francia; la escena se repite, pero esta vez en el norte de África; en todos los casos reinan la tristeza, la enfermedad, el hambre, la desolación (son los terribles *Campos* de Max Aub). Como contraste, nos llega luego la visión esperanzada: la de los refugiados de ambos sexos y de todas las edades que con sus casi inexistentes pertenencias abordan los barcos que los trasladarán a México (aunque alguno, como el *Champlain*, naufraga al salir del puerto —todavía nos preguntamos si fue un torpedo o una mina). Finalmente, nos vuelve una imagen eufórica que se repite varias veces: en el puerto de Veracruz una multitud recibe alborozada la llegada de miles de refugiados republicanos que desembarcan en las mismas costas que cuatro siglos antes habían pisado los primeros españoles, entonces conquistadores. Los que llegan ahora vienen derrotados, no a conquistar sino a buscar el albergue que su tierra les ha negado.

Algunos vivieron estas escenas; los más las aprendimos en el cine, en los libros, en las fotografías o por medio de los recuerdos conservados fielmente por otros durante cinco décadas. Sea cual sea el origen de estas imágenes en nuestra memoria, todos sabemos que narran la historia desgarrada del fin de una esperanza trágicamente cercenada y del comienzo de un azaroso y largo destierro que ya alcanza el medio siglo.

Hoy, en vísperas del tercer milenio, al conmemorar los cincuenta años del final de la guerra civil española y el comienzo del éxodo masivo de casi medio millón de hombres, mujeres y niños, es tiempo de mirar hacia atrás. Al hacerlo no sólo deberemos reflexionar sobre el triste legado de aquella intolerancia y barbarie: terrible herencia todavía viva en tantas latitudes, sino descubrir en la cara y cruz de la historia lados más amables que nos permitan también admirar el ejemplo de solidaridad de individuos y de pueblos.

I

En efecto, mi propósito es examinar en contrapunto la pérdida de la antigua tierra y el asiento en la nueva morada que, paulatinamente, se convertirá en permanente. Este tránsito para la gran mayoría de los emigrados en los diversos países que los acogieron, fue doloroso y lento. Pero, a pesar de la tragedia original, al menos en tierra americana su final fue el más feliz (o el menos desdichado). De aquel dolor inicial tenemos incontables y variados testimonios; no haré aquí su historia. En cambio, la lentitud o celeridad del arraigo es más difícil de asir. ¿Dejaron alguna vez los republicanos expatriados de sentirse extraños en tierra ajena? ¿Alguna vez quedó atras para ellos el destierro y hallaron una morada segura en la cual reposar? ¿Cuándo se restañó el dolor del éxodo y del llanto y se reemplazó por la paz de una tranquila certidumbre? En un precioso texto aún inédito, Carlos Blanco Aguinaga recordaba a aquel destista que en México «dormía en un cartucho adjunto a su consultorio y explicaba una y otra vez que él, desde luego, tenía siempre la maleta hecha porque nos íbamos a volver para España un día cualquiera de éstos».[1] ¿Sabremos alguna vez cuándo decidió aquel hombre buscar otra habitación más acogedora y deshacer su valija para asentarse en el nuevo hogar? Es imposible explicar este proceso con diminutas cronologías, porque no es el tic-tac mecánico del reloj el que puede darnos la medida exacta de este tiempo; esto, si acaso, sólo lo podríamos hacer la suma de experiencias plurales en las más diversas geografías. Yo aquí lo intentaré limitándome únicamente a reflexionar sobre los cincuenta años de destierro en América y, más particularmente, en México, sin duda el más hospitalario de los países de la emigración.

Sin embargo, antes de entrar en esta materia, vale la pena señalar cuán notable es que el idioma español, a diferencia de otras lenguas anglo-germánicas y romances (a excepción de las que se hablan en la península), tradicionalmente haya preferido el término de «destierro» al de «exilio»; es decir, se refiera con mayor frecuencia al desarraigo, a la pérdida de la tierra que a la salida forzada, a la expulsión. Esto tal vez no sea casual, pues fuera de España pocos países han tenido en el transcurso de los siglos una historia tan recurrente de largos —algunos de ellos infinitos— destierros. Pocos pueblos han sufrido de modo tan reiterado y cruel el desarraigo violento, pocos han visto una y otra vez sus raíces tan duramente arrancadas de su tierra como los hombres y mujeres de las muchas y diversas Españas que han sido desde el siglo xv hasta el nuestro. Esa larga historia de destierros culmina con la emigración de la guerra civil, pero su perfil se distingue de las que la precedieron no por la crueldad de la expatriación y del desarraigo, por todas compartida, sino por su destino fuera de la patria, por su encuentro con una tierra acogedora en la cual echar raíz libremente, sin la marginación forzada del gueto o del enclave.

Desde los judíos y árabes de fines del siglo xv, los humanistas y heterodoxos de los siglos xvi y xvii, los moriscos de la segunda década del seiscientos hasta los afrancesados ilustrados de la era napoleónica, los liberales, progresistas, republicanos y socialistas del siglo xix, todos compartieron la expatriación obligada, así como el desarraigo y el aislamiento en las nuevas tierras que los recibieron, algunas veces para siempre. Por otra parte, si hasta el siglo xviii las persecuciones habían tenido como motivo esencial la intolerancia religiosa y una duración infinita, en el siglo xix comenzaron las emigraciones políticas más o menos temporales. Los afrancesados de la era napoleónica y los liberales antiabsolutistas gozaron del triste privilegio de ser los primeros en el mundo hispánico que sufrieron esta moderna forma de persecución. Con ellos cambiaron los rasgos característicos del destierro; éste dejó de ser un fenómeno permanente para convertirse en transitorio, en tanto variaban las condiciones políticas en el interior de España. La gran mayoría de los proscritos liberales, por ejemplo, sufrieron una primera expatriación de seis años, en 1814 y una segunda durante la ominosa década que terminó con la muerte de Fernando VII, en 1833. Pero si estos y otros destierros que les siguieron fueron significativos por la intensidad de la persecución, comparados con los de los siglos anteriores fueron, en cambio, relativamente cortos. Excepciones aparte, en general el asentamiento en otras tierras fue efímero y el desarraigo fugaz. También a diferencia de los siglos precedentes, a partir de las proscripciones liberales del xix, nos encontramos con una geografía del destierro que por primera vez abarca no sólo Europa, especialmente Inglaterra, y el norte de África, sino algunos países de América recientemente emancipados. Además, estos éxodos incluyeron, también por vez primera, una gama amplia de todos los sectores y clases de la sociedad española.

La emigración de la guerra civil tuvo semejanzas con las que la antecedieron, pero en todo caso desarrolló patrones propios. A diferencias de los destierros del siglo xix que, cuando mucho, alcanzaron una década, este éxodo republicano, aunque también político, ha sido de excepcional duración dada la longevidad del dictador y de su régimen. En cambio, a semejanza de los destierros del siglo anterior, su dispersión geográfica fue amplia y abarcó, al menos, cuatro continentes,[2] pero esta vez con un predominio numérico en América, especialmente en México, y en dos países de Europa: Francia y la Unión Soviética. No voy a extenderme aquí en estos dos últimos, pero sí en el primero, y en dos o tres calas me referiré muy brevemente a su contexto hispanoamericano.

II

Sabemos que desde la ocupación del País Vasco y luego de Santander y Asturias, entre junio y octubre de 1937, hasta la caída de Cataluña a fines del invierno de 1939 y, poco después, de la zona Centro-Sur, tal vez no menos de cuatrocientos mil españoles cruzaron ateridos, hambrientos, desfallecidos la frontera francesa. En la historia de los destierros, este es un capítulo triste y mezquino de la política oficial de un país que contrasta con la solidaridad decidida y generosa de muchas agrupaciones e individuos en Francia; muchos refugiados murieron en los infames campos de concentración y, a raíz de esa experiencia, muchos otros volvieron a España. Al iniciarse la colaboración del Gobierno de Vichy con la Alemania nazi otros fueron deportados, entregados a sus verdugos franquistas. Se calcula que para comienzos de 1940 en Francia quedaban unos doscientos mil refugiados, pero los números siguieron mermando a medida que aumentaban las evacuaciones hacia América. A partir de junio de 1940, al producirse la capitulación francesa y la ocupación alemana, estas evacuaciones se redujeron drásticamente hasta cesar casi por completo. Sólo después de concluida la segunda guerra mundial, aquellos españoles cuyas familias habían encontrado asilo en América se pudieron dirigir libremente al nuevo mundo, pero ya en números menores. Hacia mediados de los años cincuenta, las cifras oficiales hablan de unos cien mil refugiados españoles radicados en Francia. Por otra parte, si al comienzo el éxodo de 1939 a Francia fue el más variado en cuanto a su composición social, a medida que los refugiados reemigraban, especialmente los profesionales que, como extranjeros, no estaban autorizados por el Estado francés al libre ejercicio de sus carreras, esta emigración fue adquiriendo un perfil más diferenciado, hasta quedar convertida, sobre todo, en una de técnicos y trabajadores.[3]

Muy diferente fue el éxodo a la Unión Soviética, organizado oficialmente para dar asilo a militantes del Partido Comunista español y a sus familias, grupo político que no contó con ayuda de los países de Occidente, con excepción de México, que no discriminó contra ningún partido. En 1937 el Gobierno soviético también recibió un enorme contingente de niños evacuados. (Valga aquí un paréntesis para recordar que aparte del Gobierno de México, el de la Unión Soviética fue el único otro que dio un apoyo continuo a la República y que protegió a los niños de la guerra. En otros países europeos fueron, sobre todo, organismos privados los que crearon colonias infantiles, pero al terminar la guerra la gran mayoría de los niños fueron repatriados. En Estados Unidos, en cambio, aunque Eleanore Roosevelt e intelectuales y políticos liberales quisieron también obtener la ayuda oficial para evacuar niños españoles, se encontraron con dos poderosos *lobbies*, el profranquista y el católico, que se opusieron exitosamente a este gesto humanitario del Gobierno. En este contexto, Estados Unidos, al igual que Gran Bretaña y algunos otros gobiernos, admitieron refugiados sólo a título individual, seleccionándolos de acuerdo a su capacitación profesional y académica. Una variante particular dentro de este modelo fue el caso de Puerto Rico, donde el rector de la Universidad, Jaime Benítez, con el apoyo del gobernador Luis Muñoz Marín, logró captar gran número de intelectuales refugiados que luego, en su gran mayoría, pasó a Estados Unidos.)

Volviendo a la Unión Soviética, podemos calcular que ésta dio asilo a varios miles de españoles, que fueron recibidos como héroes de guerra y tratados con todo tipo de miramientos y consideraciones especiales. Al finalizar la década de los cincuenta, esta emigración comenzó a mermar cuando muchos de sus integrantes pasaron a otros países del Este, regresaron a la Europa occidental o se reunieron con familiares en América. Sin embargo, todavía diez años después había en la Unión Soviética unos tres mil españoles refugiados.

México inició su apoyo a la causa republicana desde el comienzo mismo de la sublevación rebelde con ventas de armas, municiones y pertrechos de guerra y con el envío de medicinas y alimentos. Otras manifestaciones de solidaridad mexicana con la Segunda República española se dieron tanto en la Sociedad de las Naciones como en los demás foros internacionales, con la apelación incansable a la soberanía de los estados jurídicamente constituidos y a la solidaridad con aquellos cuya integridad fuera lesionada por otros (como ya México lo había manifestado en el caso de Etiopía un año antes y lo haría en el de Checoslovaquia, en 1938). Más directamente relacionado con nuestro tema, ya entre agosto de 1936 y marzo del 37 la Embajada de México en Madrid y sus legaciones en la península ejercieron sin restricciones el derecho de asilo a españoles de ambos bandos, ayudando a salir de las zonas de peligro a aquellos que así lo desearan. En mayo de 1937, México organizó la evacuación de unos 460 niños embarcados en Valencia y

Barcelona que fueron acogidos como «hijos adoptivos del Gobierno de México» en la figura de su presidente, Lázaro Cárdenas.[4] Algunos de estos niños y adolescentes quedaron al cuidado de particulares, pero la mayoría fue asilada en una institución escolar, de destino infeliz, en la ciudad de Morelia, lo cual le dio al grupo el nombre con el que desde entonces se conoce a esos primeros refugiados en México: los «niños de Morelia».

A partir de 1937 se organizó también el asilo a intelectuales españoles desplazados por la guerra e incapaces de seguir en España. Bajo el estímulo de dos figuras destacadas de la cultura mexicana, Alfonso Reyes y Daniel Cosío Villegas, el presidente Cárdenas decretó en 1938 la fundación de La Casa de España en México como «centro de reunión y de trabajo [...] en el campo de la educación y la cultura superiores».[5] Esta institución, que en 1940 se convertiría en El Colegio de México, recibió desde entonces a lo más granado de los escritores, artistas, científicos y humanistas de la España desterrada y, además, sirvió de centro de selección y de irradiación de ese talento hacia diversas instituciones del país.

Sin embargo, sería un grave error creer que el perfil de la emigración española a México fue sobre todo académico y artístico, especialmente a partir del gran aluvión emigratorio que comenzó en la primavera de 1939. Cuando el 1 de abril Franco se pudo jactar de que la guerra había terminado, para muchos apenas empezaba la otra gran batalla para sobrevivir en el destierro y, en el caso de México, los allí refugiados abarcaron todas las profesiones y oficios, de la A a la Z, desde abogados y albañiles hasta zapateros y zootécnicos.[6]

Con ayuda de las organizaciones republicanas en el exilio, principalmente el SERE (Servicio de Evacuación de Republicanos Españoles), fundado en Francia por el gobierno de Juan Negrín, la JARE (Junta de Auxilio a los Republicanos Españoles), creada en México por los socialistas de Indalecio Prieto, y, a partir de 1940, de la Comisión Administradora del Fondo de Auxilio a los Refugiados Españoles (CAFARE), establecida por el Gobierno de Cárdenas como organismo no partidario para evitar conflictos entre los otros dos grupos (a los que finalmente sustituyó), el Gobierno de México preparó la evacuación masiva y la instalación en ese país de los refugiados españoles. También con el apoyo de los cuáqueros y, ocasionalmente, de algunas otras asociaciones privadas, estos organismos lograron fletar varios barcos que desde los puertos de Francia llevaron a los refugiados a Veracruz. El pionero, el *Flandre*, con 312 pasajeros a bordo, llegó a México el 1 de junio. Pero la primera gran expedición llegó trece días después en el *Sinaia*, con casi 1.600 emigrados; poco después arribó el *Ipanema* con 900; luego atracó el *Mexique*, con poco más de 2.000.

Todavía en 1940 y 1941 hubo más, gracias a la decidida negociación del Gobierno de México con el de Vichy. Con habilidad, las autoridades mexicanas lograron negociar basándose en la declaración oficial de que México estaba dispuesto a acoger «sin distinción de sexos ni edades, cualquiera que sea su filiación política o religiosa, a todos los españoles que se encuentran actualmente refugiados en Francia, en sus colonias o países de protectorado francés, con la simple formalidad de que expresen libremente su solicitud de acogerse al beneficio que les ofrece un país amigo».[7] Así se logró que todavía varios otros barcos, como el *Nyassa*, el *Winnipeg*, el *De Grasse* (que llegó a Nueva York, desde donde, por tierra, se trasladó a los pasajeros a México),[8] el *Serpa Pinto*, el *São Thomé*, el *Quanza*, el *Cuba* (luego llamado *Saint-Dominique*), zarparan de los puertos del Havre, Burdeos, Marsella, del norte de África e, incluso, de Portugal, llevando a México grupos numerosos de refugiados, muchos de ellos salvados de los campos franceses y alemanes.

Aún hubo más: a partir de 1940, por disposición del Gobierno de Cárdenas, se extendió la ciudadanía mexicana a los refugiados que la desearan. Se calcula que a partir de entonces cerca del 80 % la eligió. Valga también señalar que México logró ampliar su protección a cientos de extranjeros no españoles que se encontraban en peligro, o en campos de concentración, o encarcelados por participar en la resistencia; así, judíos perseguidos y refugiados franceses, italianos, alemanes, europeos del centro y del este, etc., pudieron también ampararse en la generosidad mexicana, obtener el visado y su traslado a ese país. No deseo extenderme en este tema, pero sí señalar que este episodio de solidaridad diplomática y humana de México terminó de la manera más paradójica. Al romperse las relaciones diplomáticas con el gobierno de Petain, el encargado de la legación mexicana, Gilberto Bosques, y todos sus colaboradores y familiares fueron, a su vez, tomados presos por los soldados nazis de ocupación e internados en una prisión militar cerca de Múnich de la cual salieron sólo al cabo de un año, al ser canjeados por prisioneros alemanes. Un año después se reinició el apoyo mexicano, extendiéndose al Portugal de Salazar.[9] Para resumir, podemos decir que desde el comienzo de la guerra civil hasta los años que siguieron a la segunda guerra mundial, amén de asilados de otras nacionalidades, México recibió posiblemente cerca de veinte mil republicanos refugiados, aunque hasta ahora carecemos de cifras exactas sobre este gran éxodo.

Aunque México fue un caso excepcional, al ser el único país latinoamericano cuyo Gobierno amparó a los emigrados de modo tan constante y abarcador, hubo otros que también ayudaron, pero con peculiaridades y reticencias. Por ejemplo, gracias a las magistrales memorias que Vicente Llorens nos dejó de la emigración a la República dominicana,[10] sabemos que desde 1939-1940 hasta el final de la segunda guerra ese país fue el que en proporción con su población nativa acogió más republicanos. En efecto, el dictador Rafael Leónidas Trujillo decidió recibir unos cuatro mil refugiados, pero por razones espurias, pensadas como pretexto para apaciguar a la Sociedad de las Naciones tras la brutal matanza de haitianos por tropas de Trujillo, en 1937. De lo efímero de este destierro el propio Llorens refiere que en 1945 sólo quedaba en la República dominicana un puñado de desterrados. La mayoría se dirigió a México, muchos a Venezuela y el resto se dispersó rápidamente por otros países de América, incluyendo Puerto Rico y Estados Unidos —ruta seguida por el propio Llorens.

En el resto de Hispanoamérica, la recepción fue aún más limitada, pues detrás de muchos gobiernos que pasaban por democráticos a menudo existía más simpatía por los países del eje que por las ideologías liberales y progresistas. Por ello mismo, la ayuda rara vez fue oficial sino privada, y se reservó, sobre todo, a puñados de individuos muy calificados. Sin embargo, podemos afirmar que en ningún país por pequeño que fuera se dejó de acoger a emigrados en esos momentos difíciles (y esto incluye a los no hispanohablantes Brasil y Canadá).

En contraste, el caso de Chile fue singular, pues gracias a los esfuerzos de solidaridad de Gabriela Mistral, cónsul vitalicia, que buscó ayuda en muchos países y tocó muchas puertas, y a Pablo Neruda, cónsul general en París, se logró armar —no sin serias dificultades en el propio Chile— una única expedición que con unos 2.000 refugiados a bordo del *Winnipeg* salió de Trompeloup, cerca de Burdeos, hacia Valparaíso en los precisos momentos en que estallaba la guerra en Europa. Este contingente se caracterizó por la escasa proporción de profesionales liberales, aunque las hubo, y por la abundancia de hombres y mujeres de las clases trabajadoras. Neruda recuerda en sus *Memorias* que «eran pescadores, campesinos, obreros, intelectuales, una muestra de la fuerza, del heroísmo y del trabajo».[11] Con razón dice por su parte Llorens que la emigración a Chile fue «la más proletaria de toda América».[12]

Argentina fue un caso aparte. Desde el comienzo mismo de la guerra civil hubo una mal disimulada simpatía oficial por las fuerzas rebeldes y un rápido reconocimiento diplomático del régimen franquista. En este contexto era difícil que la emigración llegara de otro modo más que a cuentagotas, con un evidente predominio de las elites profesionales, académicas, artísticas, científicas y aquellas formadas por periodistas y actores. Allí, el apoyo decidido provino de las antiguas organizaciones españolas que ayudaron personal y económicamente a los compatriotas refugiados, como la Institución Cultural Española, fundada en 1914 y la Asociación Patriótica Española.[13] A pesar de la frialdad oficial, los que llegaron encontraron en la Argentina de esos años un país cuya vitalidad cultural parecía firmemente arraigada y un ambiente aparentemente propicio para el desarrollo de las actividades científicas y artísticas. Para los emigrados, el auge material y cultural argentino prometía hacer de esa nación una morada gustosa en la cual echar raíces. A pesar del autoritarismo y la cerrazón de la política oficial, pocos podían anticipar el futuro desolador que el país ofrecería al correr de los años y las décadas: la Argentina fue pasando de la inestabilidad política a la barbarie militar, de la depresión al caos económico, de la crisis cultural y académica al más masivo, continuo y empobrecedor de los *brain drains* que haya sufrido país latinoamericano alguno. En este contexto era de esperar que los propios refugiados vivieran los vaivenes de sus colegas y amigos nacionales. Salvo muy contadas excepciones, la emigración republicana a la Argentina se redujo por medio de nuevos éxodos hacia otros polos de atracción material y de estabilidad política que se desarrollaban en el norte de América y en la Europa de la posguerra. En la década de los sesenta eran pocos los españoles que permanecían en ese destierro rioplatense.

En un comienzo, Venezuela y Colombia también recibieron un contingente importante de profesionales emigrados, pero en proporción incluso menor que Argentina. El desarrollo y auge económico venezolano acabó imponiéndose sobre los vaivenes de la vecina Colombia y, mientras en esta última la presencia refugiada fue disminuyendo, en Venezuela aumentó año con año, con fuerte representación de profesionales y académicos.

III

En este largo recorrido sobresalen dos constantes: la presencia extendida por toda Hispanoamérica de los emigrados españoles y, sobre todo, la excepcional voluntad y firmeza de México en apoyar a la República aun después de destruida y, a partir de 1945 hasta la muerte de Franco, de no aceptar un régimen de fuerza y de reconocer como único legítimo al Gobierno republicano constituido en el destierro. El porqué de esta perseverancia lo anotaba lacónicamente desde un comienzo el propio presidente Lázaro Cárdenas en unos «Apuntes» privados: «¿El motivo por el que ayuda México a España? Solidaridad [...]».[14] Pocos días antes, Cárdenas había registrado ya una explicación complementaria: «México no pide nada por este acto; únicamente establece un precedente de lo que debe hacerse con los pueblos hermanos cuando atraviesan por situaciones difíciles como acontece hoy a España».[15]

Esta solidaridad mexicana la supieron reconocer la mayoría de los republicanos desde el comienzo mismo de la guerra, en 1936, pero la emoción de la deuda se acentuó a medida que quedaban librados al vaivén del destierro. Tal vez el primer expatriado en expresarla con la pluma fue el poeta Pedro Garfias, quien a bordo del *Sinaia*, en vísperas de arribar a Veracruz escribió:

> *Qué hilo tan fino, qué delgado junco*
> *—de acero fiel— nos une y nos separa*
> *con España presente en el recuerdo,*
> *con México presente en la esperanza.*
> *[...] España que perdimos no nos pierdas;*
> *guárdanos en tu frente derrumbada [...].*
> *Y tú México libre, pueblo abierto [...]*
> *como otro tiempo por la mar salada*
> *te va un río español de sangre roja,*
> *de generosa sangre desbordada.*
> *Pero eres tú esta vez quien nos conquistas,*
> *y para siempre, ¡oh vieja y nueva España!*[16]

La premonición del poeta es extraordinaria y certera: ese «y para siempre» lo podemos certificar hoy, al cabo de medio siglo, cuando el destierro se convirtió en morada, cuando el expatriado encontró asiento en una tierra que dejó de serle ajena. Todos conocemos los numerosos intentos por definir las etapas de la emigración española: según el caso, se habla de los acontecimientos internacionales, de las rupturas y parteaguas internos como determinantes del destierro. Sin duda tales puntualizaciones son importantes, pero lo cierto es que intentar fechar el momento exacto en el que el desterrado se volvió «transterrado» —término que acuñó el filósofo José Gaos para llamarse a sí mismo— se nos escapa por su excesivo rigor.

Lo difícil, tal vez imposible, es precisar cuándo dejó el poeta de pensar que...

> *Lo grave de morir en tierra extraña*
> *es que mueres en otro, no en ti mismo,*[17]

y comenzó a mirar el nuevo país como una generosa cornucopia de la cual formar parte íntima. ¿Cómo no preguntarnos cuándo fue México una realidad consciente para el emigrado que se le acercaba por primera vez, cuándo fueron unos los ojos con que contemplaba y aquéllos que lo miraban, cuándo se convirtió lo extraño en íntimo? Determinar cuándo el expatriado dejó de ser espectador retraído y se volvió actor resuelto, es pasar de la temporalidad del destierro a la permanencia y al arraigo.

IV

El refugiado que llegó a México al final de la guerra tenía razones de sobra para ser un expectador retraído. Las reacciones mexicanas, ya vistas de cerca, en casa, eran variadas y hasta contradictorias. El Gobierno, encarnado en Lázaro Cárdenas y sus más allegados, así como la flor de la inteligencia mexicana, exhibieron hospitalidad y apoyo sin parangón y sin límites, procurando que el refugiado encontrara techo y trabajo. Pero no fue tan clara la simpatía de otros sectores. Para los nuevos sindicatos revolucionarios de obreros y campesinos, la ayuda durante la guerra había sido de genuina solidaridad con aquella «república de trabajadores» que fue la España derrotada. Otra cosa era, sin embargo, que en una década de crisis y depresión económica, en un México pobre, de ínfimos recursos materiales que apenas salía de los sacudimientos de su propia revolución, se tuviera que competir por el empleo y el pan con los recién llegados que, al fin y al cabo, también buscarían en México ocupación para sobrevivir. De esta ambivalencia ante los emigrados no estuvieron exentos los profesionales que en muchos casos, como en el de los médicos, vieron con reparo que los extranjeros compitieran por sus clientelas. Sin embargo, en esta como en otras situaciones hay que recordar que muchos prestigiosos mexicanos como Ignacio Chávez, Salvador Zubirán, Enrique Arreguín, Gustavo Baz, entre otros, hicieron lo imposible para que los expatriados pudieran revalidar sus estudios y sus títulos y obtener puestos decorosos. También fueron complejas las reacciones de los diferentes grupos políticos no cardenistas. La vieja derecha católica y sinarquista fue vociferante contra los «rojos» que venían de España, según ella, a reavivar la discordia sembrada por los mexicanos revolucionarios. Tampoco hubo mucha simpatía por parte de los antiguos residentes españoles, los llamados «gachupines» en el dialecto local. Éstos eran inmigrantes más bien prósperos que desde el inicio, salvo contadas excepciones, habían visto la causa republicana con poca simpatía. Paradójica, en cambio, fue la actitud de algunas elites criollas cuya hispanofilia militante, en oposición a los principios indigenistas de la revolución, hacía que vieran a los españoles recién llegados con cierta simpatía racial y cultural. A su vez, los grupos más nacionalistas, que habían surgido de la revolución con una militancia reivindicadora de los orígenes prehispánicos, a menudo blandían el recuerdo de la espada de los conquistadores como una nueva forma de etnofobia contra los recién venidos.[18]

Inicialmente, nada fue sencillo al llegar a un México tan hispánico pero tan poco español. Para los emigrados que salían de una terrible guerra, producto de una larga historia de conflictos y luchas, la vida política en México fue desconcertante. Por una parte, el país, en un gesto de excepcional generosidad, les otorgaba la nacionalidad; por otra, las leyes mexicanas eran tajantes al prohibir a los extranjeros participar en la política nacional. Sin duda esto tuvo consecuencias *sui generis*, pues a la vez que acentuó las discusiones en torno al problema de España, enrareció el compromiso político al sacarlo fuera del contexto local. El republicano refugiado en México no pudo militar activamente en su nuevo país, lo cual significó un verdadero desarraigo político e ideológico y, en gran medida, la enajenación en ese terreno. En cambio, por una cruel paradoja del destierro, durante casi cuatro décadas la principal causa política del emigrado fue el futuro de una España perdida, cuyo gobierno en el destierro languideció hasta morir.

En otra excepcional medida, el Gobierno mexicano permitió y respaldó la creación de escuelas para los hijos de los refugiados. Algunas de ellas —el Instituto Vives, el Colegio Madrid— cumplen en estos meses cincuenta años de docencia continua y ocupan ahora un lugar destacado en el mundo educativo mexicano.[19] Sin embargo, muchos de los niños españoles que al comienzo se educaron allí lo hicieron casi aislados del mundo infantil mexicano, con programas de estudios españoles, con maestros también refugiados, pensando en que pronto volverían a España y sólo necesitarían saber lo mínimo del país que los cobijaba. El privilegio de esta situación tuvo su lado oscuro al fomentar el desarraigo cultural y psicológico en edad tan temprana. Para muchos de los que entre 1939 y el final de la década siguiente se educaron al margen de la escuela y la infancia mexicanas, el encuentro con el resto de la sociedad no pudo ser fácil. Tal vez fueron aquellos refugiados que entre los seis y los quince años se formaron con la mirada vuelta en España, los que con mayor dificultad pudieron arraigar: se les había educado para regresar al país de sus padres y resultaban desterrados en su nueva patria. Tal vez, entre todos, éstos fueron los que más tardaron en conjugar el maíz con el trigo, y muchos, quizá, jamás lo lograron.[20]

En vista de este maremágnum de sentimientos iniciales, con razón pudo cundir entre los refugiados ese famoso juego de palabras, tan terrible y a la vez tan gracioso: «En México, o te aclimatas o te aclimueres». Es posible que haya habido más de uno que se «aclimurió», pero no cabe duda de que con el correr del tiempo la gran mayoría fue dejando atrás el desarraigo y aclimatándose al nuevo país.

Pero repito: al comienzo nada fue fácil. Por ejemplo, costó trabajo acostumbrar el oído al nuevo dialecto con su suave canto. No cabía duda que los que llegaban y los que acogían hablaban el mismo idioma, ¿pero era el mismo? Esto se lo preguntaría el *chaval* español al oír al *chamaco* mexicano advertirle: «Aguas con el manis que te vuela el veliz de la banqueta». ¿Cuánto tiempo tardó en traducir esta frase a su dialecto castellano y entender que le decían «ojo con el ladrón que te roba la maleta de la acera»? Posiblemente ya para entonces la maleta habría desaparecido, pero en cambio todos habían adquirido lo impensable: una nueva voz y una nueva palabra, productos del encuentro dialectal y de su eventual mestizaje.

Los choques de voces y palabras fueron múltiples. Frente a la voz fuerte, al «hablar golpeado» del español, estaba la suavidad de tono del mexicano; a las «zetas» y «ces» del peninsular respondían los sonidos sibilantes y las interminables consonantes del altiplano, esas voces que Luis Cernuda describió «claras, [...] como el rumor frío y airoso de la seda».[21] Era el diálogo a dos voces, que tan magistralmente captó Max Aub en aquel mozo de café que decide asesinar a Franco para que esos ruidosos contertulios puedan volver a España y dejen de atronar el silencio mexicano con sus indomables vozarrones.[22]

El encuentro con la nueva naturaleza también fue un descubrimiento deslumbrante. La variedad del paisaje mexicano, desde la exuberancia tropical de las tierras bajas hasta la majestuosa belleza del valle central (con esa transparencia y luminosidad que en los años cuarenta, en efecto, hacían de la Ciudad de México «la región más transparente del aire», como la bautizó Alfonso Reyes), admiró a los recién llegados. Pero no fue sólo el paisaje; a éste se sumaron los colores, las frutas, los rostros, los gestos que muy pronto le permitieron a un José Moreno Villa hablar de la «cornucopia mexicana»[23] y seguir durante el resto de su vida explicando su abundancia.

No fue sólo el poeta quien sucumbió a esta conquista «al revés»: humanistas, artistas y científicos se volcaron a conocer México y lo mexicano, desde su flora y su fauna hasta sus orígenes prehispánicos. En síntesis, aquellos emigrados que llegaban a un México del cual no conocían ni el abecé, al cabo de los años hacían de ese país el sujeto dominante de su atención. Sería fastidioso enumerar aquí los nombres de antropólogos, biólogos, críticos, escultores, filósofos, historiadores, músicos, pintores, zoólogos que en sus labores —literalmente desde la A a la Z— hicieron de México su mayor preocupación. Como botón de muestra basten unos ejemplos: el naturalista Fernando de Buen, que estudió la fauna limnológica en Pátzcuaro; Rafael Méndez, dedicado a la farmacología cardiovascular, rama en la que fue pionero en México; José Gaos, quien dejó la filosofía alemana para dedicar gran parte de su vida al conocimiento y explicación de lo mexicano; o el caso más reciente del químico Francisco Giral que hace apenas cinco años aisló una nueva sustancia esteroidal que bautizó «Cardenagenin», en homenaje al presidente Lázaro Cárdenas.[24] Así, no es extraño que Juan Rejano sintetizara en dos palabras la deuda del encuentro:

Si escrito gratitud, si escribo amor,
sólo ofrezco unos signos. Signos. Nada. [...]
Lo más profundo siempre está en el nombre:
México, Cárdenas.[25]

V

Al llegar al final, el camino se nos aparece entre claroscuros inevitables. A la tragedia del destierro, México correspondió con una acogida y una solidaridad únicas. Sin lugar a dudas el comienzo estuvo pleno de incertidumbres y ambivalencias por parte de los que llegaban y de los que recibían, en un caleidoscopio de emociones encontradas. El acercamiento de unos con otros fue lento pero al fin se impuso. Los emigrados lucharon a brazo partido para que se les diferenciara de los antiguos emigrantes, los «gachupines», y ante el epíteto respondían vehementes y orgullosos: «todavía hay clases: ¡somos refugiados!». A su vez, el propio mexicano acabó por dejar atrás aquel término despectivo y «se acostumbró a decir españoles».[26]

También con el tiempo, la abstención política resultó en una marginación menor que la imaginada inicialmente. La firme estabilidad institucional de México, desde 1934, ha sido una virtud basada, ante todo, en una escasa pluralidad ideológica y en el predominio arrasador del partido oficial. Al fin y al cabo, los emigrados se reconocieron tan al margen de la participación política como la mayoría de sus amigos mexicanos. En cambio, en estos largos años, sus hijos y nietos han alcanzado notoriedad al acceder a ciertos puestos públicos importantes o al destacarse como críticos atrevidos del sistema.

El aislamiento intelectual y psicológico también se rompió con el paso del tiempo. Hubo quienes jamás pudieron integrarse al nuevo mundo de la cultura y de la vida mexicanas, pero fueron pocos. De éstos, algunos regresaron a España, a menudo sintiéndose también peregrinos en su propia patria; otros, los menos, sobre todo los jóvenes universitarios, buscaron emigrar a países que creyeron más acogedores y más prósperos, y de refugiados se transformaron así en inmigrantes.

En cambio, la abrumadora mayoría, casi sin darse cuenta, arraigó en México en un encuentro que a lo largo de medio siglo ha sido de indudable enriquecimiento mutuo. Luis Cernuda lo explica con inusitado fervor en el prólogo a sus *Variaciones sobre tema mexicano*: «tras la curiosidad vino el interés; tras del interés la simpatía; tras de la simpatía el amor». Más adelante él mismo reitera su cercanía a los mexicanos al exclamar: «Oh gente mía [...] tan viva, entrañablemente mía», y otra vez cuando el reconocimiento de la nueva tierra finalmente se impone: «esta llanura, este cielo, este aire te envuelven y te absorben, anonadándote en ellos».

Al concluir este largo y difícil recorrido, debemos reconocer que, en primerísimo lugar, la verdadera y mayor pobreza del destierro recayó sobre la propia España, que década tras década silenció la voz del expatriado, aquél que se llevó la canción.[27] En cambio, la riqueza fue para un México que desde el comienzo supo recoger su palabra. Para los emigrados, la pérdida cruel de la propia tierra paso a paso se convirtió en el reconfortante arraigo, en la acogedora morada. Los republicanos desterrados nunca dejarían de ser españoles en su país de adopción, pero cada día fueron más mexicanos al calor de su nuevo hogar.[28] Tal vez Enrique Díez-Canedo supo sintetizar como nadie este tránsito del destierro a la morada en su breve y precioso balance final:

> *Lo que una vez me arrebató la vida,*
> *pan, trabajo y hogar, tú me lo has dado.*[29]

NOTAS

1. Texto leído en Boston, Massachusetts, en un encuentro titulado «The Mexican Experience». La versión mecanografiada, que gentilmente me facilitó el autor, está fechada en La Jolla, Calf., octubre de 1986.

2. Sobre la presencia de algunos republicanos en Asia, particularmente en Filipinas, e incluso en Vietnam del norte y en China, véase Antonio Vilanova, *Los olvidados. Los exiliados españoles en la segunda guerra mundial*, París, Ruedo Ibérico, 1969, pp. 503-506.

3. Para más detalles véase Vicente Llorens, *El exilio español de 1939* (dirigido por José Luis Abellán), vol. I: *La emigración republicana de 1939*, Madrid, Taurus, 1976, p. 160.

4. «Aquellos niños» (entrevista con Amalia Solórzano, viuda de Cárdenas), en *El exilio español en México, 1939-1982*, México, Fondo de Cultura Económica, 1982, p. 892, y Dolores Pla Brugat, *Los niños de Morelia. Un estudio sobre los primeros refugiados españoles en México*, México, Instituto Nacional de Antropología e Historia, 1985.

5. Ver Clara E. Lida, *La Casa de España en México* (con la colaboración de José Antonio Matesanz), México, El Colegio de México, 1988, pp. 44-45.

6. Para los oficios de los que llegaron en los primeros barcos, véase el sugerente ensayo de José Antonio Matesanz, «La dinámica del exilio», en *El exilio español...*, *op. cit.*, pp. 163-175, y Vicente Llorens, *ibíd.*, pp. 127-128.

7. Víctor Alfonso Maldonado, «Vías políticas y diplomáticas del exilio», en *ibíd.*, p. 39.

8. *Ibíd.*, p. 43.

9. *Ibíd.*, pp. 39-45. Véase el recuerdo de uno de los principales pro-

tagonistas, en Graciela de Garay (coord.), *Gilberto Bosques. Historia oral de la diplomacia mexicana*, México, Secretaría de Relaciones Exteriores, 1988, pp. 39-89.

10. Vicente Llorens, *Memorias de una emigración. Santo Domingo: 1939-1945*, Barcelona, Ariel, 1975. En el volumen que aquí se edita aparecen también dos preciosas aportaciones al tema: las de Javier Malagón y de Guillermina Supervía. Sobre este tema véanse también los recientes estudios publicados por Bernardo Vega en Santo Domingo.

11. Pablo Neruda, *Confieso que he vivido. Memorias*, Barcelona, Seix Barral, 1974, pp. 204-208.

12. Vicente Llorens, *La emigración republicana, op. cit.*, p. 160.

13. Jesús Méndez, «Impact of Spanish Republican Exiles on Intellectual Life in Argentina», *SECOLAS Annals. Journal of the Southeastern Council on Latin American Studies*, XVI, marzo (1985), pp. 77-95.

14. Citado por J.A. Matesanz en *México y la República española. Antología de documentos, 1931-1977* (compilación, introducción y notas de José Antonio Matesanz), México, Centro Republicano Español, 1978, p. 34. Esta es una colección de textos imprescindibles para el estudio de este tema.

15. *Ibíd.*, p. 30.

16. Versos tomados del poema «Entre España y México», publicado en el *Sinaia. Diario de la primera expedición de republicanos españoles a México. Último número.* Número 18, Lunes, 12 de junio de 1939, p. 19. Edición facsimilar (presentación y epílogo de Adolfo Sánchez Vázquez) México, Universidad Autónoma Metropolitana/Universidad Nacional Autónoma de México/La Oca/Redacta, 1989, 147 pp.

17. José Moreno Villa, «Tu tierra».

18. Véanse algunos de estos temas desarrollados en Lourdes Márquez Morfín, «Los republicanos españoles en 1939: política, inmigración y hostilidad», *Cuadernos Hispanoamericanos*, 458, agosto (1988), pp. 128-150.

19. Ver Clara E. Lida, José Antonio Matesanz y Beatriz Morán, «Las instituciones mexicanas y los intelectuales españoles refugiados: La Casa de España en México y los colegios del exilio», en José Luis Abellán y Antonio Monclús (coords.), *El pensamiento español contemporáneo y la idea de América*, Barcelona, Anthropos, 1989; vol. II *El pensamiento en el exilio*, pp. 144 ss. Si bien en los patronatos de estas escuelas hubo destacadas figuras mexicanas y, debido a la fama de excelencia adquirida, los alumnos nacionales aumentaron con los años, en los dos primeros lustros de vida de estos colegios los alumnos nacidos en México fueron muy pocos. Algo semejante se puede decir de los maestros.

20. Adolfo Sánchez Vázquez, *Para despertar a los hombres que duermen:* «[...] la nueva luz nos llega / para darnos bautismo y nombres nuevos, / [...] un nombre americano / para decir que es tiempo / de llamar a las cosas por su nombre, / [...] hora para sembrar / la justicia terrestre con el maíz y el trigo / y cosechar maíces y trigos justicieros».

21. Luis Cernuda, *Variaciones sobre tema mexicano* (1952).

22. Max Aub, *La verdadera historia de la muerte de Francisco Franco*.

23. José Moreno Villa, *Cornucopia mexicana*, México, La Casa de España en México, 1940, y *Nueva cornucopia mexicana*, México, Fondo de Cultura Económica, 1976.

24. Francisco Giral, Carmen Rivera y Lourdes García P., «Cardenagenin, A Steroidal Sapogenin from *Calibanus Hookerii*», *Phytochemistry*, 23, 9 (1984), pp. 2.089-2.090.

25. Juan Rejano, «El nombre».

26. «Los *Cuadernos*: vínculo inmarcesible» (entrevista con Jesús Silva Herzog), en *El exilio español...*, *op. cit.*, p. 888.

27. León Felipe [Camino], «Hay dos Españas»: «Franco, tuya es la hacienda, / la casa, / el caballo / y la pistola. / Mía es la voz antigua de la tierra. / Tú te quedas con todo y me dejas desnudo / y errante por el mundo... / Mas yo te dejo mudo..., ¡mudo!, / y ¿cómo vas a recoger el trigo / y a alimentar el fuego / si yo me llevo la canción?».

28. José Moreno Villa, *Nueva cornucopia mexicana*, *op. cit.*: «no seré un mexicano, pero cada día seré más mexicano, a medida que mi ser español vaya enriqueciéndose [...]. Así tendrá que ser, quiera o no quiera».

29. Enrique Díez-Canedo, *Epigramas americanos*.

FRAGMENTOS
DE UNA HISTORIA
DEL EXILIO

ETAPA AMERICANA DEL GOBIERNO DE LA REPÚBLICA ESPAÑOLA EN EL EXILIO

Javier Rubio

Introducción

El objeto de esta ponencia es exponer, en forma forzosamente sucinta, la incidencia que sobre la política de los emigrados de la guerra civil española de 1936-1939 tuvo el «hecho americano» de la referida emigración, entendiendo por tal «hecho» la instalación con carácter permanente en el continente americano de una parte muy importante de la clase política española que marchó al exilio en 1939.

Hagamos previamente dos observaciones.

La primera se refiere a que aunque el tema es, en sí mismo, de carácter esencialmente político, el tratamiento que le vamos a dar no es desde una óptica ideológica, sino por medio de un enfoque histórico. Esta ponencia se presenta en una sesión que se denomina «Fragmentos de una historia del exilio», con ocasión del centenario de un gran profesor universitario, y dentro del marco de un simposio que tiene lugar cerca de medio siglo después de los acontecimientos que se van a examinar; es, pues, lugar, coyuntura y tiempo para dar, o por lo menos para intentar, un tratamiento histórico *sine ira et studio* a esta página tan patética, y al mismo tiempo tan significativa, de la historia de España contemporánea. Por otra parte, desde que hace ya casi veinte años empezamos a interesarnos por esta temática llegamos a la conclusión de que esta emigración, por su magnitud, duración y penalidades, era merecedora de un estudio serio, cuidadoso, que dejara huella historiográfica. Creemos en verdad que ya es hora de que el historiador empiece a sacar a los emigrados de 1939 de «esa marginada penumbra —como decíamos al empezar este decenio— entre el olvido y la mitificación, en la que hasta ahora casi siempre se les ha mantenido».[1]

Concierne la segunda observación preliminar a la identificación de la etapa americana a la que se refiere nuestra ponencia, pues en rigor hay dos épocas en las que el Gobierno en el exilio —cuando menos su Presidente y el de la República— se hallan en América: la primera en la inmediata posguerra mundial en México, y la segunda, ya en los años sesenta, en la Argentina con el Gobierno Sánchez Albornoz. Desde luego nos referimos a la primera etapa americana, la que corresponde al Gobierno Giral, el llamado «gobierno de la esperanza», pues aunque mucho más breve que la segunda, tiene una importancia histórica incomparablemente superior. Bien entendido que si centramos nuestra atención en los seis meses escasos de actuación de este gobierno en América, desde fines de agosto de 1945 a principios de febrero de 1946, tendremos también en cuenta en alguna medida los antecedentes inmediatos que, en el año —crucial para el exilio— en el que termina la segunda guerra mundial, dan lugar a la reconstitución de las instituciones de la Segunda República española en México.

De este modo nuestra ponencia se dedica también, como tantos trabajos de este simposio, el examen de la relación «exilio-tierra de acogida», pero contemplada desde las actividades políticas de los emigrados y centrada en el momento más conspicuo del exilio de 1939 desde este punto de vista. Lo que nos permitirá, tenemos la esperanza, hacer alguna nueva aportación a esta interesante y un tanto marginada temática, pues la dimensión sociopolítica de esta emigración, a diferencia de la de índole sociocultural, ha sido objeto de muy pocos estudios y análisis cuidadosos y documentados. En realidad, aunque en el decenio que ahora termina se toca en no pocas obras la actuación política del exilio, a nuestro conocimiento ello se hace en general tangencialmente y casi siempre sin superar el tratamiento ensayístico y/o partidista.

Para hacer el balance de la incidencia del «hecho americano» en la política de los exiliados tendremos en cuenta, lógicamente, tanto la vertiente positiva como la negativa. Pero antes nos detendremos un momento en el margo geográfico-demográfico que lo condiciona.

Mapa demográfico y político del exilio

Como ya hemos justificado en otra ocasión, a fines de 1939 —cuando ha terminado la época de las repatriaciones masivas— el balance demográfico del exilio era de 168.000 emigrados en Europa y norte de África, y de 14.000 en América; es decir, más del 90 % del total permanecía sin atravesar el Atlántico.[2] Para 1945, que es el momento que nos interesa, a causa de las repatriaciones (20.000), defunciones (10.000) y emigraciones a América (8.000) durante la segunda guerra mundial, se obtiene un balance menos desequilibrado, pues ahora sólo del orden de 130.000 son los emigrados que se quedan en Europa y norte de África, mientras ascienden a algo más de 20.000 los instalados en América. Con todo, la proporción de los que entonces se «americanizan» sigue siendo exigua. Sin alcanzar la quinta parte del total del exilio, dicha proporción se encuentra muy lejos de las que presentan —en torno al 50 %— las grandes emigraciones políticas europeas próximas a la guerra civil española: sean los judíos de Centroeuropa de los años treinta, o los húngaros de los años cincuenta.

Si pasamos ahora a contemplar la distribución geográfica de la clase política del exilio a ambos lados del Atlántico, nos encontramos con proporciones completamente distintas. Pues aunque es cierto que en las reemigraciones de exiliados que se dirigen a América hay fuertes contingentes, no siempre recordados, de trabajadores de los sectores primario y secundario,[3] también lo es que en estas expediciones transatlánticas la parte que ocupaban los grupos socioprofesionales más cultos de la emigración —en los que obviamente se hallaban los dirigentes políticos— era destacadísimamente superior al peso relativo de dichos grupos en el conjunto del exilio. La localización de los diputados españoles que marcharon al destierro nos lo va a mostrar elocuentemente.

De los 197 diputados que en torno a 1945 se hallaban en el exilio, residían en México 95, en Argentina 16, en Cuba 8, y cifras menores en otros países hispanoamericanos y en los Estados Unidos hasta un total de 139 diputados en América; mientras que en Europa sólo quedaban 56, de los que 48 se hallaban en Francia. Es decir, la distribución de dirigentes políticos a ambos lados del Atlántico es enteramente opuesta a la del grueso de la emigración. Ahora es la proporción correspondiente a América la que resulta muy mayoritaria: más de las dos terceras partes de la clase política que marcha al destierro se instala en países americanos.[4]

Este «hecho americano» va a estar preñado de consecuencias para la vida política del exilio en el momento clave de la inmediata posguerra mundial, como vamos a ver a continuación.

Los factores positivos

La primera y más inmediata ventaja que para los dirigentes políticos de la Segunda República española tenía el dirigirse a América era la garantía de su seguridad personal, sobre todo desde la iniciación de la gran contienda europea tan sólo unos meses después de la terminación de la española. Las dramáticas peripecias que experimentaron Zugazagoitia, Companys y Largo Caballero —por limitarnos a los casos más graves y conocidos entre los miembros del Congreso que permanecieron en Francia— nos demuestran fehacientemente la vigencia que tenía este factor.

Junto a esta ventaja esencial la elite política, que en

general pertenecía a elevados niveles culturales y frecuentemente profesionales, encontraba en América las facilidades que los países hispanoamericanos les proporcionaba para realizarse, continuando, si no con sus actividades profesionales anteriores, a lo menos con otras congruentes con su capacidad intelectual. Por otra parte, para el casi siempre difícil período de adaptación inicial en el país de acogida, se dispuso muy pronto en México de los importantes fondos económicos que controló Prieto; lo que era un factor positivo complementario de considerable importancia, sobre todo para los dirigentes en buenas relaciones con el famoso socialista asturiano, y desde luego para los que eran miembros de la Diputación Permanente a la que, desde la fundación de la JARE en julio de 1939, se le había conferido la administración de dichos fondos.[5]

Acabamos de ver a México singularizarse entre los países americanos por sus facilidades económicas de instalación, pero no se trata de que este país se destaque en el horizonte americano de los dirigentes políticos tan sólo por esta dimensión. Los dirigentes que marcharon al destierro sabían muy bien que su estatus había de ser normalmente el de un refugiado acogido a la generosidad de un gobierno extranjero que, en general, les habría de restringir severamente las actividades políticas —tan consustanciales a su propia vida— para evitar los problemas que se producirían con el Gobierno español. Pero México es, también desde este punto de vista, un caso singular en el continente americano, pues no solamente es el país que más se ha identificado y ha ayudado a la causa republicana, sino que es el único, en ese continente, que no ha reconocido el Gobierno de Franco. Circunstancias todas ellas que hacían legítimamente esperar a los emigrados una acogida amistosa en los medios oficiales mexicanos, y una cierta receptividad y tolerancia por parte del Gobierno para sus actividades políticas; si bien la realidad superó con creces las difusas esperanzas que, en los primeros tiempos, tenían los numerosos líderes políticos que se acogieron a la hospitalidad del presidente Cárdenas.

Esta receptividad y tolerancia del Gobierno mexicano

hacia la causa que defienden los republicanos españoles tienen, en el breve lapso que contemplamos en esta ponencia, dos planos de proyección: el interior y el internacional.

En el plano interior la amistosa actitud de México va a plasmarse en las extraordinarias facilidades, jurídicas y materiales, que va a ofrecer a los dirigentes exiliados para reconstruir las instituciones de la Segunda República sobre territorio mexicano.[6] Las reuniones de las Cortes republicanas en 1945, la promesa constitucional de Martínez Barrio como presidente de la República el 17 de agosto del citado año, y la Constitución del Gobierno Giral unos días después, sólo pudieron tener lugar gracias a la actitud claramente colaboradora, más que tolerante, del Gobierno mexicano, sin que ello suponga olvidar a otros países de origen hispano que venían mostrando por aquella época clara simpatía por la causa republicana —principalmente Panamá, Guatemala, Cuba, Uruguay, Perú y Bolivia— y que no dejaron de contribuir positivamente a la resurrección de las instituciones republicanas españolas.

Como para la gran mayoría de los dirigentes republicanos la formación de un gobierno en el exilio preludiaba ineluctablemente el próximo retorno triunfal a la patria, esta amistosa actitud de buena parte de los países americanos —y en primerísimo lugar de México— en momentos políticos tan cruciales para ellos, suscita un profundo sentimiento de simpatía y de agradecimiento hacia ellos. Un sentimiento que los miembros de las instituciones reconstituidas explicitan constantemente.

Primero en las Cortes, donde no hay ninguna reunión de todas las que se celebran en la que no se hable de los países americanos y de México especialmente. Desde la primera, la de 10 de enero de 1945, en la que ya las palabras iniciales del Presidente son para invitar a un diputado mexicano a que se siente entre los españoles —haciéndose más adelante, en el discurso de Fernando de los Ríos, una larga y lírica alusión a Sudamérica justificando la nueva era que principiaba «para todos nosotros los hispanos»—, hasta la última reunión, la del 9 de noviembre, que termina con unas intervenciones de Gordón Ordás y del presidente

Jiménez de Asúa, en las que se elogia y agradece la actitud de varios países americanos destacando la de México, no hay sesión en la que no se hable de América. Incluso en la breve y solemne de carácter extraordinario de 17 de agosto en la que Martínez Barrio presta su promesa como presidente interino de la República, de los veinte minutos que duró la sesión más de la mitad se dedicaron a México y Perú.[7]

En la actuación del Gobierno se hacen también patentes los referidos sentimientos americanistas, como lo demuestra la importancia que esta temática tiene en la declaración ministerial de 7 de noviembre, y las gestiones para obtener el reconocimiento diplomático a las que en seguida nos referiremos. Hasta en el tercer poder, el judicial, se manifiesta el «hecho americano», como lo demuestra el solemne acuerdo de 9 de octubre de 1945 por el que se constituye en Sala de Gobierno en Tribunal Supremo de Justicia de la República española, al incluir explícitamente un artículo de la Constitución mexicana como un argumento más para justificar jurídicamente la resurrección de dicho tribunal.[8]

Si pasamos ahora al plano internacional la incidencia de América sobre la política de los dirigentes exiliados no es menos notoria, tanto desde el punto de vista de la ayuda que recibe la causa republicana de los países americanos, como de la correspondencia del Gobierno en el exilio en sus actuaciones internacionales.

Desde el primer punto de vista basta recordar tres hechos: la resonante condena implícita del régimen de Franco de junio de 1945 en la Conferencia de San Francisco; el rápido reconocimiento del Gobierno en el exilio por un sector de países americanos, y la condena explícita del régimen español de febrero de 1946 en la primera Asamblea General de las Naciones Unidas.

De la declaración de San Francisco no creemos necesario dar ninguna precisión, ya que es muy conocida la singular actuación de México en esta iniciativa que tuvo lugar entre la primera y segunda reunión de las Cortes y que constituyó la piedra angular de la política internacional del

Gobierno Giral. De los reconocimientos baste recordar que los únicos gobiernos que establecen relaciones diplomáticas con el del exilio durante la estancia de éste en América, son todos americanos: México, Guatemala, Panamá y Venezuela. En cuanto a la condena de febrero de 1946, que se prepara en los últimos momentos de la etapa americana del Gobierno en el exilio, puntualizaremos, pues es probablemente la menos comentada, que no solamente la propuesta fue presentada por un país americano, Panamá, y apoyada directamente con intervenciones de los delegados de México y Venezuela, sino también del Uruguay, que seguía manteniendo relaciones con el Gobierno de Franco.[9]

Por su parte, el Gobierno Giral corresponde ampliamente a estas manifestaciones de apoyo americano. Lo hace formal y solemnemente con ocasión de la declaración ministerial de 7 de noviembre ya antes aludida; pero también lo manifiesta en más temprana fecha, nada más constituirse el Gobierno, por medio de sus primeras gestiones de carácter internacional, como vamos a ver brevemente.

Ha sido uso diplomático tradicional que los gobiernos que al constituirse implicaban una discontinuidad política fundamental con la situación hasta entonces reconocida internacionalmente, enviasen una circular a los gobiernos extranjeros explicando las razones del cambio y solicitando, más o menos explícitamente, el reconocimiento. No es, empero, este el caso del Gobierno republicano de 1945. Ni el texto de la comunicación oficial es el mismo, pues casi podría decirse que cada despacho está personalizado, ni las comunicaciones tienen la misma fecha, ya que se extienden a lo largo de todo un año, de agosto de 1945 al mismo mes de 1946.

La primera comunicación internacional que hace el nuevo gobierno al día siguiente de constituirse es, precisamente, para México. Se hace el 27 de agosto; aún no se ha informado a las tres grandes potencias vencedoras de la segunda guerra mundial, las que unas semanas antes habían hecho la famosa condena del régimen de Franco en Potsdam, cuando Fernando de los Ríos comunica al Secretario de Estado mexicano la constitución del Gobierno Giral y solicita su reconocimiento.[10]

Del 1 al 25 de septiembre de 1945, todavía no ha transcurrido un mes desde que se ha hecho pública la composición del Gobierno; el ministro de los Ríos se ha dirigido ya oficialmente a los gobiernos de todos los países iberoamericanos.[11] Esta diligencia del Ministerio de Estado con dichos países es otro ejemplo del «hecho americano», pues hay países europeos —como Checoslovaquia o Polonia— a los que no se envía la notificación hasta marzo de 1946, e incluso otros mediterráneos —como Turquía y Egipto— a los que sólo se informa en abril de este último año. Y junto a esta relativa preferencia cronológica hacia el área americana se hallan unos textos especialmente expresivos en los que frecuentemente se recuerda con gratitud la actitud de México y, casi siempre, sobre todo en las comunicaciones de la primera quincena de septiembre, la especial vinculación de los españoles con los «pueblos hispanos» o —en el caso de Haití— con los «pueblos de América».

La incidencia negativa

El inconveniente fundamental, básico, del «hecho americano» es el gran alejamiento que forzosamente implica de la patria, la que constituye, como hemos dicho hace años, el alfa y omega de la vida del exiliado y que, en el caso de los dirigentes políticos —que son los que ahora nos ocupan— tiene todavía más trascendencia, pues el regreso triunfal a su país constituye el eje en torno al cual giran, absorbentemente, todas sus actividades. Tan sólo con estas elementales consideraciones se comprende sin dificultad la grave incidencia negativa del alejamiento de España para los dirigentes que marcharon a América, desde varios puntos de vista.

En primer lugar con una óptica técnica, geográfica. El dirigente exiliado que está más lejos de su patria se encuentra siempre con más dificultad de actuación que el que está más próximo, por lo que es un imperativo político el acercarse a ella en cuanto la situación empieza a presentarse favorablemente para su objetivo fundamental, que es lo que ocurrió a los dirigentes republicanos españoles en 1945. Pero entonces pueden presentarse dificultades técnicas, o si se prefiere técnico-políticas, para acercarse; que es, precisamente, lo que también sucedió con el Gobierno español en el exilio, y con el propio Presidente de la República, al aplazarse durante varios meses la concesión del visado francés. Un aplazamiento tan desesperante, políticamente, que había hecho pensar a Giral en Nueva York, a fines de enero de 1946, nada menos que en la necesidad de dimitir.[12]

En todo caso el inconveniente más grave de la instalación en América de los dirigentes en el exilio es la mayor dificultad de información política en dos temas esenciales: en primerísimo lugar en relación con lo que sucedía dentro de España, y en segundo término, pero también entonces de importancia fundamental, respecto de lo que se pensaba sobre el llamado caso español en los grandes centros de poder que dirigían la comunidad internacional. Aunque ambos aspectos están estrechamente concatenados, centraremos inicialmente la atención en el segundo.

Desde hace siglos Inglaterra y Francia, por obvias razones geopolíticas, han sido las dos potencias que se han ocupado muy de cerca de España y de su política exterior e interior. En 1945, con una Francia humillada por su actuación en la gran contienda que entonces finaliza, es Inglaterra la nación cuyos criterios sobre España cuentan más que nunca en el escenario de Europa occidental. Naturalmente los puntos de vista de los Estados Unidos, la primera potencia mundial, son de indudable peso; pero en Washington, durante el lapso que estamos contemplando, miran todavía con cierto despego el caso español y, en todo caso, mantienen en esta cuestión una actitud concertada con Inglaterra en sus líneas esenciales.

En estas circunstancias conocer, y tener en cuenta, lo que se pensaba respecto de España en el gabinete de Londres era de primordial importancia para los dirigentes políticos españoles en el exilio. Pero el Gobierno Giral no está en Londres, ni en Europa; está en América —y dentro de América tampoco en los Estados Unidos—[13] alejado de los centros de decisión política, lo que da lugar a importantes pasos en falso. Veamos dos relevantes ejemplos.

Al iniciarse la primavera de 1945, ante el inminente cese de la contienda en Europa, Inglaterra y Estados Unidos empiezan a concertar sus criterios en relación a España que se centran en calificar al régimen de Franco de reprobable por lo que, mientras dure, España no podrá asumir su rol en la comunidad internacional; pero, asimismo, se considera que la forma de gobierno en España es un asunto que concierne al pueblo español. Y, sobre todo, lo que no se desea es que una nueva guerra civil en España venga a perturbar la ya complicada, y asolada, situación en Europa.[14]

La importancia que ambas potencias daban a estos criterios —de los que el enunciado en último lugar resultaba entonces obvio a poco que se contemplase con cierta perspectiva la cuestión— debería haber sido un factor de base de primera magnitud a la hora de fijar la estrategia política del Gobierno en el exilio. Sin embargo Giral, desde su excéntrico México, no lo percibe y ya en la declaración gubernamental de 7 de noviembre de 1945 hace una inconveniente alusión al recurso de la violencia para establecer la República en España si no se consiguiera una solución pacífica por falta de ayuda de las grandes potencias.

Conforme van pasando los meses, el Gobierno en el exilio va endureciendo su posición en pro de la violencia. Con ocasión de la reunión de diciembre de 1945, en Moscú, de los ministros de Asuntos Exteriores de la URSS, Inglaterra y Estados Unidos, el presidente Giral les dirige un escrito en el que directamente les advierte que el pueblo español al sentirse tan injustamente tratado podría buscar el logro de sus aspiraciones «mediante una acción desesperada de consecuencias imprevisibles».[15] Al mes siguiente, enero de 1946, en una conferencia de prensa que tiene Giral en Nueva York, manifiesta sin rodeos: «No deseamos la guerra civil, pero llegaremos a este extremo si es necesario para derrocar a Franco», añadiendo —por si alguien pudiera pensar que se trataba de una vana presunción— que estaba dispuesto a dar la señal de «adelante» para un alzamiento contra Franco en cualquier momento.[16] Y todavía unas semanas más tarde, el 5 de febrero, en vísperas de su traslado a Francia, en una audiencia que le había concedido el subsecretario de Estado norteamericano, Acheson, el presidente Giral volvía a insistir en dicha actitud.[17]

El segundo ejemplo se refiere a la imperfecta comprensión del alcance de la resolución de los llamados «Tres Grandes», a primeros de agosto de 1945, en relación con España.

En la segunda mitad de julio de 1945, en Potsdam, se juega descarnadamente entre la URSS e Inglaterra la suerte del régimen de Franco y, por lo tanto, del exilio de la guerra civil española, ya que las sanciones implicadas en la propuesta soviética, que fue rebatida por Churchill, tenían tal alcance que de haber prosperado no hubieran permitido sobrevivir al régimen político imperante en España.[18] Por ello, la alusión que hace a España la declaración del 2 de agosto —que al limitarse esencialmente a la condena aprobada en junio anterior en San Francisco mostraba en el fondo la victoria de la defensa del *status quo* de Europa occidental hecha por Inglaterra— debería haber hecho reflexionar a los dirigentes republicanos españoles sobre el proyecto de resucitar las instituciones de la Segunda República.

Pero los grandes personajes políticos del exilio se hallan en México; muy lejos no sólo de Potsdam sino sobre todo de Londres, donde podían haber percibido por medio del Foreign Office —que entonces había pasado a manos de los laboristas— la importancia y el alcance de la postura británica en tan decisiva conferencia, y podían haber entendido mejor que la tan bienvenida declaración de los Tres Grandes no hiciera, sin embargo, ninguna recomendación a las Naciones Unidas para que sus miembros rompieran las relaciones diplomáticas con el Gobierno de Franco. Cuestión esta última que tenía especial importancia en aquellos momentos, habida cuenta de que apenas un par de pequeños países había dado, o anunciado, tal paso desde que se había aprobado la declaración de San Francisco mes y medio antes. Y era obvio que sin ruptura de relaciones con el Gobierno de Madrid no podía haber reconocimiento del Gobierno en el exilio, que estaba entonces a punto de formarse y, también, que sin reconocimiento —se entiende de las grandes potencias— el Gobierno republicano resucitado en el destierro habría de convertirse en un inútil, e incluso contraproducente, peso muerto político. Razonamiento que, justo es recordarlo, no escapó a ese lúcido dirigente socialista que se llamó Indalecio Prieto.[19]

Ahora bien, si como acabamos de ver la falta de información de los dirigentes exiliados en México sobre la situación internacional da lugar a importantes errores políticos, es de todos modos el gran desconocimiento de la situación interior de España el que, como otro factor negativo potenciado por la lejanía, va a tener las más graves consecuencias para la causa de los emigrados de 1939.

Este desconocimiento de la situación española tuvo, en realidad, una singular trascendencia política ya que, tal como se desarrollaron los acontecimientos, fue un factor negativo que tendió a perpetuarse e incluso a incrementarse, puesto que si el referido desconocimiento es lo que explica la artificiosa reconstitución en el exilio de las instituciones de la Segunda República, la propia existencia de estas instituciones, y especialmente la del Gobierno formalmente constituido, supuso a su vez una acentuación de la incomunicación entre las fuerzas políticas del exterior y del interior de España; de tal manera que el Gobierno en el exilio no tardaría en empezar a girar como una rueda loca, alejada del engranaje político de la España real. Vemos los puntos más destacados de esta cuestión en el breve lapso histórico del que ahora nos ocupamos.

Hemos dicho que el desconocimiento de la situación española es el que explica la reconstitución de las instituciones republicanas. En verdad sólo el referido desconocimiento —junto con la equivocada valoración internacional del resultado de San Francisco en cuanto a reconocimientos diplomáticos— puede explicar el notorio error político de resucitar en México las Cortes y el Gobierno de la fenecida Segunda República.[20] Unas Cortes que ya desde la primera reunión, la de enero de 1945, quedó de manifiesto que estaban formadas tan sólo por una parte de las que habían sido elegidas en 1936. Y aunque es justo reconocer que, en aquellas circunstancias, era probablemente muy difícil ampliar en forma significativa el espectro político de las reuniones parlamentarias, ello no constituía sino una razón suplementaria para no convocarlas, pues con la composición política que tuvieron surgieron en seguida problemas respecto a su representatividad.

Por una parte, el de su representatividad legal, constitucional, reglamentaria. No entraremos ahora en este aspecto de la cuestión ya examinado en otra ocasión; señalemos únicamente que los 72 diputados que asisten a la sesión de 10 de enero de 1945, en la que renace el Congreso de la Segunda República, no suponen ni la sexta parte de los 470 diputados que lo integraban en junio de 1936, y que los 145 diputados de la reunión del 7 de noviembre —cifra que incluye las 9 adhesiones de diputados no asistentes y que representa el máximo alcanzado en la vida parlamentaria del exilio— no supone siquiera la mitad del número de diputados que entonces vivían, que eran unos 340.

El aspecto más grave de la representatividad era, en todo caso, el político. Los diputados que se reúnen en México son únicamente los del Frente Popular, más los de aquellos partidos políticos regionales que se adhirieron durante la contienda; es decir, se trata tan sólo del sector de las Cortes que se alineó con una de las partes contendientes.[21] De este modo, el Gobierno que se forma en agosto de 1945 resulta un gabinete, hoy diríamos, plenamente comprometido que implicaba el retrotraer la vida política española al fin de la sangrienta y desoladora guerra civil española de seis años antes, con lo que, inevitablemente, surgía ante los ojos horrorizados de la gran mayoría de los españoles el fantasma de una nueva contienda civil, que era lo último que deseaban. Sentimiento este que era especialmente patente en los sectores políticos no identificados con el régimen de Franco, pero tampoco con el Frente Popular, que tanta importancia tenían entonces en cualquier estrategia realista de transición pacífica.

No terminaban con ello los problemas de la falta de representatividad, y en el fondo de operatividad, del Gobierno en el exilio para los españoles que habían permanecido en su patria, pues ni siquiera en el espectro político que había perdido la guerra civil, y del que algunos sectores se hallaban por entonces luchando denodadamente —algunos con las armas en la mano— contra el régimen imperante, el Gobierno Giral era el órgano más adecuado, o simplemente útil para muchos, en aquella difícil pero esperanzadora fase de su oposición al régimen de Franco. Los opositores del interior alineados con el Frente Popular —salvo quizá los comunistas que tenían en la primera época del Gobierno Giral una estrategia especial— eran perfectamente conscientes de su incapacidad, por sí mismos, de derribar al régimen surgido de la guerra civil. De ahí las aproximaciones de estos grupos de oposición a los de ideología política conservadora que deseaban la desaparición política de Franco, y su prevención, cuando menos, hacia unos dirigentes republicanos en el exilio que, a pesar de su gran desconocimiento de la vida política del interior de España, pretendían dirigir su presente y prefigurar su futuro.[22]

La historia de las relaciones entre los dirigentes del exilio republicano y los de la oposición clandestina del interior de España es un capítulo aún por escribir de la emigración de la guerra civil. De todos modos creemos poder afirmar que para la época, crucial, que estamos ahora contemplando, el Gobierno Giral, a pesar de las manifestaciones de su presidente, se hallaba profundamente marginado por las principales fuerzas políticas que en el interior de España se agrupaban por entonces para terminar con el régimen. Es muy elocuente a este respecto la memoria que en 1946 presenta el ministro de la Gobernación, Torres Campañá, sobre su actuación durante el primer año de Gobierno, memoria en la que resalta la trayectoria política independiente de la Alianza Nacional de Fuerzas Democráticas del Gobierno en el exilio desde que éste se formó, e incluso el menosprecio con el que la Alianza trató a los miembros del gabinete, incluido el propio presidente Giral, al no responder nunca a sus intentos de oficializar las relaciones.[23]

Esta desconexión entre la oposición interior y el Gobierno en el exilio va produciendo, ineluctablemente, un aumento en su falta de información de la vida política española que, a su vez, favorecerá el empecinamiento en las concepciones republicanas legitimistas que conducirán en unos años al total aislamiento de las instituciones de la Segunda República tan esperanzadoramente resucitadas en México.[24] Claro está que en el breve lapso que estamos ahora contemplando, el de la etapa americana del primer Gobierno en el exilio, este proceso no ha hecho sino iniciarse. De todos modos desde el mismo momento de la formación del gabinete, en agosto de 1945, hay ya dos dirigentes políticos exiliados que tienen la lucidez de comprender que el reestablecimiento de la democracia en España no puede hacerse a miles de kilómetros sin contar con los compatriotas que se hallan en España. Y ambos dirigentes lo demuestran inmediatamente rechazando las carteras ministeriales que Giral les había ofrecido.

Indalecio Prieto es, de los dos personajes aludidos, el más conocido y el que causó mayor impacto político, tanto por la gran actividad que desplegó en defensa de su estrategia plebiscitaria, como por la claridad y rotundidad con las que expuso públicamente el error que suponía el prescindir de los años que habían pasado y de lo que constituía, entonces, la situación política real en el interior de España. Claridad y rotundidad que se manifiestan constantemente en el lapso que examinamos: desde 1944, unos meses antes de la primera reunión de las Cortes, cuando Prieto declaraba en México que «sería demasiada petulancia en los veintitantos mil españoles refugiados en América, asumir funciones de tutela sobre España y desde aquí»,[25] hasta su famosa intervención del 8 de noviembre de 1945 en las Cortes, en la que, al distanciarse de la reconstitución de las instituciones republicanas, empleaba la elocuente metáfora de que «aquí puede haber ilusiones ópticas producto del emplazamiento que nos da el singular privilegio de estar bebiendo a chorros la bendita libertad dispensada en este sagrado país de México».[26]

El otro personaje político que rehusó desde el primer momento formar parte del gabinete Giral, a pesar de que su nombre llegó a incluirse en la relación que se comunicó oficialmente a México, era el dirigente de Esquerra Catalana José Tarradellas quien, por haber permanecido en Francia desde el final de la guerra, conocía mejor que la mayoría de los republicanos de México la situación dentro de España. Para este dirigente catalán la razón de no aceptar la cartera que se le ofrecía era en el fondo la misma de Prieto, pues aunque poco después, en septiembre de 1945, manifiesta en París que ello se debía a que el Gobierno Giral no era de espectro político suficientemente amplio, en realidad se fundamentaba en su gran desconfianza hacia la creación de órganos gubernamentales en el exilio, como quedó de manifiesto en sus declaraciones de treinta años después, en vísperas de su regreso triunfal a España.[27]

La conciencia que estos dos distinguidos políticos tienen tan pronto del paso en falso implicado con la reconstitución de las instituciones de la Segunda República, con sus estrechas anteojeras legitimistas, se va abriendo paso en algunos miembros del Gobierno Giral, sobre todo una vez instalado éste en Francia, y constituye uno de los factores esenciales de la irreversible crisis de este gabinete a principios de 1947. En el Consejo de Ministros del día 21 de enero, en el que cada uno de sus miembros hace un balance general de la coyuntura política después de los resultados obtenidos en la Asamblea General de las Naciones Unidas del mes anterior, la intervención de Sánchez Guerra es seguramente la más terminante en el sentido indicado, pues afirma sin ambages que el Gobierno es un estorbo para terminar con el régimen de Franco. De todos modos, son las intervenciones de Enrique de Francisco —el último incorporado al gabinete, en julio de 1946— y de Trifón Gómez las que más preocupan al presidente, ya que representan al partido socialista y a la UGT, y ambos coinciden en que «el actual Gobierno no goza de simpatías, ni de autoridad, ni de crédito en España; más bien es una dificultad para obtener el concurso de quienes tienen en sus manos los resortes del poder y los apoyos necesarios para solucionar el problema».[28]

Balance final

La pronta reemigración a América de la mayor parte de los dirigentes políticos españoles que marcharon al exilio en 1939, así como la permanencia en dicho continente durante los años siguientes a la contienda que motivó su expatriación —lapso de especial importancia en toda emigración de este linaje— fue, probablemente, una inevitable consecuencia de la crítica situación europea entonces existente y de la gran guerra que habría de iniciarse unos meses después. Pero, en todo caso, tuvo muy importantes consecuencias para la causa del exilio.

Desde luego, la instalación en América —y sobre todo en México, que nunca reconoció al régimen surgido de la guerra civil española— permitió a los dirigentes exiliados numerosas actividades políticas. Y, en particular, la reconstitución en México, es decir en país extranjero, de las instituciones fundamentales de la Segunda República española: las Cortes, el Gobierno, el Tribunal Supremo; lo que era, en sí mismo, un hecho sin precedentes en la historia de España[29] que daba a la causa del exilio una aparente respetabilidad internacional. De hecho, casi una docena de países reconocieron diplomáticamente al Gobierno en el exilio, y algunos que no lo hicieron —como Noruega e Italia— admitían gentes de dicho Gobierno como representantes oficiosos a los que se concedían determinados privilegios diplomáticos.[30] Y, ni que decir tiene, que Francia cuidó especialmente al Gobierno Giral, al que a fines de 1945 había incluso contemplado la posibilidad de reconocer, dándole facilidades materiales para su instalación en París y un trato oficioso como «Gobierno Republicano español», que continuaría durante unos cuantos años.[31]

Todo ello no habría sucedido si el núcleo fundamental de la clase política española que se exilió no se hubiera instalado en México, que es el país medular del «hecho americano». Pero a la hora de hacer el balance final no pueden ignorarse los muy serios inconvenientes que la reconstitución de las instituciones republicanas llevó consigo para la causa del exilio, conforme antes expusimos. Unos inconvenientes tan serios, y tan notorios, que muy probablemente incidieron de modo apreciable en el aplazamiento, durante varios decenios, del reestablecimiento de la democracia en España, y que, en cualquier caso, contribuyeron ineluctablemente a dar una desfavorable imagen internacional —por falta de visión política y exceso de pasión— en los dirigentes exiliados.

Este es, a fin de cuentas, el triste balance negativo de la etapa americana de la emigración española de 1939, etapa que contemplamos —repetimos— tan sólo desde el punto de vista político, no del cultural. Se trata de un balance en el que gravita, muy pesadamente, el coste político de la desconexión con la situación en la que se encontraba España. La maldición del exiliado de todos los tiempos, el alejamiento del latido político vital de la patria, fue esta vez potenciado por el «hecho americano».

El 4 de octubre de 1946 se entrevista el presidente Giral con Spaak, entonces ministro de Asuntos Exteriores de Bélgica y gran campeón en los foros internacionales de la causa de los exiliados españoles. Se está en aquellos momentos en vísperas de la gran batalla diplomática de la Asamblea General de las Naciones Unidas de aquel otoño, y con tal motivo tienen ambos un amplio cambio de impresiones durante el cual, ya avanzada la entrevista, entra Spaak de lleno en el tema de su gran preocupación: la falta de representatividad del Gobierno en el exilio para los españoles. Y al destacar a este respecto las dificultades con las que siempre han tropezado los gobiernos exiliados para tener contacto con los compatriotas que han permanecido en el país, puntualiza que conoce de primera mano la importancia de esta cuestión ya que él es el único ministro del gabinete belga en el exilio que permanece entonces en el poder.[32]

El famoso político belga, precisemos por nuestra parte,

hablaba de un Gobierno en el exilio que se encontraba en Inglaterra, al otro lado del Canal de la Mancha, a poco más de un centenar de kilómetros de su patria, no al otro lado del Atlántico, a miles de kilómetros de la suya, como en el caso español.

NOTAS

1. Javier Rubio, «La España de fuera. Éxodo y exilio, 1939-1977», capítulo suplementario a Hugh Thomas, *La guerra civil española*, Madrid, Urbión, 1980, p. 317.

2. El orden de magnitud de estas evaluaciones, que se justificó hace ya doce años en nuestra obra *La emigración de la guerra civil de 1936-1939*, Madrid, San Martín, 1977, pp. 202 ss. (en lo sucesivo *EGC*), ha sido aceptado por relevantes historiadores y entidades. En cambio no ha habido, a nuestro conocimiento, ningún autor que haya hecho una impugnación razonada de las mismas —aunque alguna vez, por motivos que se nos escapan, se han esgrimido supuestos rechazos—, a pesar de la invitación explícita que hacíamos en 1978 a los historiadores de la guerra civil española para que, en su caso, refutaran públicamente el fundamento de nuestras evaluaciones («Las cifras del exilio», *Historia 16* [Madrid], octubre [1978]). Para las que ahora presentamos de 1945, tenemos también en cuenta lo expuesto en el capítulo 5 de otra obra anterior (*La emigración española a Francia*, Barcelona, Ariel, 1974).

3. En comunicaciones hechas en las jornadas sobre «Movimientos migratorios provocados por la guerra civil» que se celebraron en Salamanca en diciembre de 1988, varias investigaciones mexicanas del INAH han destacado, pertinentemente, el difundido error de considerar los exiliados que llegan a México como una emigración exclusiva o muy mayoritariamente compuesta por elites (Dolores Pla Brugat: «Fuentes orales para el estudio del exilio español en México», y Concepción Ruiz-Funes y Enriqueta Tuñón: «Acerca de la llegada a México de los primeros refugiados españoles: el *Sinaia*»).

4. Esta proporción no varía apenas cinco años después, en 1950, como lo muestran las relaciones elaboradas por el gobierno en el exilio y que figuran en el archivo depositado en la Fundación Universitaria Española de Madrid —en lo sucesivo FUE— P 668/1 y P 723/1 (la letra se refiere al fondo, París en este caso, y los números a la caja y expediente respectivamente). Archivo cuya consulta nos ha sido facilitada por don Lorenzo Navarro, gerente de la fundación, y la profesora Alicia Alted, a quienes deseamos reiterar nuestro agradecimiento.

5. Esta cuestión ya la hemos expuesto con detalle hace años: en

1977 en *EGC, op. cit.,* pp. 139 ss., y al año siguiente al publicar —por vez primera— y comentar el informe reservado que dirige Prieto a la Diputación Permanente en abril de 1939 («El tesoro del "Vita", una polémica del exilio republicano», *Nueva Historia* [Madrid], octubre [1978] y febrero [1979]).

6. Del impacto de las facilidades materiales concedidas por el gobierno mexicano —no sólo en cesión de locales sino sobre todo en disponibilidades de fondos por entrega de la CAFARE— el propio presidente Giral se hace eco en su correspondencia con algunos ministros, como las cartas a Ángel Ossorio de 15 de septiembre de 1945 y a Fernando de los Ríos de 29 de enero de 1946 (FUE, *cit.,* P 668/1 y P 37/1); carta la última en la que Giral estima que los fondos recibidos serían suficientes para asegurar económicamente la vida del gobierno durante más de un año y para ampliar los servicios.

7. Según los textos publicados en los Extractos Oficiales de las sesiones del Congreso de los Diputados de 10 de enero, 17 de agosto y 7, 8 y 9 de noviembre de 1945, impresos en los talleres linotipográficos B. Costa i Amic, México, DF, *passim.*

8. El artículo citado es el 136, que establece que la Constitución «no perderá su fuerza y vigor, aun cuando por alguna rebelión se interrumpa su observancia» (*Gaceta Oficial de la República española,* 4, p. 20).

9. *Journal of the General Asembly,* First Session, n.º 28, Twenty-sixth Plenary Meeting. His Majesty's Stationery Office (London 1946) pp. 469-478.

10. La urgencia por informar al Gobierno mexicano es tal que en la composición del gabinete Giral que se le comunica faltan tres ministros —Santaló, Gómez y Nicolau— y sobran dos —Jiménez de Asúa y Tarradellas— respecto a la que corresponde a los decretos firmados el 26 de agosto, según los textos, tanto de la comunicación a México como de los decretos, que se publican en la *Gaceta Oficial,* 1, pp. 4-6. No hemos encontrado en el expediente de reconocimientos el texto de las comunicaciones a Estados Unidos y a Inglaterra, pero parece razonable admitir que debieron hacerse simultáneamente a la de la URSS, que se entregó el 28 de agosto. Las comunicaciones a China y Francia no se firman hasta el 29 y 31 de agosto (FUE, *cit.,* P 776/2).

11. Incluido Haití; en cambio a Canadá no se envía hasta abril de 1946. La comunicación a Argentina figura en el expediente que tenía el Presidente, por lo que no conocemos exactamente la fecha de la misma.

12. En su carta del día 29 a Fernando de los Ríos (véase nota 6) decía que estaba «enormemente desazonado porque preveo mi retorno a México sin haber logrado pisar suelo europeo. Considero esto tan catastrófico que me vería obligado a tomar una decisión muy atrevida y de la cual ya le hablé a usted aquí; francamente mi dimisión».

13. El propio Giral, cuando se halla en Estados Unidos esperando el visado francés, percibe que se halla insuficientemente informado de lo que piensa el Gobierno norteamericano y propone a su Minis-

tro de Estado —entonces en Londres— elevar la categoría del diplomático que les representaba oficiosamente, que era el secretario de Embajada Juan A. Meana (carta citada en la nota anterior).

14. Aide-Mémoire de 6 de abril de 1945 del Departamento de Estado norteamericano a la Embajada británica en Washington, *Foreign Relations of the United States 1945*, vol. V, Washington, Government Printing Office, 1967, pp. 672-673. Además, Bevin, en su primera declaración ante la Cámara de los Comunes el 20 de agosto siguiente, manifestó terminantemente que el Gobierno británico no estaba dispuesto a tomar ninguna medida que pudiera promover o estimular la guerra civil en España (*The Spectator*, 24 de agosto [1945], p. 167).

15. Escrito de 18 de diciembre de 1945 dirigido a los tres ministros y firmado por Giral como encargado provisional del Ministerio de Estado (FUE, *cit.*, P 655/2).

16. Según el texto del *New York Herald Tribune* que reproduce *España Nueva* —órgano oficioso del Gobierno en el exilio—, 9, 19 de enero (1946), p. 1.

17. Memorándum del Jefe de la División de Europa Occidental del Departamento de Estado norteamericano de 6 de febrero de 1946 (*Foreign Relations of the United States 1946*, vol. V, Washington, Government Printing Office, 1969, pp. 1.036-1.037).

18. A pesar de que la importancia fundamental del desarrollo de la Conferencia de Postdam para la causa política del exilio —puesto que España, y su régimen político, no era sino un peón en el delicado y complejo tablero europeo que surge de la segunda guerra mundial— ya fue destacada en nuestro estudio de 1977 (*EGC, op. cit.*, pp. 628 ss.), esta cuestión es minusvalorada, cuando no prácticamente ignorada en las obras que, a nuestro conocimiento, se vienen ocupando con alguna sustantividad del exilio desde un punto de vista político.

19. En su intervención de las Cortes de noviembre de 1945, manifestó que «era esencial para constituir el gobierno provisional salido de las Cortes que hubiese noticias ciertas de que su reconocimiento por las grandes potencias sería inmediato» (*Extracto Oficial, cit.*, día 8, p. 10). Unos meses después, en la carta que escribía a Luis Plaza el 23 de marzo de 1946, le aclaraba Prieto que entre las razones que tuvo para renunciar a formar parte del gabinete Giral de agosto de 1945, «descolló mi creencia de que el gobierno además de ineficaz podía ser grave estorbo en las soluciones posibles del problema español» (MAE, R-3.512,38; los números son el legajo y expediente del archivo renovado del Ministerio de Asuntos Exteriores de Madrid).

20. El otro factor, el de la errónea evaluación de las consecuencias de la condena de San Francisco, influye muy poderosamente en la convocatoria de la segunda reunión de las Cortes —la que hace presidente de la República a Martínez Barrio, como paso previo a la constitución del Gobierno— pues después de San Francisco se esperaba que tan pronto como se constituyera el gobierno sería reconocido por las grandes potencias; con lo que se vivió entonces en una atmósfera política de «entusiasmo coactivo» para convocar dicha

reunión, como recordó Prieto el 8 de noviembre (*Extracto Oficial, cit.,* pp. 9-10). En cambio en la primera reunión de las Cortes, la del mes de enero, es tan sólo el referido desconocimiento el factor ambiental que lleva a la convocatoria.

21. Hay algún autor (Helmut Heine, *La oposición política al franquismo,* Barcelona, Crítica, 1983, pp. 172-173) que trata de sostener que había una minoría de políticos conservadores que apoyaban el proceso de reconstitución de las instituciones republicanas en México, como lo demostraría —para este autor— la asistencia de cinco de ellos a la reunión del 7 de noviembre. Pero de los cinco nombres citados por Heine, cuatro (Portela Valladares, Filiberto Villalobos, Vicente Iranzo y Cirilo del Río) ni asistieron ni se adhirieron a aquellas reuniones. Además, los dos últimos ni siquiera eran miembros de las Cortes de 1936.

22. En este sentido el testimonio de E.J. Hughes es especialmente valioso, pues fue en aquella época el agregado diplomático de la Embajada de Estados Unidos en Madrid encargado de contactar las fuerzas de oposición al régimen de Franco (*Report from Spain,* Nueva York/Londres, Kennikat Press, 1972, pp. 216 ss.; 1.ª ed., 1947).

23. Anexo 13 a la Memoria del ministro de la Gobernación Torres Campañá; el ejemplar consultado no tiene fecha pero seguramente es del otoño de 1946 (FUE, *cit.,* M 94 y M 95). Es también elocuente en este mismo sentido la Memoria que en octubre de 1946 presenta el ministro de Defensa, Hernández Sarabia, sobre el primer año de gestión departamental, pues en ella sólo se hacen consideraciones teóricas «para tratar de coordinar y organizar la Resistencia interna» (*ibíd.,* P 667/1). Y desde el ángulo de la ANFD es asimismo muy expresiva la relación que hace García Durán de su visita al Gobierno Giral en París en los primeros meses de 1946 (*Por la libertad. Cómo se lucha en España,* México, Ediciones CNT, 1956, pp. 123 ss).

24. Es una prueba más de la cultura histórica y del talento político de Azaña el haber previsto, ya a principios de 1940, cómo muchos dirigentes habrían de constituirse en el exilio «en republicanos "históricos", mantenedores de una tradición que, por violada que esté, les parecerá siempre virgen. Y habremos de ser guardadores de la "República del 14 de abril", o de un texto abolido, o de una memoria putrefacta...» (Carta a Esteban Salazar Chapela de 26 de febrero de 1940, en *Obras Completas,* III, México, Oasis, 1967, p. 562).

25. Juan Bautista Climent, *El pacto para restaurar la República española,* México, América, 1944, p. 41.

26. *Extracto Oficial, cit.,* 8 de noviembre, p. 12.

27. Al explicar en febrero de 1977 —todavía en el sur de Francia— la razón de no haber formado nunca un gobierno catalán en el exilio, decía Tarradellas: «No se habría aceptado nunca que un señor, desde afuera, dijese a los de dentro lo que tenían que hacer» (Baltasar Porcel, *Conversaciones con el Honorable Tarradellas,* Barcelona, Plaza y Janés, 1977, p. 63). Las declaraciones de Francia antes aludidas, en *Combat,* 7 de septiembre (1945), pp. 1-2.

28. Acta mecanografiada de la reunión del Consejo de Ministros de 21 de enero de 1947 (FUE *cit.*, M 94). Trifón Gómez manifiesta en su intervención final que «pedir el previo reconocimiento de la legalidad republicana es un pasatiempo», anunciando a continuación, con certera premonición, que si el tiempo pasa «es de temer que las N.U. se cansen y acepten cualquier solución que les ofrezca Franco».

29. En rigor, las reuniones de México no eran las primeras de unas Cortes españolas en el extranjero, pues cerca de siglo y medio antes se había reunido en Bayona la Asamblea Constituyente, lo que representaba un ominoso precedente.

30. Según la nota sin fecha —probablemente de fines de 1946— que con el título «Relaciones del Gobierno de la República española con los demás Gobiernos», consta en el Archivo del Gobierno en el exilio (FUE, *cit.*, P 926/3).

31. Todavía en 1948 la Embajada española en París protestaba ante el Quai d'Orsay porque en la lista de Jefes de Estado y de Gobiernos que había publicado en marzo de dicho año la Secretaría General del Gobierno francés, en sus «Notes documentaires et études», incluía bajo el título «España» no sólo al gobierno español reconocido, sino también como «Gobierno republicano» al del exilio (despacho 574, 7 de abril de 1948 del Embajador en París, MAE, *cit.*, R-3.513, 33).

32. Minuta de la entrevista con el ministro de Negocios Extranjeros, Sr. Spaak, Hotel Ritz 4-X-1946 (FUE, *cit.*, P 37/1).

LUIS JIMÉNEZ DE ASÚA
EN EL EXILIO

José María Naharro Mora

El 12 de agosto de 1939 llega a la Argentina D. Luis Jiménez de Asúa, profesor y político español que se había hecho una figura nacional a lo largo de los veinte años anteriores. Tenía entonces cincuenta, pues había nacido en Madrid en 1889, en una familia de la mediana burguesía española.

Aquel maestro del Derecho Penal, que admiraron tantos alumnos y tantos profesores de diversos continentes, hizo con brillantez sus estudios secundarios y de la Facultad de Derecho,[1] pero pronto la muerte de su padre le obligó a trabajar, por lo que dio clases de diversas asignaturas de su carrera en la Academia Politécnica Matritense, institución de enseñanza privada que fundó y dirigía D. Isidro Naharro, padre de quien ha escrito estas líneas.

Si he destacado este aspecto de profesor privado en la vida de D. Luis Jiménez de Asúa, no ha sido sólo porque familiarmente me afecte, sino porque contribuyó sin duda a su posterior dedicación a la enseñanza pública. Mi padre alentó la vocación docente del joven estudioso, pero, además, habiéndose establecido entre ambos una firme amistad (que quien esto escribe había de continuar más tarde), logró crear una no menos estrecha relación entre el futuro penalista y otro de sus amigos: el influyente catedrático de Historia del Derecho de la Universidad Central, D. Laureano Díez Canseco. Don Laureano pronto percibió la valía de Jiménez de Asúa y le ayudó cuanto pudo en el mundo universitario.

Tras estudiar con algunos penalistas europeos de gran fama, Asúa ganó en 1918, tras brillantes ejercicios frente a otros opositores conocidos, la cátedra de Derecho Penal de la Facultad de Derecho de la Universidad Central (hoy Complutense).

Nuestro penalista va a Buenos Aires en 1939 porque a partir de 1923 había ido a la Universidad argentina a dar cursos y conferencias y su hermano Felipe se había trasladado también a la República austral. Es cierto que al llegar a París de vuelta del cargo de Embajador de España en Praga, que desempeñó durante la guerra civil, se le ofreció una cátedra en la Universidad parisina, pero su servicio de información en Checoslovaquia le había convencido de la guerra inmediata en Europa, como desgraciadamente aconteció, razón por la que no aceptó el ofrecimiento.[2]

Jiménez de Asúa había creado en los años de docencia madrileña una extensa escuela, que en gran parte abandona también España. En España quedaron otros, frente a los que en una primera reacción explicable, Jiménez de Asúa mostró su reprobación. Ninguno de ellos negó nunca al maestro y, algunos, como José Antón Oneca y José Arturo Rodríguez Muñoz, fueron destacadísimos catedráticos de Derecho Penal, por desgracia también hoy desaparecidos. Otros discípulos felizmente viven aún, como Tomás Jaso (con cuya larga amistad me honro y cuya ayuda para redactar estas líneas tanto agradezco), quien vio truncada su vocación docente con la ausencia de Asúa. En mis visitas al piso de Jiménez de Asúa en el 2.471 de la bonaerense calle de Pueyrredón, le informé con detalle de las justificadas razones de estas personas para su permanencia en España y sus nulas concomitancias con el régimen franquista; creo que conseguí disipar el enojo de D. Luis. También el catedrático de Derecho Penal y magistrado del Supremo, D. Marino Barbero, que tanto ha hecho y continúa haciendo por difundir la figura y la obra de Jiménez de Asúa, intervino eficazmente, con posterioridad en el tiempo, para limar otra diferencia entre Antón Oneca y Asúa.[3]

Pero el ya famoso profesor que había hecho escuela, que tenía 71 publicaciones en español, francés, inglés, alemán, portugués e italiano, con cursos y conferencias impartidos en importantes universidades europeas y americanas, que había traducido al español, entre otras, obras tan destacadas en su especialidad como parte del «Tratado de Derecho Penal» de Franz von Liszt, y del «Curso de Derecho Criminal» de Francesco Carrara, que había intervenido en la reforma del Código Penal español de 1932, en la promulgación de la famosa Ley de Vagos y Maleantes y en otras avanzadas disposiciones penales españolas, no recibía en París el visado que esperaba para trasladarse a Argentina.

La razón era muy clara: los colegas argentinos Juan P. Ramos y Jorge Eduardo Coll —que en su primera visita a Buenos Aires en 1923 se habían disputado el honor de presentarle en la Universidad— «militaban en corrientes claramente antidemocráticas y, por lo tanto, ninguno de ellos estaba en 1939 al lado de un socialista español cuyos méritos científicos eran vistos como algo totalmente secundario».[4] El visado hubo de proporcionárselo directamente a Jiménez de Asúa la representación argentina en París, y al llegar a Buenos Aires Coll no le dispensó ayuda alguna. Fue el profesor José Peco, que entonces explicaba Derecho Penal y era director del Instituto de Derecho Penal en la Universidad de La Plata, quien renunció a este último cargo en favor de su colega español. Debe decirse, además, que siendo modestos los sueldos de ambas ocupaciones, era más alto el de director del Instituto que el de profesor en la Universidad, que se reservó Peco.[5] Allí Asúa prepara a tres futuros catedráticos de Derecho Penal: Jorge Frías, Samuel Dayen y Carlos Gallino. Pero en 1943 José Peco y otros profesores abandonan la docencia en protesta contra el Gobierno Perón; Jiménez de Asúa se solidariza con sus amigos y rescinde su contrato. Así, desde este año hasta 1955, en que cae Perón, nuestro exiliado está fuera de las universidades

113

argentinas, pero sus cursos y conferencias en otros países son numerosos y la aparición de nuevas publicaciones, constante.[6]

En este período de tiempo se produce un venturoso acontecimiento en la vida de Jiménez de Asúa. Habiendo viajado a La Habana para pronunciar unas conferencias, conoce allí a Mercedes de Briel. En notas íntimas redactadas por ella —que entregadas más tarde para ayudar al autor de un libro sobre Asúa, se imprimieron sin más aviso—,[7] se puede leer: «Le conocí en La Habana, mi ciudad natal, en una luminosa mañana de nuestro templado invierno, el 5 de febrero de 1944. Fue un verdadero *coup de foudre* y desde ese día empezó esa etapa tan feliz en nuestras vidas. Fuimos verdaderos compañeros. Traté de ayudarle en todo, y todo cuanto yo hacía le parecía bien [...]». Nada más cierto que esta confesión: ella intervenía y le ayudaba en sus trabajos y sin su dedicación D. Luis no habría podido hacer todo lo que hizo hasta su muerte. A Mercedes, por su colaboración, debe también mucho el autor de estas líneas.

Con la caída del régimen peronista Asúa es nombrado director del Instituto de Ciencia Penal y Criminología de la Universidad del Litoral, y más tarde de la institución similar en la Facultad de Derecho de la Universidad de Buenos Aires. Allí se formó prácticamente la generación actual de profesores argentinos de Derecho Penal. Más tarde, en 1963 —tras varios intentos de profesores retrógrados para destituirle y fracasados por la acción de los estudiantes y de los docentes amigos, el nuevo golpe de Estado militar de 1966, y la «noche de los bastones largos» en que la policía entra en la Universidad y golpea a estudiantes y profesores—, Jiménez de Asúa abandona ésta definitivamente.[8]

En Argentina reanudó Jiménez de Asúa la enseñanza del Derecho Penal tal como la venía practicando en España. La que universitariamente se conoce como «lección magistral» la elevó él a su más alto grado. Hace sesenta años que yo concurrí a sus clases y aún es imborrable el recuerdo de ellas: sobre cualquier tema que tratara, Asúa exponía todos los conceptos y doctrinas existentes, la jurisprudencia oportuna, el tratamiento en los códigos de diferentes países, las polémicas entre los autores, la bibliografía esencial, etc. Todo ello con un orden, un rigor y una claridad tales, que el alumno quedaba prendido del hilo de su palabra hasta el final de la lección. Como ha recordado el profesor Martínez Val se le podía aplicar lo que Goethe dijo de los docentes de su país: «Dios lo sabe todo, pero un profesor doctor alemán lo sabe todo mucho mejor».[9]

No obstante, nada más lejos de Asúa, madrileño de pura cepa, que la rigidez germánica; el humor asomaba cuando era necesario. En mi curso, donde —como era común en aquel tiempo— no había más de tres o cuatro alumnas y, casualmente, también un cura, al llegar un día a explicar los delitos contra la honestidad, dijo con la mejor de sus sonrisas: «si las señoritas y el *pater* prefieren abandonar el aula para reintegrarse a la clase cuando terminemos esta lección, pueden hacerlo con absoluta libertad». Y no sólo en la clase, claro es, sino en todas partes surgía su vena festiva; recuerda José Prat[10] que un día, al discutir con un criminalista bogotano, le espetó: «Es tan contradictorio lo que Ud. dice como si escribiera una carta familiar empezando con la frase *Mi querida suegra*». Asúa, que fue también un excelente abogado, actuando en un juicio cierto día protestaba de haberse unido a los autos un disco gramofónico donde estaba grabada una declaración: «acabaremos trayendo a estrados a testificar a una guitarra», dijo con sorna. A veces su humor era sangriento: él inauguró el primer curso académico de la República en la Universidad de Madrid en octubre de 1931, y se excusaba al hacerlo por no ser el profesor más antiguo ni el más competente del claustro, pero añadía: otros docentes, no obstante, no podrían ocupar esta tribuna sin riesgo de sospecharse que corrían en auxilio de la victoria.

Cuando con la muerte, el 17 de noviembre de 1970, termina el exilio de Jiménez de Asúa, son 65 las obras editadas durante su ausencia de la patria, lo que eleva al asombroso número de 136 el total de volúmenes publicados en vida. Imposible destacar entre ellos los que son más fundamentales para la ciencia penal, porque son muchos, pero citaremos sólo su magna obra, el inconcluso *Tratado de Derecho*

Penal, cuyos 7 tomos aparecieron entre 1950 y 1970, con más de 8.000 páginas; Asúa pensaba terminarlo con dos volúmenes más. De esta publicación se ha dicho que si desaparecieran los libros de Derecho Penal existentes en el mundo, pero se conservase el *Tratado* de Jiménez de Asúa, se tendría aún noticia de todo lo que es importante en Derecho Penal. Hans-Heinrich Jascheck, una de las mayores autoridades en la disciplina, ha dicho: «es la más extensa obra sistemática sobre la parte general del Derecho Penal que la literatura haya conocido».[11]

El cuidado censo de Isidro de Miguel Pérez[12] anota, además de las obras citadas, 77 prólogos y trabajos menores y 703 artículos, notas bibliográficas, discursos, etc., publicados en revistas y periódicos. Se estiman en más de 2.300 las conferencias dadas. El exilio, que abortó y esterilizó la labor de tantos, convirtió a Jiménez de Asúa en una figura internacional de las ciencias punitivas. Cuando cumplió setenta y ochenta años de ejemplar trabajo, se publican en Buenos Aires dos gruesos volúmenes: *Estudios jurídicos en homenaje al profesor Jiménez de Asúa* y *Problemas actuales de las ciencias penales y la Filosofía del Derecho* (el segundo no llegó a verlo impreso), en los que colaboran distinguidos penalistas europeos y americanos.[13]

Digamos ahora algo del exiliado político. Jiménez de Asúa fue socialista, pero a la vez demócrata y acérrimo defensor de la libertad. Su protesta por la destitución de Unamuno determina la suspensión de empleo y sueldo y el destierro a las islas Chafarinas en 1926. En 1929 pide su renuncia a la cátedra «por creer incompatible su función con la violencia que inicia el Gobierno contra los centros de enseñanza», si bien en 1930 es repuesto a aquélla. Con el advenimiento de la República, en todas cuyas legislaturas es diputado, se abre un período de intensa actividad política para Jiménez de Asúa. Entre sus actuaciones de entonces destaca su presidencia de la Comisión Parlamentaria que redactó la Constitución, aprobada por 368 votos en pro y ninguno en contra, el 9 de diciembre de 1931.

En la Constitución se plasmaron algunas de las ideas políticas queridas por Asúa, que sintetizaba así D. Nicolás

Pérez Serrano:[14] en primer lugar, la afirmación de un Estado democrático y liberal; en segundo, el laicismo (supresión de una Iglesia oficial, libertad de cultos, regulación por ley *ad hoc* de las congregaciones religiosas); en tercero, la nueva concepción de la familia (emancipación de la mujer, divorcio, protección de los hijos ilegítimos); en cuarto, la orientación social de la propiedad y la cultura (función social de aquélla, obligación de todos al trabajo, la cultura como atributo del Estado). El propio Jiménez de Asúa definió certeramente la Constitución diciendo que era «una Constitución de izquierda, no socialista [y subrayo esta afirmación], democrática, liberal, de gran contenido social y que aspiraba a conservar la República».

Jiménez de Asúa fue todo menos un político extremista; citemos un sólo ejemplo: en una de las legislaturas en que fue también, como en 1936, vicepresidente de las Cortes, habiendo sustituido cierto tiempo al Presidente, al abandonar la suplencia D. José Calvo Sotelo le felicita por la imparcialidad con que había presidido los debates protegiendo los derechos de las minorías. No obstante, el 12 de marzo de 1936, al salir de su casa en la madrileña calle de Goya, unos falangistas disparan contra él; afortunadamente sale ileso, pero matan al policía de su escolta D. Jesús Gisbert. No es muy sabido que los autores quisieron ser defendidos por el famoso abogado D. Ángel Ossorio y Gallardo y que éste contestó que no podría defenderlos sin contar con la anuencia de Jiménez de Asúa. Éste dijo a D. Ángel que por su parte no había inconveniente alguno, si bien debería hablar con la viuda del muerto.

Durante el exilio estuvo más cerca del colaboracionismo de D. Indalecio Prieto que de la intransigencia del doctor Negrín. Es sabido que el último no se entendió bien con Prieto. Cada uno de ellos formó una organización para ayudar a los exiliados: el SERE (Servicio de Evacuación [o Emigración] de los Refugiados [o Republicanos] Españoles), de Negrín, y la JARE (Junta de Ayuda a los Republicanos Españoles), financiada con los famosos fondos del *Vita* que llegaron a manos de Prieto. Quienes solicitaban la protección del SERE habían de firmar una declaración de no recibir ayuda de otra organización similar, clara alusión a la JARE. Jiménez de Asúa se negó a firmar esta declaración. La declaración, a la vez, significaba el reconocimiento del Gobierno Negrín —pronto aislado en Londres— como el legítimo de la República en el exilio, lo que era controvertido por ciertos grupos políticos de emigrados.[15]

Al dimitir el Gobierno Negrín en la reunión de agosto de 1945 de las Cortes españolas en México, donde se nombra presidente interino de la República a D. Diego Martínez Barrio, éste encarga de formar nuevo Gobierno a D. José Giral y en él figura, como ministro sin cartera, Jiménez de Asúa, no representando al Partido Socialista, sino a título de personalidad. Pero la inoperancia del Gobierno Giral pronto fue combatida por Prieto, partidario (y así lo declaró ya desde 1942) de determinar plebiscitariamente el destino futuro de España. Esto lo repite en reuniones y congresos del PSOE que culminan en la Asamblea del 25 de julio de 1947 en Toulouse, donde se forma una comisión para intentar, con una amplia coalición de fuerzas políticas, la formación de un gobierno provisional; en esta comisión figura Jiménez de Asúa, junto a Prieto, Trifón Gómez y Antonio Pérez. Y de nuevo volvemos a encontrar el nombre de Asúa firmando el acuerdo de San Juan de Luz, en el verano de 1948, por el que, encabezados los socialistas por Indalecio Prieto y los monárquicos por José María Gil Robles, unen sus fuerzas para acabar con el régimen franquista. Como se sabe, en ese mismo verano Franco y D. Juan de Borbón acuerdan en el yate *Azor* la educación española del joven príncipe; la política que Prieto persiguió durante tanto tiempo está herida de muerte.[16]

Y volvemos a encontrar a Jiménez de Asúa en uno de los actos postreros de la política del exilio. En enero de 1962 muere Martínez Barrio y al refugiado en Argentina, que es Vicepresidente de las Cortes en funciones de Presidente desde 1945, le corresponde ocupar, en funciones también, la presidencia de la República. Así lo hace, encargando de formar Gobierno a D. Claudio Sánchez Albornoz, su compañero de exilio y otra de las grandes personalidades republicanas.

Creo que acierta Javier Rubio, cuando explica las razones que llevaron a Asúa a la presidencia: en primer lugar el temor de que no ocupando él la vacante pronto aparecería alguien que la ocupase, creando un Gobierno para su servicio o el de su partido político, sin entidad quizá para seguir siendo reconocido como Gobierno español por el par de países que así lo hacían (México fundamentalmente), apuntándose además el tanto de ser el grupo político del exilio que mantendría la ilegitimidad del régimen de Franco. En este sentido no debe olvidarse que estaban vacantes las vicepresidencias 2.ª y 3.ª de las Cortes, el vicepresidente 4.º era Dolores Ibarruri, *La Pasionaria*; ella habría sido Presidente de la República de no haber aceptado el cargo Jiménez de Asúa: así lo cuenta Sánchez Albornoz, según relata el profesor Martínez Val, ya varias veces citado, y lo apunta también Javier Rubio.

La nueva singladura no tuvo más éxito que las anteriores, como no habían de tenerlo tampoco las posteriores, porque al exilio español, como recuerda D. Juan Marichal, se le pueden aplicar las palabras que refiriéndose a su propio partido, el socialista, escribía D. Luis Araquistain: «Somos una admirable Numancia errante que prefiere morir gradualmente a darse por vencida».[17]

Como en el exilio no podían reunirse los requisitos exigidos por el artículo 68 de la Constitución para nombrar un presidente de la República definitivo, Jiménez de Asúa continuó siéndolo «en funciones» hasta su muerte.

No es posible hablar de Jiménez de Asúa en el exilio sin aludir a la que fue principal distracción y entretenimiento a lo largo de toda su vida: la entomología. Ya de niño, con su hermano, gastan a veces hasta una peseta —mucho dinero entonces— en adquirir algún ejemplar curioso. Pero la riqueza de la fauna de los países americanos donde vive treinta años, le procura deleites infinitos y enriquece su colección en grado superlativo. A veces, visitando museos de ciencias naturales de los países a donde viaja invitado como penalista, se explaya y discute con los especialistas que cuidan las colecciones; éstos quedan asombrados y dudan si ha venido para dar cursos de Derecho Penal o de Entomología. Existe algún ejemplar que lleva su nombre debidamente latinizado, y dejó al morir hasta 26.400 insectos perfectamente clasificados y conservados en cajas *ad hoc.*

Ni es este el lugar ni yo soy la persona para exponer y comentar las ideas penales que profesó Asúa. Pero puede darse una pincelada en el tema, puesto que en ella interviene el exilio que es el asunto a tratar. Hay un Jiménez de Asúa joven, que adopta entonces las ideas más nuevas criminológicas de la que se llama Escuela positiva. «La juventud de estas doctrinas coincidió —lo dice el propio Asúa— con mi juventud». «La criminología se tragará al Derecho Penal», parece que dijo precisamente en Argentina, pero en 1929, antes del exilio. En éste, y ya con setenta años, cuando reedita en 1959 uno de sus trabajos fundamentales: *La teoría jurídica del delito,* escribe en el prólogo que «cualesquiera que hubieran sido mis aficiones primigenias, era preciso hacer Derecho Penal...». El criminólogo juvenil se ha transformado en el jurista de la madurez. Esto dice hoy un penalista que se reclama su discípulo.[18] Y algo similar dice otro especialista, aunque se autocritique llamando «pobre y maniqueo recurso expositivo» la contraposición entre el joven profesor y el maduro maestro.[19]

Quisiera yo establecer un paralelismo entre esta evolución del pensamiento científico de Jiménez de Asúa y el progreso de sus convicciones políticas. Nuestro exiliado jamás abandonó el Partido Socialista Obrero Español, ni desmayó en el mantenimiento de sus postulados. Es más, con el tiempo de su exilio coincide el florecimiento de las socialdemocracias, pero nunca hicieron mella en él. Algunas veces se oye, por la popularidad de aquéllas, incluso desde dentro del PSOE, si no convendría suprimir la O de su título. A Jiménez de Asúa llegaron también estas voces; su reacción fue siempre terminante: yo soy un obrero, decía —dando, es cierto, a la palabra un sentido diferente del uso común—, para aludir simplemente al que trabaja, al que vive de su trabajo. Por lo mismo, pese a la simpatía que pudiera inspirarle por ser un opositor al régimen franquista, criticó muy duramente a D. Enrique Tierno Galván cuando éste creó el Partido Socialista Popular.

Pero con el paso del tiempo en el exilio, sin abandonar el socialismo —como tampoco abandona la criminología— adquiere cada vez más importancia en su pensamiento el principio de libertad. Su vida, en efecto, fue una lucha permanente contra el despotismo y las dictaduras de toda índole. De la misma forma, es la potenciación de la libertad lo que adelanta al proscenio de su obra científica al Derecho Penal. Porque éste, en definitiva, delimita en las sociedades humanas la esfera de lo injusto, de lo prohibido y, con ello señala el mundo de lo libre, de lo permitido. El Derecho, en general, garantiza la libertad y la seguridad de los hombres en la comunidad. El socialismo es una de las maneras posibles de organizar las sociedades humanas, mas precede lógicamente a cualquier tipo de estructuración de la convivencia, la libertad de los que la organizan.

A Asúa, como neokantiano riguroso, no se le oculta que la criminología, al estudiar las realidades del delito, del delincuente y de la pena, es una ciencia natural, causal, sus contenidos pertenecen al mundo del «ser»; el Derecho Penal —y todo Derecho— es un conocimiento normativo, se halla en la esfera del «deber ser», de los valores. Por otra parte, lo mismo que criminología y Derecho Penal no se excluyen, sino que se integran en el modelo enciclopédico de las ciencias penales que acabó defendiendo Jiménez de Asúa, tampoco el Socialismo y la Libertad dejaron de convivir en su pensamiento y en su vida.

* * *

España olvida fácilmente a sus mejores hombres; doblemente a aquellos que como Jiménez de Asúa murieron en el exilio.[20] Pero no importa, la canción de Jiménez de Asúa ha trascendido ese olvido y se encuentra ya en la historia; la Historia con mayúscula, con la que el exilio de 1939 une a España con las Américas.

NOTAS

1. José María Martínez Val, «Luis Jiménez de Asúa», *Boletín del Ilustre Colegio de Abogados de Madrid,* nov.-dic. (1988), pp. 109 ss.

2. José Prat, *Estudios de Derecho Penal en homenaje al profesor Luis Jiménez de Asúa* (número monográfico), *Revista de la Facultad de Derecho de la Universidad Complutense* (Madrid) (1986), p. 26.

3. Véase Marino Barbero Santos, *ibíd.,* p. 19.

4. Enrique Bacigalupo, «Recuerdo de D. Luis Jiménez de Asúa, en el centenario de su nacimiento», *Anuario de Derecho Penal y Ciencias Penales* (Madrid) (1989), pp. 479-488, especialmente p. 480. Se trata de un excelente resumen de las actividades académicas y científicas de Jiménez de Asúa en el exilio argentino, hecho por el actual Catedrático y Magistrado del Supremo, que sigo muy de cerca en mi exposición.

5. Luis Marcó del Pont, *Criminólogos españoles en el exilio,* Madrid, Ministerio de Justicia, 1986, p. 43.

6. Enrique Bacigalupo, art. cit., pp. 480 ss.

7. Isidro de Miguel Pérez, *Jiménez de Asúa, jurista y político,* Madrid, Científica Iberoamericana, 1985, pp. 14 y 32.

8. Enrique Bacigalupo, art. cit., pp. 485 ss.

9. José María Martínez Val, art. cit., p. 113.

10. José Prat, art. cit., p. 26.

11. «El significado de don Luis Jiménez de Asúa en el desarrollo de la dogmática española en el campo de la teoría jurídica del delito», *Estudios de Derecho Penal en homenaje...,* cit., p. 395.

12. Isidro de Miguel Pérez, *op. cit.,* pp. 161 ss.

13. Ramón Tudela Herrero, «Don Luis Jiménez de Asúa y el Derecho Penal. Necrológica», *Revista de Estudios Penitenciarios,* 190, julio-septiembre (1970), pp. 847 y 854.

14. Nicolás Pérez Serrano, *La Constitución española,* Madrid, Editorial de la Revista de Derecho Privado, 1932. p. 43.

15. Javier Rubio, *La emigración de la guerra civil de 1936-1939,* 3 vols., Madrid, Librería Editorial San Martín, 1977, p. 137. Sigo aquí, y a continuación, la obra sobre la emigración de D. Javier Rubio de consulta indispensable y casi única en este tema.

16. Francisco Giral, «Actividad de los gobiernos y de los partidos republicanos (1936-1976)», en *El exilio español de 1939,* tomo 2, Madrid, Taurus, 1976, p. 218.

17. Juan Marichal, «Las fases políticas del exilio (1939-1975)», *ibíd.,* p. 235.

18. D. Manuel Rivacoba y Rivacoba, «La figura de Jiménez de Asúa en el Derecho Penal», (número dedicado a los centenarios de Castán Tobeñas y Jiménez de Asúa), *Boletín del Colegio de Abogados de Madrid,* julio-agosto (1989), pp. 83 ss.

19. Antonio García-Pablos de Molina, «La figura de D. Luis Jiménez de Asúa en la criminología», *ibíd.,* pp. 75 ss.

20. En el año 1989, centenario del nacimiento del ilustre penalista, sólo ha sido recordado en España —hasta donde yo sé— con un acto en el mes de junio en el Ateneo de Madrid, donde intervinieron su presidente, D. José Prat (también exiliado) y los catedráticos de Derecho Penal D. Gonzalo Rodríguez Mourullo y D. Marino Barbero Santos (de quien antes hemos hecho ya mención). Por cierto que a dicha celebración —como subrayó más tarde D. Francisco Ayala en el diario *El País*— no asistió representante alguno del Gobierno o del PSOE. A remediar tal olvido vinieron otro acto a final del año, promovido por el Ministro de Justicia, en el que intervino —entre otros— el profesor y magistrado D. Enrique Bacigalupo (a quien hemos citado varias veces), y un R.D. de 10 de noviembre que concedió a D. Luis Jiménez de Asúa, a título póstumo, la Orden del Mérito Constitucional por su destacada labor en la redacción de la Constitución republicana de 1931. A todo esto debe añadirse la conmemoración del *Boletín del Colegio de Abogados de Madrid* de julio-agosto de 1989 (que ha sido utilizada en el texto). Por último, en el número de noviembre-diciembre de 1989 de la revista *Cuadernos Hispanoamericanos* del Instituto de Cooperación Iberoamericana, dedicado al exilio español en Hispanoamérica, Hugo E. Biagini escribe (siguiendo la terminología de Juan Ramón Jiménez) un corto recuerdo de nuestro «conterrado» en Argentina.

TESTIMONIOS DE EXILIO

LOS EXILIADOS-TRANSTERRADOS Y LAS AMÉRICAS

Manuel Andújar

Amigos y colegas: Lamento sobremanera no haber podido corresponder, en persona, a las gentiles instancias del voluntarioso e inteligente reivindicador José María Naharro y privarme del instructivo agrado de acompañaros. Aprecio el remedio que brinda y que me permite dirigiros las presentes palabras que, además de cordial salutación, formulan votos de éxito para vuestra plausible reunión. El ejemplar esfuerzo se adhiere a las dedicaciones, todas de gran mérito, algunas recientes, entre las cuales me complace citar las de Luis A. Díez, Gerardo Piña, Marielena Zelaya Kolker, a las canadienses Maryse Bertrand y Dale Kirk y al, por tantos conceptos, precursor y pionero aquí y allí José Ramón Marra-López.

Nada casualmente, más bien causalmente, el medio siglo de exilio-transtierro se enlaza con la segunda guerra mundial. La significante «data» (intencionado el vocablo) no debe reducirse a una teorización y valoración circunstanciales, con su pizca de oportunismo, al uso, sino en un punto de recapitulación para una tarea, cada vez más inexcusable, de conocimiento y reconocimiento, ya inaplazables y de manifiesta trascendencia. Procuré argumentarlo en los cursos de verano de la Universidad de Córdoba y en el de la Complutense, titulado el ciclo «La otra cara del exilio», organizado por José Luis Abellán en estos pagos de San Lorenzo de El Escorial. En lo que atañe a la relación de la presencia y actividades de los republicanos españoles en América, en las Américas, a mi parecer se trata de exilio, *strictu sensu*, en Estados Unidos y Canadá, en medida más limitada en lo que respecta a la segunda nación. Al hablar de lo concerniente a Latinoamérica, indispensable agregar otro sustantivo, «transtierro», término harto definitorio que debemos al maestro José Gaos, una calificación ético-histórica, centro todavía de los álgidos dilemas y esperanzador desemboque en un nuevo —o renovado— mestizaje cultural.

La guerra civil española, rápida y arteramente internacionalizada, fue asumida, anímicamente adentrada por amplios y conscientes sectores de los pueblos iberoamericanos como una contienda propia, en donde se ventilaban, en la que fuera antigua metrópoli, para ellos vitales postulados de libertad y democracia, en profundidad... He escuchado, con ardiente emoción a varios coetáneos de nuestra habla y promociones allí, con qué identificación asimismo ardida, siguieron las pretéritas jornadas de nuestras victorias y derrota, la expresión fraterna ante el airado desenlace que estimaban injusto y nefasto.

Nuestros amigos iberoamericanos habían descubierto una España actualizadamente —entonces— cívica y humanista. De ahí el estilo «abierto» que se dispensó a distinguidos intelectuales, escritores y artistas en Buenos Aires, a la masiva expedición del Winipeg hacia Chile, que no ha mucho describía pulsadamente Leopoldo Castedo en acertada panorámica articulística. Sabido es que, de modo mayoritario, el refugio y auspicios de México nos proporcionó, a los que sí deseábamos entender, la posibilidad de «redescubrir *in situ*» las realidades de una América que se conquistó y colonizó, su entretejido subsistente, en transferencia, de explotación y prestaciones: lengua y espíritu, digno comportamiento, factor en el que los transterrados desempeñaron y mantienen protagonística asunción. Actitud en ocasiones múltiples declarada pero siempre de aglutinante hondura existencial.

La «disposición» de los transterrados españoles en América Latina —y creo que mi observación y participación alícuota de México cobra generalizada validez—, ha de insertarse en la peculiaridad de las generaciones, que empieza a ser objeto de estudio, debate y reflexión en medios académicos (Ricardo Gullón, Manuel Durán, recuerdo añadido el incitante y agudo análisis, no ha mucho, del profesor Ignacio Soldevila [Université Laval, Québec]). No se ventila únicamente un reto metodológico, sino una aprehensión fundamental de hechos, individualidades y grupos de residual contextura.

A mi entender, las generaciones del exilio —que en no pocos casos además de fluctuar se interpenetran— están marcadas, y más aún en las Américas, por el desventurado y airado fin de la guerra civil, internacionalizada, repito, y la situación que se deriva de los ominosos acuerdos de Yalta, que desgarraron al mundo en arbitrarias zonas de influencia y acarrearon el estrangulamiento de la soberanía y entidad de los pueblos.

En mi particular percibir y sentir, la clasificacion generacional podría articularse con los veteranos de la Segunda República y defensores de su legitimidad constitucional (cargos públicos de representación, dirigentes políticos y sindicales, algunos militares leales, altos funcionarios del Estado, los ilustres y proclamados poetas y prosistas del 27 y de los que habían iniciado su andadura, antes del llamado alzamiento militar, con relevantes rasgos intelectuales, científicos, literarios y artísticos. Habíanse desvelado las presencias creadoras, escriturales de Ramón J. Sender y los «sociales», de Rosa Chacel, Francisco Ayala, Salazar Chapela, Antonio Espina, Juan Chabás. Se proyectaban las sombras, no alargadas, ni cipresicas, sino rotundas de Antonio Porras, Rafael y Eduardo Dieste, Varela, José Herrera Petere, Max Aub, Paulino Masip y Pedro Garfias, plus Juan Rejano y un copioso etcétera. Destaca la gran figura de María Zambrano.

La generación que a la precedente se vincula, en proporción sólo relativa, es la que por haber propiciado y sustentado la Segunda República, y de ahí el apriorismo vocacional práctico, su adscripción cívica, política, íntegra, impuesta la derrota material de «su causa», halla refugio y posibilidad de desarrollo y libre expresión en los países iberoamericanos, preponderantemente.

Muy distintivo el derrotero de la generación que nos siguió en el éxodo y en el transtierro. Tuvieron que asumir, reflejamente, las bruscas sacudidas de nuestras circunstancias, heredadas, legadas o vicariales, con el fundamental gravamen y atractivo signo de la cultura específica de la nación acogedora, prohijadora, lo que determina, aún más el proceso de un cierto mestizaje espiritual, psicológico y hasta sociológico, al que no se ha ofrecido una respetuosa solidaridad, ni dispensado, casi en términos absolutos, la atención ensambladora que merece, salvo las recientes excepciones del libro de Marielena Zelaya Kolker y la tesis doctoral del navarro Eduardo Mateo. En cuanto a los hijos de los «cachorros», naturalísimo ha de considerarse por nacencia terrenal y distancia en el tiempo y en el espacio, que pertenezcan plenamente, sin fisuras, ni dualidad íntima a los países de asilo.

Y ha de completarse esta relación con los exiliados republicanos que verificaron y ejercen su neto y ejemplar magisterio desde sus cátedras de Lengua, Historia y Literatura castizas, en Norteamérica y en Canadá. Su labor analítica, descriptiva, tipificadora y difusora incluye creaciones e investigaciones de suma importancia. Los cito ahora, pues salvo los desprendidos de España, de la España permanecida (soterrada según el adjetivo de Ignacio Soldevila) resultan de clara adscripción a los grupos generacionales antes enunciados. Falta el planteamiento de sus factibles nexos efectivos con los millones de hispanohablantes en EE.UU. y noto a faltar la obra colectivizadora que nos depare los datos esenciales de sus trabajos, de notable significación exiliada, hispanista sin oficialismo de ningún signo. Ilustrativo sería este índice orientador de estudios monográficos y el rastreo de su aparato de citas y cotejos.

Las vergonzosas determinaciones cocidas y corcusidas en Yalta, por razones obvias de permisivo espacio me limito a mencionarlas, provocan (tras el intento legitimista

130

de que México fue sede, la reunión de Cortes y la formación del Gobierno Giral) la desesperanza radical de un pronto retorno y la evidencia de la consolidación internacional del franquismo, acentúan una mentalidad de honda opresión en los sectores veteranos de la República, angustiosa nostalgia por un horizonte cegado. En los de mi «quinta» y experiencia, sellados para siempre por la terrible configuración de nuestra guerra, se delinea la conciencia de ser los portavoces activos, indeclinables, de una cultura española virtualizada, libre, y el término de «su» transtierro se le aplica con especial justeza y de consuno alumbra una etapa, serenada y ahondada, de reflexión sobre el destino de la patria, de sus facultades e impedimentos consustanciados, de sus raigambres. Conciencia de perspectiva y retrospectiva alcanzada lejos de la realidad española, de sus gentes, en condiciones disminuidas en comparación con los ácidos exámenes, en suelo peninsular, de los exponentes del 98.

La meditación, obligada, por los «cachorros», se produce con mayor crudeza y entera desnudez ante el bifrontismo de su constituyente avatar. He procurado resumir mis privadas, particulares capitulaciones al avistar, pobladores todos de la ínsula del medio siglo, las heroicas heterodoxias y empecinadas fidelidades del exilio interior, tan deficientemente relievado y aireado. Lo que se ha dictaminado lo estimo comprimido, fragmentario, en varios aspectos objetable.

Subrayados tamaños defectos y carencias, lo que ahora importa es la reafirmación e indagación adecuadas y la confirmación expansiva de la excepcional sustancialidad del exilio-transtierro, como conjunto y en su ubicación umbilical —admitid la imagen— con las Américas, características que no se registran idónea y perseverantemente en las Españas, todavía en fases sectoriales de transición. Imperativo y urgente, en consecuencia, rescatar numerosos e indicativos cabos sueltos —los testimonios orales, los recuerdos encaminadores, sus «pistas» y la comparecencia histórica comunal, resaltada, inserta...—. Faenar —incremento de los estudios y pesquisas académicos, instituida y penetrante comunicación con las opiniones públicas— lo que incumbe, en España, a los núcleos «sensibles», incontaminados de la juventud y a la madurez que ha rechazado la corrupción consumista, la amnesia poltrona. Misión y función para corregir, al menos, la torpe y culpable desmemoria, rastrillada y enervada. También desde vuestro emplazamiento, ahí, os pedimos que nos ayudéis con vuestras inciativas y amplio respaldo, y de apurárseme gracias a vuestra lúcida, entusiasta y generosa compenetración.

EXILIO PARTIDO EN DOS

Eugenio F. Granell

El exilio que dispersó a los españoles por el mundo en 1939, hace justamente medio siglo, constituye el tema de nuestra reunión académica. El lema de este concilio, convocado por la Universidad de Maryland, es muy acertado: «¿Adónde fue la canción?». Lo más cierto es que esta pregunta carece de fácil respuesta.

El barco que me transportó a América, junto con varios centenares de compatriotas y de otros tantos centroeuropeos redimidos de la barbarie nazi, era francés. El transatlántico *De La Salle* zarpó del puerto de Burdeos. Su destino era Chile, pero en alta mar, perseguido por un submarino alemán, cambió el rumbo hacia la República dominicana.

Buena parte del pasaje lo componían niños de diversas naciones. Como los niños, en oposición a los adultos, son esencialmente universales, pronto desataron su imaginación, que es la sola tabla liberadora del cretinizante nacionalismo que estruja el espíritu de las persona mayores.

Lo primero que hicieron los niños fue desatornillar de las balsas de salvamento las pequeñas plantas metálicas que en seguida les sirvieron de mágicos juguetes. Los mayores preferían no pensar en lo que ocurriría si reapareciese el submarino nazi.

133

Los grupos españoles formados durante la travesía entonaban cada cual su canción preferida. Un día, la joven actriz Carola Yommar llegó al puente en que estábamos. Había inventado una copla y en seguida nos enseñó a corearla. La tonada animaba nuestra remisión de los campos concentratorios y de la gendarmería, que nos habían atormentado en Francia.

La canción decía así:

> *Cuando llegues a Trujillo*
> *Verás que hasta los chiquillos*
> *te salen a recibir*
>
> *No te darán más la lata*
> *te dejarán ganar plata*
> *para que seas feliz.*
>
> *No tendrás que preocuparte*
> *ni encontrarás los gendarmes*
> *pidiéndote* les papiers.
>
> *No irás a la prefectura*
> *ni pasarás amarguras*
> *detrás de un* laissez passer.

El cántico resultó profético. El puerto de arribo se llamaba Puerto Plata. Y aunque este metal no fuese contante, sino sólo cantante, poseía el alto valor de la esperanza. Así fue como la nueva tonada unificó nuestra prolija diversidad melódica. Un pequeño grupo aparte cantaba *La Internacional*.

Trujillo, en general, era el presidente del país al que llegamos. Se le aclamaba como a un héroe, pues había reconstruido la capital y socorrido a gran parte de la isla recientemente asoladas por un formidable cataclismo tropical. Más tarde reveló ser uno de los dictadores militares más crueles y sangrientos de todo el continente hispanoamericano.

En las muchas reuniones donde participé para tratar el problema del exilio, no recuerdo a nadie que haya explicado por qué ocurrió trance semejante. Es como si el exilio hubiese brotado espontáneamente de la nada. Claro que nosotros, los hablantes en estos comicios, tanto los que somos exiliados como quienes no lo son, sabemos de qué hablamos y cuál fue la causa del fenómeno exiliador. Sólo que esto nunca se menciona, dejándolo en el limbo de lo intocable. Tal es el caso en cuanto se refiere a los auditorios que tienen la voluntad o la paciencia de escucharnos.

El exilio español no es una abstracción. Ni es tampoco un hecho independiente de la historia de la cual forma parte. Lo que tampoco se dice es que el exilio español de nuestro tiempo contiene un carácter muy particular. Lejos de constituir un conjunto homogéneo, según lo manifiestan las apariencias, lo real es que se trata de un exilio partido en dos desde su origen. Una parte de los exiliados pensaba y actuaba de una manera, la otra parte actuaba y pensaba de modo diferente. Unos cantaban la *Internacional*; otros habían dejado de cantarla.

Contrariamente a lo que pudiera pensarse, al notar que la mayoría de nuestras reuniones se ciñe a ocuparse del exilio intelectual, el de los españoles no fue sólo asunto de intelectuales. El conjunto de los cientos de miles de exiliados comprendía individuos de todas las clases sociales entregados a toda suerte de actividades. El exilio no se produjo para prestigiar, aureolar e inmortalizar a los intelectuales. Y en cuanto al término intelectual, es algo tan confuso como engañoso. Claro que hay intelectuales meritorios y con pesquis. Pero también abundan los demasiado próximos a la imbecilidad. Hasta existen nobeles, que más bien son nivolas, a quienes ni siquiera vale la pena mentar. Lo mismo sucede en todos los estados de la escala o pirámide social. Yo prefiero llamarla escalera, para no omitir a las huestes del prolífico trepadurismo sociológico existente en cuanto estamento quepa imaginar.

Si el exilio no es una ocasión recibida del cielo para el lucimiento exclusivo de los intelectuales, tampoco es un monopolio particular de ningún otro grupo. El exilio está integrado por la enorme numerosidad de los españoles de toda condición que optaron por el alejamiento de su tierra. Pero nadie estudió aún, al cabo de medio siglo, el fenómeno del exilio desde la perspectiva de su generalidad.

Si una cosa está clara, es que exiliado es el individuo

135

que logró abandonar su tierra. No son exiliados quienes tuvieron que quedarse en ella. Por eso resulta un contrasentido hablar de un exilio interior. Este es uno de los muchos conceptos absurdos inventados por la intelectualidad que no quiere romperse el caletre. Sólo que el exilio no es género ninguno de absurdidad. Se trata de algo muy concreto, de un fenómeno de la vida real de los individuos reales que lo padecieron.

Para los pacientes de esta situación el exilio no fue un camino de rosas. Fue, en cierta medida y para cada uno de sus participantes, algo así como una modesta lotería vital. Los contratiempos del exilio se vieron compensados por el disfrute de la libertad y por el estímulo que recibe el espíritu de tan esperanzadora circunstancia. Quienes se vieron forzados a permanecer en la España fascista tuvieron que sobrevivir sometidos a toda clase de vejámenes y desnudos de toda ilusión. La inmensa mayoría de los exiliados no sufrieron tal abuso. Los perseguidos cruelmente en su propia tierra no se vieron asistidos ni por el disfrute de la libertad ni animados por el goce de la esperanza.

Por muy graves que fuesen las circunstancias que empujaban a tomar la decisión de aceptar el exilio —y en incontables ocasiones ocurrió que fueron gravísimas—, lo cierto es que el exilio de cada cual resultó del acto de su aceptación. Tampoco esta elección estuvo al alcance de quienes, aún queriéndolo, no pudieron exiliarse.

El exilio, que dista de ser un hecho originado en sí mismo, una especie de pájaro Fénix de la vida ordinaria, sí ha tenido un proceso generador. Su origen se entraña en la existencia previa de la guerra civil que dividió en dos la sociedad española, tal como luego habría de dividir igualmente al conjunto de los exiliados.

Durante el exilio, los estalinistas permanecieron siempre a un lado, y al otro se agrupaban o disgregaban todos los demás. Eso fue exactamente lo ocurrido en España durante el desarrollo de la guerra entablada entre los militares rebeldes fascistas y los soldados leales a la República. El ejército mandado por los estalinistas indígenas era mucho más poderoso que las demás unidades del ejército republicano propiamente dicho. Las armas estalinistas disfrutaban de una autonomía que llegó a ser equivalente de otra cosa. Los ejércitos estalinistas, valiéndose de su inmenso dominio y de la autoridad conferida a los consejeros militares rusos, acabaron secuestrando el poder y los mandos del Gobierno y del ejército republicanos.

Para decirlo de una vez, la división existente entre los exiliados procede de la división militar y social forzada sobre la España republicana por el enorme poder que los estalinistas alcanzaron en ella. Y no para ganar la guerra, sino para precipitar su derrota.

Desde cierto momento en la duración de la guerra, ésta estuvo planeada, más que por el Gobierno republicano español, por los intereses nacionalistas de Rusia bajo la dictadura totalitaria y racista —como la alemana— de Stalin. Es un hecho que prefiere ocultarse bajo los mantos de la terminología que aúna las ideas confusas de exilio sin más, guerra civil a secas y vago antifascismo. Así se quería ocultar la realidad de la situación española a partir del instante en que se produjo el golpe de Estado amañado por el ejército rebelde, la Iglesia y gran parte de los belicosos industriales y terratenientes.

El golpe de Estado clerical-castrense contra la legalidad de la República democrática contó en seguida con la considerable ayuda del fascismo italiano y del nazismo alemán. Los furibundos patriotas nacionalistas españoles no tuvieron escrúpulos para aceptar favores extranjeros. En 1936, los ejércitos alemán e italiano eran los más modernos y poderosos de la tierra.

Mientras el ejército rebelde se nutría con las inmensas contribuciones dichas, la República española padeció el abandono de todas las demás, con la sola excepción de México. Por su parte, el pueblo republicano se alzó inmediatamente en toda España contra la amenaza aniquiladora de sus derechos y libertades. Inmediatamente se organizaron las milicias populares, obteniendo sus escasas armas dondequiera que fuese.

Al golpe de Estado fascista se opusieron las ciertamente modestas unidades armadas de los trabajadores industriales y de los campesinos. De pronto, el espíritu de la libertad revolucionaria manifestó su considerable potencia. La guerra provocada por las armas fascistas se enfrentaba con la entusiasta voluntad revolucionaria. Los trabajadores se habían apoderado de las fábricas y otro tanto hicieron los campesinos, adueñándose de los campos.

Numerosos trabajadores e intelectuales extranjeros acudieron a la España republicana para sumarse al movimiento general que respondía al fascismo con la firme eficacia de otra revolución proletaria —veinte años después del triunfo de la Revolución rusa—. España, dividida en dos, pugnaba entre su exterminio totalitario y la conquista absoluta de la libertad.

La energía transformadora de las voluntades fue notada por George Orwell en el prólogo que escribió para el libro *Red Spanish Notebook*,[1] tal vez el primero sobre la revolución, escrito por los poetas Mary Low, australiana, y Juan Brea, cubano: «Durante varios meses, amplios sectores del pueblo creyeron que todos los hombres eran iguales y capaces de actuar de acuerdo con su creencia. El resultado fue un sentimiento de liberación y esperanza difíciles de concebir en nuestra atmósfera teñida por el dinero. Tal vez el valor del *Libro rojo español*. Mediante una serie de observaciones cotidianas (en general pequeños detalles: un limpiabotas que rechaza la propina, un aviso en los burdeles que dice, "Por favor, trata a las mujeres como camaradas") nos demuestra la igualdad de los seres humanos cuando tratan de comportarse como tales y no como engranajes de la máquina capitalista. Nadie que haya estado en España en los meses durante los cuales el pueblo aún creía en la revolución olvidará jamás tan extraña y conmovedora experiencia».[2]

Esa fue una experiencia que el exilio recuerda con nostalgia. Lo mismo sucede con la honda conmoción que sacudió el espíritu revolucionario. La esperanza en la victoria que habría de poner las cosas en su sitio, que era el de una justicia igual para todos, se desinfló como un globo de aire. Un cambio tan inesperado como radical contribuyó a modificar la orientación bélica revolucionaria.

El curso ascendente de la revolución no lo alteró ningún decreto del mando militar de la República. La orden catastrófica la dio Stalin; la transmitió al mando paralelo de los generales rusos enviados a Madrid y la dirección del Partido Comunista Español la aceptó sin chistar. La consigna estalinista del cambio era esta: primero ganar la guerra; después la revolución. Es decir, ganar una guerra vacía de sentido, volver a las andadas, restituir campos y fábricas a sus antiguos propietarios, y tras la vacua ganancia belicosa, tumbarse a esperar que la rueda de la fortuna le otorgase al país una nueva oportunidad revolucionaria.

De haberse permitido una espera semejante los jacobinos, los antibritánicos que construyeron los Estados Unidos y los bolcheviques, no habría habido las revoluciones francesa, rusa y americana. La ilusión puesta en la victoria decayó. Los trabajadores y los campesinos no se resignaron a proseguir luchando por nada. Tan pronto como los estalinistas pusieron en circulación la consigna derrotista se tuvo por cierto que la suerte había sido echada. Aunque la desesperanza quebró el entusiasmo de los combatientes republicanos, continuaron luchando, con sus medios siempre escasos, para proteger a la población civil y por el prurito de mantener la dignidad.

La guerra era en sí misma revolucionaria. ¿Para qué y por qué esperar cuando se tenían todos los arcanos en la palma de la mano? Los acontecimientos históricos no son susceptibles de ordenarse a voluntad como los platos de un menú: primero la sopa, después el pescado. El abandono de la revolución proletaria que los estalinistas habían pregonado durante veinte años sólo puede definirlo la palabra traición.

Stalin había enviado a España algunas armas, la mayoría apenas útiles para combatir. Los fusiles semejaban ser reliquias de la guerra de Crimea. Y Stalin no los regaló a sus hermanos proletarios, como había hecho México. Los vendió al precio más alto al que nunca se hayan pagado unos cuantos alijos de armas. A la República le costaron todo el oro guardado en el Banco de España: 406,5 toneladas de oro puro, con un valor de 518 millones de dólares de la época. Cuando los expertos rusos en metales recibieron este cargamento en Odesa, quisieron verificar que en él no había trampa. Entonces metieron cada lingote en una maquinita para extraer un churro dorado y comprobar así que el oro era otro tanto por fuera como por dentro.

Esto no fue lo peor. Lo peor fue que junto a las pocas armas, Stalin envió a España una enorme cantidad de espías, agentes de la KGB, policías de todas clases, ladrones políticos y asesinos experimentados. En Rusia comenzaban a desarrollarse los escandalosos procesos de Moscú, que exterminaron a los bolcheviques protagonistas de la Revolución rusa con Lenin y Trotsky. Lo mismo que Stalin dictaba el desencadenamiento del terror sobre la población republicana entregada al combate por la defensa de sus libertades democráticas. Tan sólo los estalinistas obedientes permanecían a salvo de tamaña amenaza. Y todo ello ocurría para salvar los intereses del nacionalismo ruso asentado en la teoría estalinista de «la revolución socialista en un solo país». El cual era Rusia. Y por lo cual cualquier otra revolución social estaba condenada.

En este punto empezaron a vislumbrarse los horizontes negros del exilio como la sola puerta posible para evadir la muerte que los grandes totalitarismos europeos —incluido el de Stalin— habían precipitado sobre la vida y la paz reinantes en España. Sólo que este alto precio también habrían de pagarlo con su exilio hasta los estalinistas. En esto de cobrar, Stalin era implacable. Y, más que nunca antes, ahora mismo es cuando puede verse en toda su amplitud el costo formidable que el estalinismo está forzando a abonar a todos los pueblos de la Europa oriental. Cuenta dura, pero de buen augurio para el goce de la libertad.

Tan sólo en España, siempre adicta al arcaísmo, permanece, protegido por cuanto él destruyó, el quiste letal estalinista. Lo más lamentable es que ese arcaísmo destructor no haya sido detectado antes por los muchísimos centenares de intelectuales que desde el infausto congreso de 1937 se subieron alegremente al carro que creyeron triunfal. Uno ignora si su silencio lo motiva la vergüenza o si lo causa todavía la ignorancia. Si es esto último, ello sería vergonzosamente intolerable. Porque la obligación de los intelectuales es la de enterarse y proclamar lo que saben.

Entre muchos otros casos incontables hay dos, relativos a intelectuales, que no pudieron exiliarse por haber sido asesinados, cuya reivindicación es absolutamente urgente. Sobre todo para recuperar los nombres, tercamente escondidos, de todos los demás. Ya que no llegaron a vivir ni derrota ni exilio, que por lo menos retornen al recuerdo de los vivos.

Uno es Andrés Nin. El otro es José Robles. Andrés Nin, maestro, hombre de enorme cultura, tal vez el mejor traductor de Dostoyevsky al español, jugó un papel primordial en la Revolución rusa de 1917. Vuelto a España tras haber sufrido la persecución estalinista, llegó a ser, junto con Joaquín Maurín, dirigente máximo del POUM. Al lado del Noi del Sucre, fue Nin el más respetado y admirado de todos los dirigentes obreros españoles. Detenido en Barcelona en 1937 por los agentes estalinistas, se sabe que fue horriblemente torturado, pero se ignora aún cómo y dónde pereció asesinado.[3]

José Robles era profesor de la Universidad John Hopkins. Se hallaba veraneando en España al estallar la guerra civil. Se ofreció voluntario al ejército de la República. Destinado como oficial traductor al mando ruso, fue fusilado. Su muerte causó la ruptura entre John Dos Passos y E. Hemingway. Muy amigo del primero, éste no logró aclarar, por más que lo intentó en España, las circunstancias de su ejecución. El mando ruso estalinista lo acusó de ser espía.[4]

La acusación de espionaje y la de trotskismo constituían la sola justificación de las atrocidades cometidas por la policía secreta rusa en España y por la de los estalinistas nativos. La sufrieron innumerables socialistas, anarquistas, poumistas, trotskistas, republicanos y liberales. Es decir, todo sospechoso o convicto de serlo. Pero, ninguna ley española obligaba a nadie a hacerse cliente de Stalin.

El caso Nin causó inmensa conmoción en los medios socio-políticos y obreros de todo el mundo. El caso Robles estremeció a la mayoría de los intelectuales extranjeros, y sobre todo a los de los Estados Unidos (exceptuando a Hemingway), que habían venido a España durante la revolución.

Ambos casos preocuparon a los sectores exiliados no adictos a la droga estalinista. Los demás exiliados, estalinistas y amigos, entre ellos no pocos intelectuales, permanecieron entonces tan campantes como aún siguen siéndolo. Me atrevo a decir que si las reuniones acerca del exilio español de 1939 no consideran circunstancias tan serias y aleccionadoras como las apuntadas, será entonces que tales conciertos no sirven para nada.

Siendo optimista, yo espero que sirvan.

Por lo demás, los acontecimientos palpables de la vida cotidiana, así como aún los archivos más polvorientos de la historia, sucede que a la postre contribuyen a que no se olvide nada. Nada hay más peligroso para el curso normal de la vida que empeñarse en olvidarla. Y todavía mucho más grave es el olvido de la historia inmediata.

Dichos los motivos causantes de la división del exilio español, no está de más agregar otra cosa. Los intelectuales exiliados tienen la obligación de estudiar tanto las peripecias del exilio como de ahondar en el proceso de su gestación. Luego, la de decir la verdad de cuanto hayan averiguado. Complacerse en no salir de la escafandra meramente intelectual relativa a la autonomía de la especialidad, tanto no es bastante como resulta ser monotonía intolerable. Urge decir la verdad entera, y entre todos los recuerdos, recordar que toda versión estalinista constituye una mentira inaceptable.

NOTAS

1. Mary Low y Juan Brea, *Red Spanish Notebook* (con una nueva introducción de E. Granell), San Francisco, City Lights Books, 1979.
2. George Orwell, *The collected Essays, Journalism and Letters of...*, vol. 1: *An Age Like This*, Nueva York/Londres, HBJ, p. 287.
3. La bibliografía sobre el prendimiento y ejecución de Andrés Nin es actualmente muy extensa. Las circunstancias de su fatalidad permanecen oscuras. Las fundaciones A.N. de Madrid y Barcelona so-

licitaron al Gobierno ruso permiso para investigar sus archivos, sin haberlo logrado todavía.

4. José Robles era autor de dos libros destinados al aprendizaje de la lengua española en las universidades de los Estados Unidos: *Cartilla española* y *Tertulias*, ilustrados por él mismo. En el momento de su detención ostentaba el grado de teniente coronel del ejército republicano. Tampoco se han logrado esclarecer las causas de su fusilamiento.

CRÍTICA Y POLÍTICA

José Prat

En su más propio y elevado sentido no están muy lejos entre sí las palabras *crítica* y *política*. Aquélla, según el Diccionario académico, es arte de juzgar de la bondad, verdad y belleza de las cosas, siquiera en una de sus acepciones secundarias signifique también *murmuración*; y la política es arte, doctrina u opinión referente al Gobierno de los Estados; otra acepción es cortesía y buen modo de comportarse. Aunque no la recoja la Academia, no falta en el uso la acepción peyorativa de acciones habilidosas, cercanas a la hipocresía o al engaño, con fines de interés personal o de grupo o para salir de cualquier atolladero como mejor se pueda.

Tomándolas en sus acepciones nobles, crítica y política tuvieron diversa fortuna entre los españoles del exilio. No me refiero al exilio interior, aunque pienso que no estuvo demasiado lejos del exterior en este punto.

El exilio como fuente del conocimiento

Los españoles se llevaron a cuestas en el exilio sus ideas y creencias y fue en los países de América donde pudieron

144

expresarlas con toda libertad. Para muchos de los exiliados eran patrimonio con el que, gracias a su trabajo, podían vivir; mas para todos fue ocasión única, ampliamente aprovechada para conocer a los países de América, su historia, su cultura y sus gentes. Podían algunos haber mostrado curiosidad y atención a las Américas (yo, por ejemplo, había sido miembro y directivo de la vieja Unión Iberoamericana, fundada en tiempos de Cánovas, cerca del IV Centenario del Descubrimiento), pero no eran lo mismo la intuición viva que el estudio directo desde el propio terreno. De lo pintado a lo vivo hay enorme distancia.

El exilio produjo, por tanto, el conocimiento vivo, la convivencia; y gracias a la comunidad de idioma alcanzaron alto grado. Recuerdo como experiencia personal imborrable la enorme distancia que encontré entre la acera española y la francesa de una calle de una villa fronteriza de los Pirineos orientales, y la tremenda cercanía que encontré al desembarcar en Puerto Colombia (Barranquilla) a fines de agosto de 1939, al cabo de más de quince días de navegación. El Atlántico acercaba, y tres varas de calzada separaban.

Idealismo y realismo

La acción política se encuentra sometida a íntima contradicción; la de las ideas puras y la realidad colectiva en cada momento. No es posible querer influir en el gobierno de los pueblos sin sostener ideas que se estiman justas, útiles y a veces indispensables, ni es posible tampoco realizar una parcela a lo menos de ideas sin que sean hacederas en ese momento.

Esta tensión habitual del político sufre profundo cambio en el exilio. Las ideas del exiliado se hacen casi siempre más rígidas e indiscutibles; son sentidas con mayor pasión, se disipa el sentido de la realidad privado del soporte de vivirla en la propia tierra y la consecuencia ideológica se exalta sobremanera.

Unamuno proclamaba el quijotismo como religión nacional. El filólogo, poeta y político colombiano D. Miguel Antonio Caro, hacía del *Quijote* el poema épico de España. La sublimación política, con olvido de la crítica, tiñe de noble quijotismo no pocas actividades políticas del exilio.

Quijotismo en el exilio

Múltiples son las formas de la política idealista del exilio sin que pueda hacer mucho la crítica realista, de triste pesimismo. He aquí algunas de sus formas. Los múltiples periódicos de partido o de centros y sociedades que aparecen, incluso en los campos de concentración de Francia. Es emocionante el periódico que se hace y se publica a bordo del buque *Sinaia*, en el que colabora uno de los viajeros: el ilustre periodista D. Antonio Zozaya.

Desde Nueva York a Buenos Aires surgen innumerables revistas y boletines de partidos políticos, sindicatos y centros sociales. Historiarlos reclamaría larga y cuidadosa investigación y busca de colecciones. Tienen escasa difusión fuera de los círculos de la emigración política, pero sí son ampliamente leídos por los españoles de América, y a veces se leen en la clandestinidad en España.

La fecha del 14 de abril de cada año convoca actos y comidas conmemorativas, reseñadas en la prensa del exilio y en los periódicos de todos los países de América, amigos de nuestra causa. Se pronuncian discursos. Los de Prieto, llenos de su habitual vigor y nunca perdida esperanza, suelen publicarse y difundirse.

Todos estos actos, más que mirar al pasado, que todos conocen, sostienen la fe y la esperanza del porvenir. Amigos hispanoamericanos solían acompañarnos. Nunca omitieron su simpatía y su esperanza.

Una crítica fría y desencantada hubiera podido denunciar por quijotismo esta tenaz y dilatada serie de conmemoraciones, recordatorias de aquel inolvidable e ilusionado 14 de abril de 1931. Pero la afirmación de las ideas, la firmeza de las convicciones y la fe en una España liberal renovada no dejan de constituir valores políticos.

La Junta Española de Liberación

En plena guerra mundial, y creyendo desde el primer momento en la victoria de las democracias, republicanos y socialistas constituyeron en México la Junta Española de Liberación confiados en la Declaración del Atlántico, en la que Roosevelt y Churchill se comprometían a ofrecer a todos los pueblos del mundo la libertad nacional y ciudadana. La presidía Diego Martínez Barrio, como último presidente de las Cortes de la República y era secretario Indalecio Prieto, infatigable luchador con la palabra, con la pluma y con la acción por las libertades españolas. Reconocida por el Gobierno de México, que con el presidente Lázaro Cárdenas había iniciado una política de firme defensa de las libertades españolas, la Junta de Liberación, no sin recóndito quijotismo, aspiraba a restaurar la democracia española por obra de una diplomacia idealista, capaz de cumplir los principios de la Declaración del Atlántico. Y se hizo presente en la Conferencia de San Francisco de California, creadora de las Naciones Unidas, con la esperanza de evitar nuevas convulsiones en España, gracias a justificadas medidas de presión internacional. En tanto que acontecían valiosas pero estériles acciones de guerrillas en los Pirineos orientales, que renovaron la dureza de la represión de la autocracia imperante. Tanto en San Francisco como en los Pirineos la crítica no tuvo fortuna con la política. De todas maneras las decisiones de las Naciones Unidas, insuficientes y pronto derogadas, no dejaron de pesar en la política de Madrid y obligarle a relativa contención dentro de su carácter implacable.

Las Cortes de la República en México

En noviembre de 1945 se reúnen formalmente en la ciudad de México los parlamentarios españoles elegidos democráticamente en 1936. Era en el Palacio del Gobierno de la ciudad, en la espléndida plaza del Zócalo, modelo de las urbanizaciones regladas por las Ordenanzas de población de Felipe II.

Una guardia de honor dispuesta por el Gobierno mexicano rindió honores militares, evocadores de los que habíamos presenciado en la Carrera de San Jerónimo en Madrid. Las presidía el ilustre jurista Luis Jiménez de Asúa, primer vicepresidente, ya que el Presidente se había encargado constitucionalmente de la presidencia de la República. Don José Giral, presidente del Gobierno, formulaba la Declaración de su política que, después de breve debate, fue aprobada, con otorgamiento de la confianza de las Cortes y concesión de amplios poderes.

Pero el Estado de Derecho no podía contentarse con los poderes legislativos y ejecutivos reconstruidos. Se hizo también con el poder judicial al establecer la Sala de Gobierno del Tribunal Supremo, resumen de tan alta Corte.

Una crítica severa advertía que faltaba algo tan esencial como el territorio. La hospitalidad mexicana no podía suplirlo. Don Quijote redivivo no podría mejorar la realidad imaginada. Ya no se trataba, sin duda, del mundo de la Andante Caballería, pero sí de un Estado de Derecho, bajo el mando de la Constitución más idealista de nuestra historia, que aparecía en aquel elevado cielo de México.

Con todo, la crítica fría y severa, guardó silencio. Nunca la política se había elevado tanto en el imperio puro y exclusivo de las Leyes. Nunca había confiado tanto en el valor moral de las normas que dan plenitud a los valores humanos.

Capítulo inesperado y nuevo, que se le «había olvidado» al ingenioso cronista del caballero manchego.

LA SEGUNDA GENERACIÓN DE ESCRITORES EXILIADOS EN MÉXICO

Roberto Ruiz

Es de obra sabido que entre los miles de intelectuales que llegaron a México en los primeros años del exilio, había numerosos escritores, algunos de ellos ya bautizados y consagrados en la década anterior. Lo que se sabe con menos exactitud, y se ha dicho con menos frecuencia, es que los niños y adolescentes que acompañaban a sus mayores, y que entendían a medias o a su modo las desoladoras circunstancias, crearon con el tiempo una generación literaria de gran vitalidad y de singular perfil. Yo quisiera ocuparme hoy de este grupo, a reserva de que alguien se anime a retratarlo un día con la precisión y amplitud que merece.

Nacidos entre 1920 y 1930, estos mozos habrían empezado a entrar en quintas si la guerra se hubiese prolongado. Muchos habían iniciado en Europa sus estudios, y los continuaron en México. Otros tuvieron que ayudar a la familia, y buscaron trabajo en oficinas y fábricas. Para 1945 ya estaban dando señales de vida intelectual; a partir de 1948 sus revistas, *Clavileño, Presencia, Hoja, Segrel,* alternan en la plaza con las de sus maestros.

No quiero incurrir en el crónico error de amontonar nombres y títulos, pésima costumbre que no se debe tanto al afán de fidelidad histórica como al deseo de no ofender a nadie dejándose su ficha en el tintero. Citaré a una docena de individuos, clasificados genéricamente, y que me perdonen los demás. Luego pasaremos a lo que de verdad nos interesa, que es trazar la etopeya colectiva de la generación y seguir el curso posterior de sus integrantes, hoy ya sexagenarios.

El género que más han cultivado estos escritores es la poesía, y se explica por varios motivos. Primero, la cercanía y prestigio de la generación del 27, muchos de cuyos miembros habían emigrado en las mismas fechas y condiciones. Luego, la coyuntura vital, que se prestaba a la expresión directa y concentrada, como veremos más tarde. Y por fin, un elemento práctico: era entonces bastante más fácil publicar poesía que novela o cuento. Poetas son, o como poetas se iniciaron, Carlos Blanco Aguinaga, Manuel Durán, José Miguel García Ascot, Nuria Parés, José Pascual Buxó, Luis Rius, Enrique de Rivas, Tomás Segovia y Ramón Xirau. Pero a casi todos les ocurrió algo curioso, y es que al cabo de cierto tiempo derivaron a zonas más abstractas: el ensayo especulativo, la crítica literaria y artística. Algunos siguieron escribiendo poemas como tarea primordial; otros los relegaron a segundo término, o los abandonaron para siempre. Algunos escogieron voluntariamente el nuevo camino; otros lo hicieron por necesidad, ya que se ganaban la vida con la enseñanza, y la enseñanza exige perspectiva de otra índole. Fuese por lo que fuese, la pléyade de poetas pasó a engrosar las filas de la erudición y a acompañar al único ensayista de tiempo completo, Juan Marichal.

En los demás géneros la nómina se reduce visiblemente. No conozco a ningún dramaturgo; los que escribían y estrenaban en México son anteriores o posteriores al marco temporal que nos ocupa. El renglón de la narrativa sí está mejor abastecido. Carlos Blanco, Manuel Durán y Tomás Segovia han escrito novelas o cuentos en distintas etapas de su carrera. Arturo Souto Alabarce publicó varios relatos breves y se orientó, como los poetas, a la crítica y a la enseñanza. Yo también doy clase, y he echado mi cuarto a espadas en el tute de la filología, pero me considero narrador ante todo, si es que bastan como credenciales mil páginas publicadas y cuatro mil inéditas.

¿Cuáles son los rasgos comunes de esta generación? Difícil va a ser esbozarlos, dadas las diferencias de historial y de carácter; aun así, creo que vale la pena intentar el enfoque. Yo indicaría en primer lugar una seriedad artística, un odio al mal gusto, y un respeto por la cultura, que llevaron a alguno de nuestros mayores a motejarnos de afectados y de pedantes. Que no había tal afectación lo ha demostrado el tiempo: los cambios de género a que antes aludíamos no habrían sido posibles sin una sólida vocación cultural, y raro es el componente de este grupo que no se ha formado un estilo propio. Esto nos permite afirmar una segunda característica: la independencia ideológica y preceptiva que logramos mantener. No fueron pocas las ideas y creencias que se nos presentaron; las estudiamos todas, y no sucumbimos a ninguna. Si alguien se acogió a alguna bandera, el catolicismo liberal o el marxismo crítico, no fue por nostalgia del dogma, sino por anhelo de liberación, a fin de resolver ciertos dilemas y escrúpulos. Ni siquiera consentimos que predominara entre nosotros una orientación determinada: todos tenían derecho a proponer una ruta, y nadie tenía el deber de seguirla.

De radical importancia fue nuestra conciencia del exilio, diametralmente opuesta a la de nuestros padres. Ellos se habían desterrado de un ambiente vivido y percibido; nosotros, de un ambiente difuso, alterado por las incertidumbres de la infancia y los estragos de la guerra. Si queríamos ocuparnos de España, teníamos que volverla a inventar; para hablar de la nueva residencia nos faltaban recursos y conocimientos; además, al país de adopción le sobraban cronistas mejor situados. Esta fue la corriente vital que impulsó a muchos a la poesía: la reflexión lírica podía prescindir de referencias exteriores, y la materia del exilio, más accesible que los recuerdos y los proyectos, se adaptaba perfectamente a la vía poética. En cambio los aprendices de narrador, nos vimos obligados a un esfuerzo titánico de memoria y de imaginación, y al riesgo de que nos acusaran, como me acusó a mí más de un ingenuo, de «falsear la realidad».

¿Cuál ha sido nuestra suerte posterior? Pues la de todas

las cosas de este mundo. Cualquier ilusión de eternidad que pudiéramos haber concebido, se disipó con la muerte prematura de Luis Rius y Jomí García Ascot, quienes, trágica ironía, brillaban por su espíritu juvenil, emprendedor y entusiasta. En cuanto a los demás, se dispersaron y perdieron el escaso o frecuente contacto que tenían. Los que permanecieron en México fueron asimilándose en distintos grados de intensidad y rapidez; los que se trasladaron a los Estados Unidos, o a otros países no hispánicos, tuvieron que arrastrar un segundo destierro, no sólo geográfico sino lingüístico y cultural. Quien hubiera pasado como yo por los campos de refugiados de Francia y por la azarosa aventura de Santo Domingo, había de enfrentarse una vez más con el fantasma de la emigración infinita, del extranjerismo perpetuo, y preguntarse si no sería ésta la condición normal de nuestra especie, si no estaríamos reviviendo todos, en el ámbito secular, el desarraigo del Paraíso.

De la reintegración a España poco puedo decir, pues me faltan datos y perspectiva. En términos literarios, que son los que importan, creo que ha sido mínima nuestra resonancia. Pero antes me referí a la fuerte vitalidad de este grupo: a pesar del entorno, siempre difícil y hostil a veces, todos hemos seguido escribiendo y publicando.

El tema del exilio, que compartimos en algún momento, ha dejado de existir. Sin embargo, yo me atrevería a resucitarlo con otra encarnadura. Si el exilio ha desaparecido de nuestra temática, ¿no habrá perdurado en nuestra estilística? ¿No habremos transformado una sustancia que se nos deshacía en otra más sutil, menos tangible, pero más duradera y trascendente? No lo digo a humo de pajas, ya que puedo aducir el ejemplo de mi propio trabajo. Yo comprendí desde un principio que el destierro no sólo era un hecho histórico, sino también un castigo judicial, y que como tal podía cotejarse con otras penas, con otras reclusiones, incluso reclusiones de signo contrario, centrípetas y no centrífugas: la cárcel, el cuartel, el sanatorio. Todos estos motivos yo los he utilizado en mi obra narrativa como analogías o metáforas del destierro; casi todos mis personajes son proscritos, marginados o expulsados, cuando no de la sociedad, de la historia, de la lógica y hasta de la literatura. ¿No pueden haber hecho lo mismo, o algo semejante, mis compañeros de generación? ¿No pueden haber convertido el exilio en prisma y pantalla de elementos ajenos a él, o haberlo conservado, sabiéndolo o no, como pie forzado de todas sus glosas?

En el número de abril de la *Revista de Occidente* aparecen dos poemas de Tomás Segovia, uno de los pocos escritores de la promoción que han logrado adquirir en España relativo renombre. No sé lo que él diría si estuviera presente, pero a mí me parece que estos son los poemas de quien ha vivido el exilio, y lo ha sabido transfigurar. No puede ser esta la única manifestación. Si por fin se rompiera el silencio tumbal en el que han caído estas obras, si un crítico de cierta perspicacia se preocupara por analizar la creación de estos jóvenes ya no tan jóvenes, tal vez encontraría en detalles de estilo, en matices de ambiente, que todos llevan dentro al desterrado, así como Miguel de Cervantes Saavedra, mediante sus vicisitudes literarias e históricas, llevó dentro al soldado de Lepanto, al preso de Sevilla y al cautivo de Argel.

EL EXILIO EN SANTO DOMINGO
(1939-1946)

Javier Malagón

Santo Domingo era, para la mayoría de los españoles liberales que se dirigían allí, un lugar desconocido, una isla en el mar Caribe que había sido parte de la América española, y solo para aquellos que habían estudiado historia de América era el primer establecimiento de España en el Nuevo Mundo. Los cónsules dominicanos en Francia dieron el visado ya individual para aquellos que iban por su cuenta, o colectivo, para los que formaban parte de una expedición, embarcados en una nave contratada para llevarlos a aquella isla y ciudad.

La sorpresa para muchos fue que al arribar a su destino se enteraron de que el país era gobernado por un dictador, que llevaba en el poder unos nueve años, hombre que en su egolatría había cambiado el nombre de la ciudad más vieja del continente, Santo Domingo, por el de Ciudad Trujillo[1] en su honor; que había creado una Orden con su nombre y su efigie, más otra serie de «autobombos» y entre ellos unos letreros formados con bombillas en los que se leía «Dios y Trujillo», uno de los cuales estaba sobre la casa del presidente de la República, Jacinto Peynado.[2]

Mis cuñados, unos primos de mi mujer y nosotros —mi mujer y yo— nos dirigimos allí a consecuencia de las gestiones que hizo el Dr. Ramón Lavandero, de Puerto Rico, gran amigo del padre de mi cuñada Mercedes don Manuel Gili Gaya, quien había enseñado en algún momento en la Universidad de San Juan. El Dr. Lavandero, tal vez olvidando que la isla de Puerto Rico era todavía colonia de los EE.UU., consideró que la República dominicana era una escala transitoria hasta que pudiéramos establecernos en Borinque. (?)

Aparentemente, la presencia de los «refugiados» en Santo Domingo era un contrasentido, ya que se había instalado en un país con una dictadura personal no muy diferente de la que existía en España y que, para colmo, el dictador usaba el mismo título de Generalísimo que el Jefe del Estado español, como se le denominó en aquellos tiempos en España.

Esto era cierto, pero el dictador dominicano, enemigo del bando republicano durante la «llamada» guerra civil española (prohibió a sus ciudadanos ser partidarios de este bando), no sé cómo entró en relación con nuestro embajador en Washington, don Fernando de los Ríos, al que invitó a visitar el país en ocasión del IV Centenario de la fundación de la Universidad de Santo Tomás en la ciudad de Santo Domingo, en 1538 por bula del Pontífice Paulo III. Don Fernando, con su aspecto y actitudes señoriales, el tono de su voz, y el apoyo que dio a la tesis —para mí legítima— de que la Universidad de Santo Domingo era la primera de América,[3] se conquistó no sólo al rector, D. Julio Ortega Frier, admirador de España e hispanista en el sentido más literal de la palabra,[4] sino al dictador, quien asistió a la conferencia que «dictó» en la Universidad D. Fernando, y sobre todo presintió que ese respaldo que daba a la tesis de la Universidad más antigua del Nuevo Mundo lo podía utilizar, y lo utilizó, en su beneficio en toda una serie de aspectos. D. Fernando, nada optimista en el resultado de la contienda civil en España, le debió hablar de la posibilidad de atraer a una emigración del sector derrotado a la República dominicana. Así, después de la visita de D. Fernando cambió de criterio y debió de dar órdenes a sus representantes diplomáticos en Francia de dar las «facilidades del caso» a los republicanos españoles que desearan viajar a Santo Domingo, facilidades que empiezan por la propia familia de D. Fernando a la que ofreció asilo y trabajo: a un hermano, ingeniero agrónomo, lo colocó en el Ministerio de Agricultura, a un sobrino lo nombró director del manicomio y a otro jefe de un grupo de lanchas guardacostas y, todavía a otro pariente arquitecto de profesión, le encomendó los servicios urbanísticos de la ciudad capital. Incluso a mí, de refilón, me favoreció, pues al enterarse en el detenido interrogatorio que me hizo el cónsul dominicano en Burdeos que había sido alumno de D. Fernando, todo fueron facilidades.

Ya en grupo[5] o en forma individual fueron llegando los exiliados a la isla a lo largo de los años 1939 a 1942, pero una vez más Santo Domingo, como en la época colonial, se convirtió en paraje de tránsito entre el lugar de partida y el asentamiento definitivo.[6]

Debieron pasar por el país, en los citados años, entre 4.000 y 5.000 refugiados[7] de los cuales al final no debieron de quedar arriba de medio centenar, y ello debido casi en todos los casos al hecho de haberse casado con dominicanas. La mayoría marcharon a México y a Venezuela, aunque hubo otros que lo hicieron a Colombia, Chile y Panamá, países que recibieron a refugiados, e incluso hubo un grupo que se dirigió al Ecuador como consecuencia de las gestiones de la legación de este país en Santo Domingo.

Ahora bien, ¿cuál fue la razón principal del interés en recibir una emigración política en una situación tan conservadora como la que regía en la República dominicana? Independientemente del afecto que tomó a su «primo» Fernando, como le llamaba Trujillo, hubo una de carácter eminentemente nacionalista que en más de una ocasión nos describió el rector Ortega. La isla está ocupada por dos países, la República dominicana, de origen español y en una época dominada por los criollos, y Haití, surgido de los establecimientos de los piratas franceses y desde su nacimiento como nación dominada por los antiguos esclavos de origen africano. La primera por su carácter de «escala» que tuvo en la época española, la población fue siempre poco numerosa y más teniendo en cuenta que ocupaba 4/5 partes del territorio insular; por el contrario Haití, con una población prolífica, poseía un territorio demasiado pequeño para alimentarla, con la consecuente ocupación poco a poco de territorios de la frontera que originalmente eran dominicanos, sin poderlo impedir las autoridades de este país, lo que llevó en la época de Trujillo a un tratado por el que se ponía un «hasta aquí a ese avance».[8] Una vez fijada bien la frontera se produjo otro fenómeno, la inmigración ilegal de miles de haitianos que eran empleados por los ingenios de azúcar. Algunos de éstos habían entrado con autorización del servicio de emigración, con la obligación de regresar a su país una vez terminada la zafra. La realidad fue distinta pues a la larga se instalaban en los pueblos y ciudades de la frontera;[9] su número fue creciendo de año en año. Los dominicanos tenían miedo, y no sin razón, de que con el paso del tiempo la República dominicana desapareciera como tal por haitianizarse.

Santo Domingo era racialmente un país mulato, de lo que presumían ciertos sectores y aceptaban ese mestizaje; en general era cuarterones, pues los negros propiamente dichos no excedían de un pequeño número en algunos lugares de la isla y en las clases bajas.

Con la inmigración de los exiliados españoles, formada en su mayoría por gente joven, casi toda inferior a los 40 años en los hombres y menor en la mujeres, se perseguían dos fines:

1) Mantener y reforzar el carácter y cultura española con esta inyección de gente peninsular.

2) Contribuir racialmente al mestizaje que caracterizaba al país. Con ello se afianzaban los dos elementos diferenciadores con Haití, el hispánico frente al francés «créole» y el racial frente al africano.

El temor y la oposición que hubo a la inmigración republicana española, en parte debido a la propaganda que hizo el bando nacionalista presentándonos como «rojos» (con el cuchillo atravesado en la boca y lanzando bombas, como me contaba un profesor amigo) desapareció con la arribada de los primeros «refugíbero», pues vieron que eran gente normal, con camisa y corbata, y que al contrario de lo que se esperaba en toda una serie de aspectos era más conservadora —por ejemplo, en el familiar— que los conservadores nacionales, muchos de los cuales tenían públicamente una «mudada» (querida) o más según la categoría social y económica. Esa oposición, aun del sector más reaccionario del país —salvo un pequeño grupo de españoles de la «vieja colonia»—, desapareció totalmente y llegamos a comentar con ellos la política española del momento ya en forma menos favorable, por su parte, que antes de nuestra llegada. Nosotros por el otro lado hablamos de la política nacional, pero eso sí anteponiendo siempre el agradecimiento que se tenía al «jefe» y al país.[10]

En la «colonia republicana», como la llamaron, surgieron todos los partidos políticos que habían existido en la península y generalmente cada uno publicó una revista. El PSOE y los republicanos (Junta de Liberación Española) crearon *Democracia,* periódico de mayor tirada y duración en el exilio (1942-1945), en el que en cierto sentido participó también la CNT. Hubo otros de inspiración comunista (*Por la República* y *Rumbo*) y otro de tendencia anarquista. Pero entre estos periódicos,

> Democracia ofrecía abundante información sobre las actividades de los emigrados en Santo Domingo, publicando entrevistas, reseñas de libros, conferencias y exposiciones. En este sentido constituye una de las mejores crónicas de la emigración...[11]

Aparte de estos periódicos de matiz político, surgieron otros publicados en la capital o en provincias —todos de corta vida—; se editaron revistas de carácter general o literario, como *Panorama* —la primera publicación del exilio en la República dominicana—, *Ágora, Ozama...*[12] Hubo también revistas con apariencia dominicana, pero que sin embargo el creador y animador fue obra de un español, tal es el caso de *La Poesía Sorprendida,* en la que colaboraron la casi totalidad de los poetas dominicanos de aquellos días (Mieses Burgos, Lebrón, Saviñón, Fernández Spencer, Incháustegui, Henríquez, Gatón Arce...). Eugenio Fernández Granell, con la ayuda del chileno Baeza Flores, la proyectó, diseñó e incluso hizo las viñetas.[13]

En la prensa nacional participaron tanto en la dirección como en calidad de redactores y colaboradores gran número de refugíberos. Así, *La Nación* tiene como primer director al diputado canario, Elpidio Alonso, quien no sólo saca el primer número del periódico sino también cuida de su presentación dándole un aspecto diferente (siglo xx) a la prensa diaria tanto en la capital como en el Cibao; el vasco José Ramón Estella llegó a dirigir *La Opinión*, diario de la tarde. La nómina de redactores y colaboradores de estos periódicos así como del *Listín Diario*, de Santo Domingo, y *La Información* de Santiago de los Caballeros, podría resumirse en la expresión de un dominicano quien, recordando la llegada del oidor de la Real Audiencia, y escritor Eugenio de Salazar (1530?-1602), en el siglo xvi, se sorprendió de que le esperaran en el puerto una multitud de colegas en las letras, diciendo «¡cuántos poetas!»,[14] y hoy se ha dado el caso a la inversa: «¡cuántos escritores nos han llegado!».

En el orden de las artes plásticas fue también un grupo numeroso el que dio un nuevo aspecto a la vida local. Había dos o tres buenos pintores dominicanos (Suro, Morel...) pero frente a ellos llegaron más de una docena de pintores, dibujantes y escultores peninsulares que, de hecho, representaban la mayoría de las regiones españolas (Botello, Junyer, Gausachs, Shum, Granell, Vela Zanetti, Ayoza, Toni, Ximpa, Rivero Gil, Pascual, Compostela...), más otros que pasaron por el país y a ellos había que añadir los que se formaron allí. Lógicamente trataron de darse a conocer por varias razones, entre otras la de crearse un mercado para su obra y como consecuencia se iniciaron las exposiciones una tras otra. Si no recuerdo mal, la primera fue la de Ángel Botello, quien acababa de regresar de Francia cuando estalló la guerra civil y mostraba una gran influencia de Gauguin. Todos obtuvieron el resultado que apetecía (tal vez fueron los primeros que lograron un cierto bienestar económico) vendiendo parte de la obra expuesta —y más tarde el resto— y recibiendo encargos particulares (retratos, paisajes dominicanos, etc.) y oficiales (por ejemplo, Botello pintó varios retratos de personajes históricos para la Universidad: fray Bartolomé de Las Casas, el arzobispo Valera, Erasmo...). En la música otro refugiado fue nombrado organizador y director de la Orquesta Sinfónica Nacional (Enrique Casal Chapí) en la que lógicamente entraron a formar parte de ella otros exiliados, entre ellos Granell.[15]

En general, los profesionales que «recalaron» en Santo Domingo, cuando tenían unos conocimientos o experiencias previas en *algo* que interesaba al Gobierno eran colocados en cargos oficiales para crear o impulsar dicha actividad y así lo vemos en los diferentes Ministerios (Secretarías de Estado) de Agricultura, Industria, Hacienda, Educación, Guerra, Interior, Comercio y Sanidad. En el primero estuvo trabajando el ingeniero agrónomo Augusto Pedrero; en Hacienda, Alfredo Lagunilla tuvo a su cargo la reforma de la legislación fiscal del país; en la de Interior, José Montesinos trabajó en la Dirección General de Estadística; José Sorribes fue director de la Escuela de Administración de la Secretaría de Comercio; a José de los Ríos y a Eduardo Barba, ambos ingenieros industriales, se les asignó como funcionarios a la Secretaría de Industria, el segundo llegó a ser Director General de Industrias; Rafael Troyano dirigió el manicomio que era parte de la Secretaría de Sanidad, y su hermano José estuvo al frente de la escuadrilla de cañoneras de la fuerzas navales —única en aquellos días—, que eran parte de la Secretaría de Guerra; Relaciones Exteriores, a sugerencia del profesor ayudante de Derecho Internacional, Alfredo Matilla, creó una Escuela Diplomática para formar su personal del Servicio Exterior. En ella, además de Matilla, enseñó también Jesús Galíndez y José Almoina y, curiosamente, como alumnos asistieron varios exiliados junto a los dominicanos. La Secretaría de Educación es la que más ampliamente abrió sus puertas a los exiliados y fueron muchos los que formaron parte de ella, contribuyendo de una manera eficaz a la reforma y mejoramiento de la enseñanza en sus niveles de primaria y secundaria y en determinadas especialidades de la educación; trabajaron en ella Malaquías Gil, quien ha permanecido en Santo Domingo hasta su muerte (1988) y en homenaje a su memoria se le ha dado su nombre a una escuela y Guillermina Supervía, Aniceto Garre, Fernando Sainz, Luis Alaminos, Gregorio Palacín... La casi totalidad de ellos, además de sus tareas en la Secretaría, daban clases en centros oficiales o particulares...

Las reformas educativas siguieron los alineamientos de la Institución Libre de Enseñanza, que gozaba de gran prestigio en el país como resultado de los años en que Ortega Frier, como Superintendente de Enseñanza (1917-1922), trató de introducir una serie de cambios en la educación, siguiendo las directrices de Francisco Giner de los Ríos. Los exiliados españoles nombrados consultores lo fueron en parte por indicación de Ortega, quien debió contar sus intentos de organización del sistema educacional del país. Resultado de ello fue también el nacimiento de varios Institutos-Escuela (Santo Domingo, La Romana y Santiago de los Caballeros) por personas que no habían tenido relación alguna ni con los Institutos-Escuela de Madrid o de Barcelona, pero que en general ofrecieron un nivel de enseñanza superior al de las escuelas privadas y públicas existentes.

La creación de escuelas fue una de las actividades preferidas por los exiliados y por lo tanto vemos nacer varias en distintos lugares del país, empezando por el Instituto Colón, en Santo Domingo. Otro fue el Colegio Duarte, más otra serie de mayor o menor importancia en diversas provincias en las que se asentaron refugiados; en casi todas las Escuelas Normales de Maestros de la República (Santiago, La Vega, La Romana, Azua...) hubo uno o más profesores españoles de pedagogía, matemáticas, historia..., así como en las Escuelas Secundarias, sin contar a quien, enviado a una colonia agrícola, se dedicó a enseñar por su cuenta, como nos narra Mariano Viñuales en su tierna obra *Blanquito*.

La llegada de unos cuantos profesores universitarios, auxiliares y ayudantes —no hubo ningún catedrático titular— más ciertos profesores de instituto, fue para el rector, Ortega Frier de la «Universidad Primada de América», la esperanza de volverla a la antigua tradición de «traer, cuando fuera menester, lectores de otras partes...» como establecía la bula de Paulo III por la que se creó. La mayoría de los profesores que fueron contratados sirvieron para poner en marcha la Facultad de Filosofía, pues sin ella no se consideraba completa la Universidad, ya que solo poseía estudios «profesionales», como se llamaban los destinados a la formación de médicos, abogados, farmacéuticos o ingenieros. Junto a ellos fueron nombrados catedráticos unos cuantos nacionales (Pedro Troncoso, Emilio Rodríguez Demorizi, Máximo Coiscou...); «quedó abierta la matrícula el 2 de enero de 1940».[16] En principio todos los «catedráticos especiales» españoles (Llorens, Sainz, Herrero, Sabrás, Moreno, Regalado y yo) y los que se añadieron con el tiempo (Bernaldo de Quirós, Gil, Vera, Almoina, Román Durán, Rived, Alaminos) fueron para aquella Facultad, pero pasados unos meses los que estaban «incrustados» en Filosofía, por su especialidad, se les transfirió a las facultades que les correspóndían: Sabrás (Matemáticas) y Rived (Geología) a la de Ingeniería; a Ricardo Martín se le encomendó la dirección de los laboratorios de Farmacia, y a D. Constancio y a mí se nos trasladó a la Facultad de Derecho. En resumen, todas las facultades, menos la de Medicina tuvieron un catedrático español. Esta oposición de los médicos fue sólo en relación con la Universidad, ya que el «ejercicio de la profesión» fue permitido lícitamente a todos los médicos que llegaron a Santo Domingo, sin problema alguno.

Adscrito a la Universidad, se creó el mismo año el Instituto Geográfico y Geológico, al frente del cual se puso al coronel de ingenieros del Ejército español, Ramón Martorell, y como colaboradores a otros dos exiliados, Coronel Aurelio Matilla y el topógrafo Domingo Martínez Barrio. La biblioteca universitaria, que era en expresión de nuestro rector Ortega Frier un «almacén de libros», fue puesta en manos de un bibliotecario exiliado, Luis Florén, para que la organizara y dirigiera, y quien, en poco tiempo, la convirtió en un auténtico centro de estudio al que asistían tanto los estudiantes como muchos de los profesores. La enriqueció de tal manera consiguiendo donativos de la mayoría de los países con representación diplomática en el país, incluida España, que de unos 10.000 o 12.000 volúmenes que tenía cuando se hizo cargo de ella, poseía ya más de 150.000 en los primeros años de la década de los cincuenta, y estaba instalada en la ciudad universitaria con edificio propio. Entre sus fondos figuraban colecciones completas de revistas en diversos idiomas más una sección dominicana, sin duda la de mayor importancia en el país. También para organizar y dirigir los deportes universitarios se seleccionó a un entrenador, Julio García, que lo había sido del Instituto-Escuela de Madrid y a un conocido deportista, Julio Montes, ambos de la diáspora española.

No acabó ahí la presencia del exiliado. Don Julio quería, y lo logró, que su Universidad no fuera sólo la «Primada»[17] por razones de tiempo, sino que luchó para que lo fuera también en calidad y para ello impuso un nivel alto de enseñanza e invitó, además, a una serie de personalidades en distintos campos del saber para que dictaran cursillos y conferencias. Así, por su cátedra pasaron alemanes, austriacos, estadounidenses, franceses, mexicanos, cubanos, peruanos, panameños, colombianos, haitianos..., y, lógicamente, españoles de paso para otros lugares, como el catedrático de Ciencias de la Universidad de Madrid, Honorato de Castro, gentes establecidas en otros países, como Pedro Salinas, José Giral, Mariano Ruiz Funes, Gabriel Franco, Luis Jiménez de Asúa, José María Ots Capdequí, Rafael Sánchez Ventura, Sebastián González, Jesús Vázquez Gayoso..., mas se invitó también a D. Rafael Altamira, quien por haberse fracturado el fémur en el barco que lo llevó a Estados Unidos no pudo viajar, Luis Recasens Siches, Niceto Alcalá Zamora (hijo) y otros que por causas varias no pudieron aceptar. Un caso curioso fue el de Salvador de Madariaga, a quien se quería escuchar tras el éxito de su obra *Colón*. No recuerdo cuál fue la razón para que rechazara la invitación, cosa que en el fondo nos alegró, pues en una nota a pie de página al hablar de la fundación de Santo Domingo se refería a las diversas opiniones que se alegan en relación al nombre de la ciudad, nota en la que terminaba diciendo, poco más o menos, «el problema lo ha resuelto el actual dictador del país cambiando el nombre de Santo Domingo por el de Ciudad Trujillo, en homenaje a sí mismo».[18]

La presencia del exiliado español se hizo patente en todas o en casi todas las actividades de la vida dominicana, inlcuido el Ejército (de Tierra, de Mar y de Aire), y como consecuencia surgieron profesiones que no existían antes, como la de encuadernador. En este caso, como en tantos otros, jugó el papel principal para su establecimiento el rector Ortega Frier, quien por su cuenta mandó comprar los utensilios, herramientas y material necesarios para ese oficio, a fin de encuadernar los libros de su propiedad en lugar de enviarlos —como hacía antes— a La Habana, con el riesgo de que se perdieran o deterioraran, y naturalmente a un alto costo. Estrenó el taller de encuadernación, haciendo empastar la *Gaceta* o *Diario Oficial*, la única colección completa desde el primer número al día que existía en el país. Otra profesión no conocida fue la de vendedor ambulante de cigarrillos, chicles y caramelos, introducido por un anarquista aragonés quien un día hablando de la forma más natural dejó atónitos a sus oyentes al decirles «cuando yo asalté el Banco del Río de la Plata...» refiriéndose a una de tantas operaciones que los anarquistas realizaron en una época con el objeto de obtener fondos para su agrupación. En efecto, era difícil figurarse a ese personaje, excelente como marido, padre y persona normal, cometiendo un acto delictivo aunque no fuera en beneficio propio.

Agricultores, como tales, no creo que llegara uno solo capaz de ejercer esta profesión en alguna de las colonias agrícolas que con ese fin había creado el Gobierno dominicano en Dajabón, Pedro Sánchez, Villa Trujillo, San Rafael del Llano, San Juan de la Manguana y Medina. Don Constancio Bernaldo de Quirós al llegar al país fue enviado a una de ellas, hasta que alguien reconoció la personalidad del penalista y se le permitió trasladarse a la capital, y una vez allí tuvo a su cargo una cátedra en la Universidad.

Hubo, sí, muy pocos que trabajaron como agricultores, aunque la agricultura hubiera sido una actividad ajena totalmente a sus intereses y ocupaciones. Recuerdo, entre ellos, a un maestro, Gabino de la Fuente, quien fijó su residencia en Jarabacoa en la región montañosa del centro de la isla, con un clima agradable, y se dedicó al cultivo de la «papa» (patata) y de las habichuelas (judías) con gran éxito agrícola y económico, pues vendía la cosecha íntegra a miembros de la «vieja colonia» española con beneficio para ambas partes.

Un abogado aragonés se convirtió en hombre de confianza de uno de los personajes —creo que era médico— del dictador, que le puso al frente de una explotación maderera logrando hacer una pequeña fortuna, y soltero y sin obligaciones ha empleado parte de ella en formar una colección de arte dominicano e hispanodominicano (es decir de los pintores y escultores exiliados en Santo Domingo). También fue convertido oficialmente en agricultor el anarquista Jover, coronel de milicias que había mandado el X Cuerpo del Ejército durante la guerra, quien en cuanto pudo abandonó el campo y el país para establecerse en México.

En el orden industrial contribuyeron a mejorar las pocas fábricas o, mejor dicho, talleres que existían y en los que trabajaron, así como en ciertos servicios públicos (por ejemplo, teléfonos y electricidad). Algunos intentaron crear algún tipo de explotación, como la de la pesca en conserva —por el coronel de Aviación, Sandino—, actividad que no duró mucho pues el dictador trató de apoderarse inmediatamente de ella al ver los beneficios que podía dejar.

No creo que hubiera otros intentos de creación de nuevas industrias. Sí se establecieron varias, a nivel modesto, de tipo competitivo con las ya existentes, como la de muebles «modernos» y totalmente diferentes a los de estilo muy ochocentista, que se fabricaban utilizando las ricas maderas, concretamente la caoba, que se da, o se daba, en casi todas las regiones del país. Otra industria que surgió al principio, con buenos resultados, fue la de «licores finos». Trabajaron algunos exiliados, levantinos en su mayoría, en una fábrica de calzado de dueños españoles que existía con anterioridad a la llegada de los exiliados.

En un informe que se presentó al JARE (Junta de Ayuda a los Refugiados Españoles) con sede en México, sobre las posibilidades de trabajo en Santo Domingo, se dijo:

> El número de republicanos españoles que vivimos en este país [República dominicana] superamos su capacidad de absorción. Esto ha sido la causa de que una elevada proporción [...] haya tenido que dirigirse a otros países...[19]

Y en otro momento (1943) se añadió:

> Menos de la tercera parte [de los republicanos españoles], tienen resuelta su situación económica y la de sus familiares. Existe un número fluctuante de compatriotas con períodos alternos de trabajo y paro, con ingresos muy reducidos e inseguros y, por último, más de la mitad de los que residen en la República dominicana, viven gracias a los subsidios que abona el JARE. Son éstos los residentes en las colonias agrícolas, las viudas, los ancianos, los inválidos de la guerra y los enfermos graves incapacitados para el trabajo.[20]

Aunque en algunos escritos dominicanos posteriores a la presencia de los exiliados se les ignora,[21] tal vez porque esa presencia fue «excesiva» para ciertas gentes de tendencia nacionalista, en todos los aspectos de la vida del país, no cabe la menor duda de que dejó un rastro de su paso, y digo paso porque así fue, pues entre 1939 y 1945, llegaron y salieron un número no pequeño de refugiados europeos para los que Santo Domingo fue un tomar tierra lejos del Viejo Mundo. Así, entre los españoles recuerdo a Ignacio Mantecón, gobernador general de Aragón, quien a la semana de estar en la ciudad continuó viaje para México; los dirigentes comunistas Arconada y Claudín fueron otros de los «transeúntes». Los judíos, no obstante de tener un buen lugar para residir, no fueron diferentes a los exiliados, y en general permanecieron menos tiempo en el país que aquéllos; muchos venían ya con visado de EE.UU.,[22] y unos pocos siguieron a otras naciones hispanoamericanas, especialmente a México. Muestra de este «paso» está en algunos escritos, no muy numerosos, por ejemplo memorias —independiente de la documentación oficial— como las de Vicente Llorens *(Memorias de una emigración, 1939-1945)*, quien enseñó Literatura Española en la Universidad de Santo Domingo; Almoina *(Yo fui secretario de Trujillo)*, hombre de confianza del dictador y profesor del hijo mayor, y según se decía, verdadero autor de los escritos y obras teatrales de la esposa de aquél. A Almoina se le atribuye un libro antitrujillista *(Una satrapía en el Caribe)*, y siendo verdadero o no este supuesto, le costó la vida: murió a balazos cuando ya vivía en México; y, por último, Galíndez *(La era de Trujillo)*, quien en Nueva York fue raptado en el metro, se le trasladó en avión a Santo Domingo y allí también fue asesinado. Estos son, tal vez, los escritos más destacados de los exiliados relativos a aquella época; el primero, de recuerdo; el segundo, de defensa de una situación de la que se benefició el autor y por la cual al final perdió la vida dado que conocía bien las interioridades de la dictadura, y el tercero, de ataque al régimen, bien documentado como consecuencia de haber sido agente de EE.UU. en Santo Domingo, a pesar de su condición de exiliado.[23]

Hay, además, poesía, ensayos, novelas y artículos en revistas o en la prensa diaria. En la poesía hay alguna de tipo «lambiscón» (utilizando el término mexicano, que significa adulador), como unos «Sonetos de Trujillo»; y otra escrita en el país, al que se refieren en sus versos (Baltasar Miró, José Ramón, López Arana, entre otros), y otra escrita, ya fuera de Santo Domingo, que recuerda los días, meses o años en el trópico dominicano (Bernardo Clariana, Roque Nieto...). En la narración tenemos una lista grande de exiliados que escriben o toman como fondo de su obra la vida, el paisaje, las costumbres y tipos dominicanos: Carmen Stengre, Mariano Viñuales (con su *Blanquito*, tierno y comprensivo de la vida en el campo, junto a la frontera con Haití), Eugenio Fernández Granell, Riera Llorca (escribe en catalán la novela *Tots tres surten per l'Ozama*), Eduardo Capó *(Medina del Mar)*, David Arias y otra serie de gentes cuya enumeración sería no interminable, pero sí extensa,[24] pues una característica de la emigración republicana, al menos en Santo Domingo, fue el afán «escribidor» que se despertó en muchos de ellos y que tal vez de haber permanecido en España no se hubiera producido, y más en las funciones que desempeñaban allá tales como juez, contable, militar, médico o funcionario público.

La adaptación al medio dominicano no fue difícil, entre otras razones por el españolismo de sus gentes, siendo el exiliado bien recibido hasta por aquellos que durante la guerra civil se oponían a la facción republicana. Entre estos últimos se encontraba la mayor parte de los españoles de la «vieja colonia» (los emigrados económicos como les llamaban algunos dominicanos), que no dudaron en darnos ayuda —algunos de ellos—, ya sea facilitándonos los muebles mínimos que necesitábamos (el gallego Piñeiro), comestibles hasta que no cobráramos nuestro primer sueldo (los asturianos Vitienes), o trabajo (el ebanista Palacio). Hasta hubo quien se casó con recién llegadas (Paliza, dueño del mejor café, tanto el producto como el local, de la ciudad).

Los dominicanos, además del rector Ortega, nos acogieron como a familiares de los que habían oído hablar pero que no conocían; tal fue el caso del arquitecto José Antonio Caro, quizá el hombre con más obras tanto en Santo Domingo como fuera de la ciudad, que cualquier otro de su profesión: compró pinturas, esculturas y mandó decorar su casa con murales de Vela Zanetti; Manuel Peña Batlle, que al establecernos en Santo Domingo estaba en situación de entredicho con el «amo» y más tarde tuvo que ceder y aceptar los cargos de ministro del Interior, de Relaciones Exteriores y aun de presidente de la Cámara de Diputados (que eran elegidos a «dedo» por el dictador). Peña Batlle fue el autor de la idea de la Colección Trujillo, y quien nombró a los tres colaboradores principales (tres españoles):[25] don Toño Bonilla Atiles, vicerrector de la Universidad, y que por azares de la vida hubo de salir de Santo Domingo y trabajó conmigo en el Programa de Becas y Cátedras de la OEA (Organización de los Estados Americanos);[26] Emilio Rodríguez Demorizi, presidente de la Academia Dominicana de la Historia; don Américo Lugo, sin duda uno de los más destacados escritores e historiador de Santo Domingo, que había vivido una temporada en España investigando en el Archivo General de Indias; Joaquín Salazar, compañero de Facultad y con quien, cuando fue subsecretario, viajé por diversos lugares de la isla y conocí las ciudades fronterizas, (alguna sólo en el plano) con Haití... Podríamos alargar la relación de «amigos» nuestros (Amiama, Prat, Álvarez —de Santiago—, Balaguer, Tavares, Postigo, Cabral —de Santiago—, Díaz Ordóñez, Pedro Troncoso, Sánchez Lustrino, Ricard, Alfonseca, Bebé Gautier, Pichardo —Paíno—, Bonnelly...)[27] con gentes como alumnos, Curiel, tal vez uno de los mejores estudiantes que asistieron a mi curso, Cassa Logroño, que casó con una hija de don Constancio, el poeta Pedro Mir, los entonces futuros presidentes de la República dominicana Héctor García Godoy y Donald Reid Cabral, Maricusa Ornes Coiscou, y tantos otros, a varios de los cuales dirigí sus tesis doctorales. No quiero olvidar a Héctor Incháustegui y su mujer Candita, con los que tuvimos una amistad fraternal y que encontramos en México, donde él fue embajador de su país, y más tarde en Washington, cuando fue elegido miembro de la Comisión Interamericana de Cultura de la OEA.

Y hasta la gente de la calle se consideró unida a nosotros.[28] Recuerdo una vendedora, de las que iban por las casas, que le dijo muy seriamente a mi mujer: «yo soy también española, como tú, y si estoy "prieta" es por este sol que nos quema», o la «morena» que cuidó a mi hija, a la que decía «yo soy tu mamacita prieta» y, cuando en mis viajes, ya fuera del país, yo pasaba por la República dominicana, comparecía fielmente en el hotel, o en la casa del amigo en que me hospedaba, para preguntar por «mi Helenita».

Los matrimonios con dominicanas fueron cosa bastante común: Toni, el dibujante, Malaquías Gil, el historiador, etc. Las lenguas de escorpión dominicanas llamaron humorísticamente a los célibes españoles «salvavidas» pues según ellas, teniendo en cuenta la edad en que se casaban las mujeres en el país, les ofreció la arribada de un cargamento de españoles con bastantes solteros, la posibilidad de rehacer su vida por medio del matrimonio. El español tenía buena fama como marido pues era «esposo para siempre» y guardaba fidelidad, sin intención de buscarse una «mudada», o por lo menos tenerla públicamente.

Tal vez uno de los aspectos de la adopción del exiliado español al país, fue el del lenguaje, a veces más clásico que el peninsular, por ejemplo en el tratamiento y en otros aspectos la utilización de palabras que para el exiliado eran corrientes en España y para el dominicano tenían un sentido distinto o eran «malas palabras». No se podía decir «culo» de vaso v.gr., «fondo» del vaso o «caerse de culo», tenía que ser «fondillos» pues aquella palabra tenía un significado, como en muchos casos, de tipo sexual; «guapa» era sustituida por «hermosa», ya que aquélla sólo se aceptaba como persona agresiva; o en vez de «mujer» había que hablar de la «esposa», cuando uno se refería a la casada; «dictar» una conferencia por «darla»; y tantas otras. Ahora bien, fue curioso cómo el español incorporó rápidamente a su modo de hablar expresiones y giros dominicanos que se usaban en la vida diaria.

Como hemos dicho, en Santo Domingo no había animadversión hacia el español. No teníamos mote despectivo como «gallego», «gachupín», «godo», etc., que se nos da en otros países de América que fueron de la Corona española. Nos llamaban directamente «España» o con el diminutivo cariñoso «Españita», o al hablar con un tercero si no conocía el nombre. En el orden gubernamental, el dictador trató bien a los exiliados (incluso al pequeño grupo de comunistas) hasta terminada la segunda guerra mundial, ya que se nos miraba con respeto al desconocerse cuál podía ser el futuro de España y, bien que mal, eran un sector importante de ella. Terminada la contienda, y viendo que los EE.UU. por las razones que fuera se aliaba con el régimen que imperaba en la península, el dictador se sintió fuerte y se enfrentó con los exiliados, tanto con los que quedaban en la República como con los de fuera, que habían dado a conocer, por haberlo vivido, el régimen a que estaba sometido el país y no tuvo reparo en recurrir al asesinato, aunque éste fuera a personas inocentes. Mató a tres españoles, uno de ellos muy allegado a mí, hermano de mi mujer, simplemente por error: mi cuñado, gerente de ventas de una casa de productos farmacéuticos, viajaba todos los años por las diversas zonas en que tenía representaciones, y por lo tanto por los países del Caribe. Desde México visitaba Cuba, Haití, la República dominicana, etc. En uno de esos viajes, al llegar a Santo Domingo, le hicieron bajar del avión pues le tomaron por un «agente de Castro». Cuando vio el tremendo error cometido, ya que intervino el Gobierno de México y el propio delegado apostólico, monseñor Raimondi, en México, e incluso el ministro de Relaciones Exteriores de España, negó que hubiera llegado al país e incluso falsificó la lista de pasajeros que había desembarcado. La compañía aérea se negó a dar información por temor a una represalia, pero cuando más tarde, muerto ya el dictador, tuve que ir a Santo Domingo en una misión de la OEA, uno de los que presenció el rapto me confirmó su llegada y su detención.

Este asesinato tuvo consecuencias que no previó el dictador, pues fue una de las causas del enfrentamiento con la Iglesia, que no le quiso otorgar el título[29] de Benefactor de la Iglesia Católica,[30] título al que aspiraba basándose en la serie de edificios eclesiásticos, iglesias, altares e imágenes en muchos casos «donadas... o pagadas con fondos propios» del dictador o su familia. Todo ello, unido a la persecución que inició contra el clero, colegios religiosos, y católicos en general —la mayoría de la población—, más la falta de respeto por los derechos fundamentales del hombre como se denunciaba en una carta pastoral de los obispos de la República dominicana, conllevó que se le impusieran sanciones por la OEA, lo que envalentonó a los enemigos del régimen, que habían crecido en forma manifiesta en los últimos años y quienes al final le hicieron pagar con su vida las arbitrariedades, asesinatos, persecuciones y deshonestidades de toda clase perpetradas en los largos años en que disfrutó del *poder*.[31]

Como conclusión del exilio en Santo Domingo hay que decir:

— La emigración política española estuvo, en general, agradecida al pueblo dominicano por la acogida que le dio.

— El país se convirtió en lugar de paso por toda una larga «lista» de motivos, pero entre todos el afán que tuvo el dictador en que todos los días por un motivo u otro le manifestaran públicamente, los que habíamos luchado por la democracia, el reconocimiento que le debíamos, elogiando su obra como «gobernante» del país o por tratar en algunos casos de que se pusieran a su servicio en «materia non santa».

— El paso del exilio por Santo Domingo dejó un rastro en la mayoría de los aspectos de la vida dominicana (industrial, comercial, económica y aun agrícola), pero especialmente en el intelectual y artístico.

Hoy, a cincuenta años de distancia, miramos con nostalgia y recordamos con cariño a todos los que hicieron posible por dulcificar el alejamiento de nuestra tierra que en un momento fue también la de ellos, España.

NOTAS

1. La geografía del país en un porcentaje enorme estaba dedicada a él. El monte más alto de la isla, y del Caribe, La Pelona, fue cambiado su nombre por el de pico Trujillo (21 septiembre 1936). Una provincia se la bautizó con el nombre de Trujillo, otra con el de Benefactor...; canales, carreteras, puentes, calles, ciudades, villas, estadios, puertos, ríos, arroyos..., con el nombre o alguno de los innumerables títulos que se le otorgaron (?), más los nombres y apellidos, o motes de toda la familia: padres, hermanos, hijos, suegros y lógicamente de la mujer. Puede comprobarse esto en Marino Incháustegui, «La Era de Trujillo», en *Historia Dominicana*, tomo II, Ciudad Trujillo, Año del Benefactor de la Patria, 1955, pp. 149-424.

2. Alguno de los títulos que recibió fueron: Hijo Benemérito de Santo Domingo (1931), más tarde el de otras ciudades; Generalísimo (1933); Benefactor de la Patria (1933); El más grande de los Jefes de Estado dominicano (1938); Gran Protector de la Universidad (1938); Doctor *Honoris Causa* de la Universidad de Santo Domingo (1938) —títulos de Dr., que a partir de la fecha anteponía siempre a su nombre—; Primer Maestro de la República (1939); Primer Periodista de la República (1941); Restaurador de la Independencia Financiera (1940); Libertador de la Clase Obrera (1945); Padre de la Patria Nueva (1954); Genuino y Generoso Abanderado de la Paz Universal (1954);

Jefe Supremo del Ejército y la Marina..., y quién sabe cuantos más, unido ello a medallas, collares, condecoraciones, tarjas, bustos, estatuas, monumentos, homenajes, etc. Consultar M. Incháustegui, *ibíd.*, íd.

3. Fernando de los Ríos, «The action of Spain in the Americas», en *Concerning Latin American Culture*, Nueva York, 1940.

4. Julio Ortega Frier, *El IV Centenario de la Universidad de Santo Domingo, 1538-1938* (hay dos ediciones más, 1942 y 1946). Sobre Ortega y su obra véase Emilio Rodríguez Demorizi, *Homejane a Julio Ortega Frier*, Santo Domingo, Fundación Rodríguez Demorizi, 1981. (Reúne diversos ensayos tanto de dominicanos —Troncoso, Sosa...—, como de españoles —Llorens, Guillermina Supervía, Malagón, López Gimeno...)

5. «El primer barco con unos 500 refugiados llegó en noviembre de 1939. En diciembre de ese año y en enero, febrero y marzo de 1940 llegaron cuatro barcos más con alrededor de 700 personas cada uno. [...]» (Bernardo Vega, *La migración española de 1939 y los inicios del marxismo-leninismo en la República dominicana*, Santo Domingo, Fundación Cultural Dominicana, 1984, p. 95). En la comunicación de Juan Carlos Gibaja Velázquez a la Jornadas de Salamanca sobre el movimiento migratorio provocado por la guerra civil (14 al 16 de diciembre de 1988), «la JARE un organismo de ayuda a los exiliados, al servicio de un proyecto político» da como destino, de seis barcos, la República dominicana, entre el 7 de noviembre de 1939 y 16 de mayo de 1940, con un total de 3.710 refugiados republicanos. Hay además que contar aquellos que no fueron de expediciones colectivas, tal es mi caso personal y el de mi familia. Llegamos a Santo Domingo en octubre de 1939 en un viaje regular de nave francesa a Guadalupe, donde transbordamos a otro barco que tocó en gran número de islas de las Antillas Menores hasta llegar a Puerto Plata. En ese viaje íbamos unos 30 refugiados, entre ellos los pintores Vela Zanetti y su mujer y Ángel Botello con tres familiares, más Rafael Supervía (3), Miguel García Santesmases (2)... En forma semejante arribaron a partir del mes de abril de 1939 (?) hasta 1942 otra serie de españoles cuyo número no es fácil de calcular.

6. Vicente Llorens, *Memorias de una emigración. Santo Domingo, 1939-1945*, Esplugues de Llobregrat, Barcelona, Ariel, 1975, pp. 11-12. Véase también, *El exilio español en México*, México, Salvat/Fondo de Cultura Económica, 1982; Vicente Llorens, «La emigración republicana de 1939», en José Luis Abellan (ed.) *El exilio español de 1939*, vol. I Madrid, Taurus, 1976, pp. 95-200; y Javier Malagón Barceló, «El exiliado político español en México», *Arbor* (Madrid), CV, 409, enero (1980), pp. 25-36.

7. Ricardo Pattee, *La República dominicana*, Madrid, Cultura Hispánica, 1967, p. 271. Ver también Llorens, *Memorias...*, *op. cit.*, p. 39; B. Vega, *op. cit.*, pp. 93-95, y Javier Rubio, *La emigración de la guerra civil de 1936-1939*, vol. 1, Madrid, San Martín, 1977, pp. 188-194 y vol. III, pp. 1.115-1.121.

8. Se comunicó dicho acuerdo, basado en las negociaciones de 1933, el 28 de febrero de 1935 (Incháustegui, *op. cit.*, p. 180).

9. «En los días que siguieron al 4 de octubre [fecha en que viajó a Dajabón y allí pronunció un discurso señalando que esa ocupación de los haitianos de las tierras fronterizas no debía continuar, ordenando luego que todos los haitianos que hubiera en el país fuesen exterminados] Trujillo hizo perseguir y dio órdenes de asesinar a los haitianos donde quiera que se encontraran, muriendo unos 18.000 en todas partes del país...» (Frank Moya Pons, *Manual de Historia Dominicana*, Santiago, Universidad Católica Madre y Maestra, 1977). Un oficial del ejército a quien conocí me dijo que la forma de distinguir si era dominicano o haitiano, en caso de duda, era la palabra *perejil*, si la pronunciación no era correcta «le ejecutaban cumpliendo las órdenes del Jefe. Yo mismo tuve que deshacerme de dos que tenía en la casa». Oficialmente la matanza se presentó como «[...] una serie de choques provocados por las continuas depredaciones de malhechores haitianos contra la población dominicana de la frontera Norte» (Incháustegui, *op. cit.*, p. 228, y Moya, *op. cit.*, p. 519). La «matanza» adquirió matiz de escándalo internacional, lo que tras una serie de acusaciones y contraacusaciones por ambos lados, las «autoridades dominicanas finalmente pagaron una indemnización de 750.000 dólares al Gobierno de Haití [...] como sobreseimiento del caso...» (Pattee, *op. cit.*, pp. 232-253).

10. En cierta ocasión un colega universitario nos dijo medio en broma que no estábamos bien integrados en el país, pues por nuestro sueldo debíamos tener una «mudada» con la que procreáramos algún hijo, «hijo de la calle», como se les llamaba popularmente a los nacidos fuera de matrimonio. En otra ocasión, hablando con un miembro de la familia Malagón que existía en el país, le pregunté cuántos hermanos eran. Se me quedó mirando y empezó a echar cuentas: «tantos del primer matrimonio de mi padre, otros del actual y no sé los que serán de la "calle"; ¿cómo quiere que lo sepa?»

11. Llorens, *op. cit.*, p. 186.

12. *Ibíd.*, íd. Apéndice bibliográfico en el que se da la lista de colaboraciones en periódicos y revistas.

13. «Contribuyó a su fundación y desarrollo, acrecentó el número y calidad de los colaboradores y él mismo lo fue asiduo en prosa y en verso. Hasta la viñeta de la publicación era suya» (*ibíd.*, pp. 191-192).

14. «Soneto de bienvenida al oidor Eugenio de Salazar al llegar a Santo Domingo», por Francisco Tostado de la Peña, en Pedro Henríquez Ureña, *La cultura y las letras coloniales en Santo Domingo* (Buenos Aires, 1936); reeditado en *Obra crítica*, México, Fondo de Cultura Económica, 1960, pp. 373 y 410-411.

15. Granell era sin duda el más polifacético de la emigración republicana en Santo Domingo, pues figuró en la mayoría de las actividades culturales de la misma y de modo destacado: poeta, periodista, novelista, pintor, músico...

16. Javier Malagón Barceló, «Los profesores españoles exiliados

en la Universidad de Santo Domingo (1939-1949)» *Eme Eme. Estudios Dominicanos* (Santiago de los Caballeros), XI, 66 (1983), pp. 51-64, y Llorens, *op. cit.,* pp. 44-54 y 172-183.

17. Doña Carmita, como llamábamos familiarmente a la esposa de don Julio, en unos «Apuntes biográficos sobre la vida de Julio Ortega Frier» publicados en el *Homenaje a Julio Ortega Frier,* nos cuenta que cuando en 1947 le acompañó a Princeton University, «representando a nuestra Universidad, en ocasión del centenario de aquélla, una vez llegado al hotel, me pidió que no desempaquetara hasta conocer el orden del desfile. "Si nuestra Universidad no figura en cabeza de las de América —me dijo— nos retiramos." Pero tuvo el orgullo de ocupar el primer puesto... en el desfile tradicional de la procesión académica» (*Boletín de la Fundación Rodríguez Demorizi,* IV, 4, diciembre [1981], p. 38).

18. *Christopher Columbus,* Londres, 1939.

19. *Democracia* (Santo Domingo), II, 24, 8 de febrero (1943), suplemento.

20. *Ibíd.,* íd.

21. Rubio, *op. cit.,* pp. 790-799, dedica unas páginas a «El complejo de olvido...» y dice «[...] los emigrados de la guerra civil realizaron una gran obra intelectual en los países hispanoamericanos, donde produjeron mayor impacto cultural que habían recibido muchos de esos países desde su independencia [...] ni en los países beneficiarios, comprendido el propio México, se tiene conocimiento, o suficiente conciencia, de esta gran aportación que tiende a marginarse, a minimizarse, en el libro de la historia». Una muestra de esto la tenemos en la *Historia Dominicana* que escribió Moya Pons con unas pretensiones de modernidad y de visión universal, en el capítulo que dedica a la «Era de Trujillo. 1930-1961», pues en él no hace la menor referencia al hablar de la política internacional o mencionar de pasada a la inmigración a la que hubo de exiliados españoles (numerosa en relación a la población) ni a la judía. Ignora la presencia y el papel que jugó el exiliado, olvidando, si se quiere, que éstos hicieron a un nivel semejante lo que hicieron sus abuelos cuando emigraron a la República dominicana y que la cultura española o hispánica es la única que se crea, estimula y complementa mutuamente a un lado y otro del Atlántico. No recuerda el asesinato de tres españoles exiliados (uno en México, otro raptado en EE.UU, y el tercero en el aeropuerto de Santo Domingo), lo que contribuyó en gran parte a la repulsa del régimen de Trujillo en el orden internacional (incluida España, que no quiso que su dictadura fuera asemejada a la dominicana). Curiosamente el autor agradece a un exiliado, mi antigua compañera de la Universidad de Madrid María Ugarte, «su valioso tiempo [...] y su excepcional talento», que puso «a mi disposición para reducir mi *Historia Colonial de Santo Domingo* a una tercera parte de su volumen convirtiéndola en una versión adaptada al plan de este libro». Y continúa con un elogio que merece sin duda pues creo conocerla bien: «Este trabajo de doña María Ugarte sobrepasa en mucho lo que yo hubiera podido hacer...». Unos

años atrás (1982) se publicó en México un tomo voluminoso, *El exilio español en México*, de más de 900 páginas, prolongado por el entonces presidente de México, José López Portillo y en el que han colaborado mexicanos y españoles.

La postura de ignorar a la emigración republicana española como tal es seguida por el presidente Joaquín Balaguer en sus *Memorias de un cortesano de la «Era de Trujillo»*, Santo Domingo, 1988, 4.ª ed., en las que sólo cita, y de pasada, a dos exiliados: Malaquías Gil Arantegui (p. 137) y a don Constancio Bernaldo de Quirós (p. 403), a ambos con elogio, pero en el caso de D. Constancio le atribuye decisiones que no responden a la realidad; a otros dos los convierte en dominicanos: a Fernández Granell al hablar de la producción literaria de 1944 (p. 440) y a Vicente Llorens (p. 283), al que atribuye haber recibido cierta cantidad de dinero por su colaboración a la llamada Colección Trujillo, cosa que categóricamente no es cierta.

22. Vega, *op. cit.*, p. 101.

23. Sobre el dictador y su obra, Howard Jr. Wiarda, *Política y Gobierno en la República dominicana. 1930-1966*, Santiago, UCMM, 1968. (Bibliografía bastante incompleta.)

24. Excelente información sobre este tema en Llorens, *op. cit.*, pp. 109-155.

25. Llorens, *ibíd.*, pp. 177-183.

26. Bonilla Atiles mostró en todo momento su interés por ayudar a los exiliados españoles. Tenía un gran respeto a la Universidad española de los años treinta, como lo muestran las palabras que pronunció en la presentación de Jiménez de Asúa en la conferencia que éste dio en la Universidad de Santo Domingo (*Anales de la Universidad de Santo Domingo* [1943]). Bonilla tenía un gran interés en el Derecho Comparado, es más, no recuerdo si llegó a enseñar esta «materia», y en una ocasión le pidió a Vicente Hererro, que había sido profesor ayudante de Derecho Político, que hiciera un estudio de la Constitución dominicana comparándola... «Por qué no, contestó Herrero. ¿Pero cree Ud. que vale la pena?, ya que la realidad es que la República dominicana es una finca y el dueño es Trujillo.» Bonilla le dio un abrazo y dijo: «Les envidio porque Uds. se atreven, y pueden, decir lo que piensan».

27. Me refiero, casi exclusivamente, con los que se estableció amistad en Santo Domingo. Sé que en la provincia hubo tal vez más estrechas amistades entre dominicanos y exiliados. Aunque visité la casi totalidad del país, y naturalmente estuve en relación con mis compatriotas, no me atrevo a dar nombres de amigos dominicanos para no cometer errores imperdonables (!).

28. «[...] ninguna tierra americana vivía más íntimamente vinculada a España que Santo Domingo, y ningún pueblo formado por España [...] permaneció más fiel a través de las peores vicisitudes. Esta adhesión e identificación se comprobó [...] en todos los momentos aciagos de su Historia [...]. Por circunstancias que no empañan esta mutualidad de afecto, la separación se impuso en pleno siglo xix. No

obstante, ya se había establecido una relación *sui generis* entre los dos países» (Pattee, *op. cit.*, p. 270).

29. Según me contó un personaje cercano al dictador éste trató de obtener un título nobiliario español y al efecto se hicieron varios tanteos cerca del Jefe de Estado español. La reacción de éste fue negativa por toda una serie de razones, entre otras que los títulos sólo se podían otorgar a ciudadanos españoles (?), cosa que Trujillo aceptó pero con desagrado, pues ya se veía «Duque de la Española».

30. Vega, *op. cit.*, pp. 99-149 especialmente.

31. Pattee, *op. cit.*, pp. 287-288.

HOMENAJE A LAS MUJERES EXILIADAS: LOS PRIMEROS AÑOS DEL DESTIERRO Y UNA OBRA EDUCATIVA EN LA REPÚBLICA DOMINICANA

Guillermina M. Supervía

Al poco tiempo de llegar a este país para trabajar como maestra de español, se me invitó a participar en la celebración del 14 de abril, fecha de la proclamación de la República española en 1931. Presidía el acto un gran amigo de la República, el embajador Luis Quintanilla que, como representante de México en la Conferencia de San Francisco, había sido gran paladín de nuestros derechos contra la dictadura de Franco. Mis palabras en aquel acto estuvieron inflamadas de amargura y coraje. Amargura por la derrota, y coraje porque sentíamos que la República había sido traicionada no solamente por el franquismo sino por las democracias que estaban obligadas a tendernos la mano. Pero además de aquellas indignadas palabras pronuncié otras que han servido para mantenerme en el exilio sin claudicaciones, por muchos años; fueron palabras llenas de la esperanza de que en España volvieran a reestablecerse los ideales que nos lanzaron al exilio: el amor a la libertad y el respeto a los derechos humanos. Han pasado muchos años, casi medio siglo, desde aquella conmemoración de 1946 y somos ya escasos los que habiendo participado activamente en la guerra civil española, podemos venir a un acto como éste y ser testigos de aquella epopeya. En mi reciente estancia en Valencia, donde paso parte del año, he tenido la satisfacción de recibir en mi casa la visita de varios jóvenes, amigos y compañeros de mis nietos, hombres de menos de treinta años, que querían conversar y hacerme preguntas sobre mis experiencias durante la guerra y el exilio. La satisfacción experimentada en esas visitas se complementa ahora aquí al ver que muchos de los participantes y los estudiosos en este país de aquel período histórico y de la aportación cultural del exiliado en América, lo constituyen hijos y nietos de aquellos exiliados y muchos jóvenes además que dentro y fuera de España posibilitan con sus estudios, publicaciones y trabajos que ese período de nuestra lucha permanezca como elemento vivo y ejemplar en el presente y no relegado a un mero episodio para ser estudiado en los textos de historia.

Mi experiencia personal

Cuando nuestro buen amigo el profesor Naharro-Calderón me invitó a participar en este simposio y me indicó que hablara de las mujeres exiliadas, le dije que habiendo habido en nuestro exilio mujeres extraordinarias que se han distinguido en el campo científico, literario o artístico y de quienes se ha tratado ya en repetidas ponencias, encuentros, mesas redondas, etc., por distinguidos conferenciantes, yo nada podría añadir de nuevo sobre ellas. Mi participación tendría que ser limitada a mis experiencias personales, cosas de poco o ningún interés para los asistentes a este simposio. A esas experiencias tal vez podría añadir mis conocimientos sobre algunas actividades de mujeres sencillas que, acompañando a sus padres, esposos o hijos salieron de España y, con su labor callada hicieron posible una vida, hasta cierto punto normal, para aquellos a quienes acompañaban. «De eso precisamente se trata —me contestó José María—. Tus vivencias serán parte de la gran experencia que te proporcionó el exilio. Espero que hables de ellas.» Permitidme, pues, que haga un poco de historia personal.

Salí de Valencia, tierra que considero mi ciudad natal, un atardecer a fines de enero de 1939, hace ya más de medio siglo. La ciudad había sufrido frecuentes bombardeos y los avances de la tropas franquistas hacían imposible llegar a Barcelona por tierra y poder ir a París para reintegrarme a un trabajo que había desempeñado por unos meses en un Comité de Ayuda a la Juventud Española. Un barquito del servicio de guardacosta de carabineros, comandado por un vasco cuyo nombre escapa a mi memoria pero cuya faz nunca olvidaré, me aceptó como única pasajera para llevarme a Barcelona. Aunque me cedió el único camarote y me dijo que no saliera de él, le rogué que me dejara contemplar un rato las aguas de un mar que presentía estaba viendo por última vez en mucho tiempo. Recordaba que el novelista valenciano Vicente Blasco Ibáñez, muy popular en mis tiempos por su defensa en el exilio de los ideales republicanos, había escrito que «llegando a Valencia por mar, desde bastante lejos de sus costas, ya se podía sentir el perfume de sus flores». Para mí, huyendo de una Valencia en donde quedaban mis seres más queridos sujetos a bombardeos y persecución, y con el normal temor que me aprisionaba el corazón, y el oleaje que mecía el barquito, mi olfato no recibía tales aromas y el momento no era el más propicio para reparar en la Valencia de las flores sino en la Valencia martirizada que yo acababa de abandonar. En aquellos días, sin embargo —buen consuelo para nuestros sufrimientos y recurso amable para nuestras esperanzas— era corriente recitar poemas de nuestro Antonio Machado. Para mis adentros repetía:

> Sabe esperar, aguarda que la marea fluya
> —así en la costa un barco— sin que el partir te inquiete.
> Todo el que aguarda sabe que la victoria es suya;
> porque la vida es larga y el arte es un juguete.

Muchas veces he tenido que repetirme el verso de Machado «todo el que aguarda sabe que la victoria es suya», aunque confieso que la espera se hacía interminable...

Al llegar a Barcelona estaba amaneciendo y nos esperaba la visita de los aviones enemigos, cuya base estaba en las Baleares. Era la víspera de la caída de Barcelona. El capitán me tomó en sus brazos y me llevó a uno de los bloques de cemento colocados en el puerto como refugios. A él le debo la vida.

No voy a contarles cómo salí de Barcelona y consecuentemente de España para, meses después, ya declarada la segunda guerra mundial, dejar Francia, acompañada de mi madre y de mi esposo que había sufrido el campo de concentración, para llegar a tierras americanas, hace ahora cincuenta años.

En tierras americanas

Aunque nuestro visado no incluía la República dominicana, la posibilidad de un descanso en la tierra que descubrió Colón, después de una larga travesía de escasez, incertidumbre y peligro, nos aconsejó aceptar la invitación de un empleado de emigración para quedarnos en ese país. En París apenas había yo conocido la existencia del dictador Trujillo a no ser por una caricaturas publicadas en un periódico humorístico con motivo de su viaje a Francia el año 1939. El poético nombre Puerto Plata, lugar de nuestra llegada, era de buen augurio. Atrás quedaba España sometida a una cruel dictadura; en Francia, miles de compatriotas, amigos y compañeros de lucha en lo que pronto iba a convertirse en persecución nazi, pero nosotros... estábamos a salvo. Guiados por el egoísta y humano sentido de conservación, América nos ofrecía un porvenir incierto pero la esperanzadora visión de una vida de trabajo y libertad. Llegábamos derrotados pero con nuestros ideales más firmes que nunca.

Nuestro destino inicial era México y, pensando transitoria la estancia en la República dominicana, nos trasladamos a la capital para orientarnos antes de proseguir nuestro viaje. En el automóvil que nos llevó de Puerto Plata a la entonces Ciudad Trujillo —viaje que diezmó nuestros muy reducidos recursos económicos— hicimos amistad con un alto empleado de la Secretaría de Educación que, al conocer mi preparación en ese campo, me indicó que pasara a verle lo antes posible porque tenía la seguridad de que una persona con mi preparación iba a tener cabida en el sistema educativo del país. Así lo hice y, a los pocos días de nuestra llegada, fui nombrada profesora de la entonces Escuela Normal de Señoritas, donde tuve la fortuna de encontrar profesoras dominicanas que fueron, durante toda mi estancia en aquel país, mis más generosas y queridas amigas.

Unos meses después, con la colaboración de cuatro educadores españoles que buscaban trabajo como todos nosotros, pasé a formar parte de una sección técnica dependiente directamente del secretario de Educación. Su misión era estudiar el sistema educativo en vigor y aconsejar los cambios necesarios para mejorarlo. Como primera mujer exiliada trabajando para un organismo oficial, mi participación fue breve. Mi propuesta de creación de un Centro de Adaptación Social para los muchos niños repetidores de curso que asistían a la escuela presentando problemas que requerían asistencia especial, no tuvo buena acogida. El Jefe, como se nombraba a Trujillo en la República dominicana, no aprobó mi propuesta: «en su tierra no había niños anormales», fue su comentario. Decidí entonces dejar el cargo oficial y establecer un centro privado. Así nació el Instituto-Escuela.

El Instituto-Escuela

Con la ayuda de varias familias dominicanas y extranjeras y, sobre todo, con el entusiasmo de varios refugiados españoles, maestros como yo, se iniciaron las clases. Teníamos recientes las experiencias del Instituto-Escuela de Valencia y queríamos organizar un centro que, dentro de las limitaciones que imponía el régimen trujillista, formara estudiantes que pudieran adquirir una conciencia social basada en el conocimiento de otras formas de vida, una inteligencia con espíritu solidario pronta a la comprensión y al respeto a los derechos humanos y un cuerpo fortificado en los deportes. En resumen, esperábamos crear un centro educativo que iniciara una etapa de renovación pedagógica. En un medio en donde la historia estaba sometida a vanagloriar la vida y obra de Trujillo hubo que proceder con cautela. El Método Montessori en nuestro *kindergarten*, clases de educación rítmica, inglés, pintura y declamación se incluían en el programa. Un laboratorio de Ciencias y uno muy sencillo para selección del alumnado, junto con un taller para artes manuales integraban el material de que disponíamos para nuestra labor. Frecuentes visitas a lugares de interés histórico, entonces muchos de ellos en ruinas, ampliaban nuestros programas de historia.

Si el profesorado, digamos estable, fue importante para nuestra labor no lo fue menos la colaboración desinteresada de amigos exiliados. Mencionaré a Emilio Aparicio, director del Teatro-Escuela de Arte Nacional años más tarde, que tuvo a su cargo las clases de declamación y la organización de veladas artísticas y sencillas representaciones teatrales que organizábamos frecuentemente. Clases de pintura estaban a cargo del excelente pintor José Vela Zanetti; la primera exposición de dibujos infantiles por él organizada traspasó los límites de nuestra escuela. Margarita Fuerst, exiliada austriaca, fue nuestra profesora de danzas rítmicas...; pero lo que considero nuestro mayor éxito fue la creación del Teatro Guiñol.

Si en el desarrollo de nuestras actividades educativas siempre contamos con la ayuda de compatriotas exiliados, la puesta en práctica del Teatro Guiñol se debió enteramente a un grupo de ellos. Y muy principalmente a un matrimonio: Amparo Segarra y Eugenio Granell. Amparo vistió a los muñecos y formó parte de la improvisada compañía. Alfredo Matilla, abogado y crítico de arte, nos divirtió con las aventuras de su creación: *«La bruja Pirulí»*; Alberto Paz contribuyó con su romance *«Tristán e Iseo»*..., pero el alma del Guiñol, desde la preparación y decorado del escenario clásico a la adaptación de diálogos y entremeses cervantinos, se debió a Eugenio Granell. Artista por los cuatro costados, autor reconocido, músico, pintor de cosas fantásticas, surrealista en su obra y en su vida y, sobre todo, hombre de una actitud ética y moral ante la vida que le ha ganado el respeto y la amistad de cuantos hemos tenido la fortuna de llamarnos sus amigos, nos trajo, con el guiñol, el sentido del humor y la alegría de que tan necesitados estábamos, más los grandes que los chicos, en aquellos momentos.

Nos hubiera gustado llevar el Guiñol a los más apartados rincones de la República dominicana pero ello, por obvias razones, quedó solamente en proyecto.

Si hoy, pasado medio siglo, tuvieramos la oportunidad de crear una obra educativa basada en la filosofía de los que establecieron en España la Institución Libre de Enseñanza y consecuentemente el Instituto-Escuela, poco tendríamos que añadir a nuestro programa de este centro en la República dominica. Tendríamos, claro es, que ponernos al día en el campo científico. Los alumnos hablarían de las exploraciones espaciales, de los avances en medicina, de las técnicas tendientes al mejoramiento de la vida material y también de los cambios que se han originado en la naturaleza a causa de los elementos destructivos inventados por el hombre. Y todos los alumnos disfrutarían de un ordenador... Pero básicamente seguiríamos nuestra aspiración de formar seres humanos con sensibilidad para aportar su esfuerzo y capacidad de lucha contra la pobreza que azota al mundo, y seres con el corazón limpio para resistir al uso de las drogas y, finalmente, seres humanos con altos ideales semejantes a los que nos condujeron a nosotros, exiliados españoles a América, para defender el derecho a pensar libremente. Me cabe el orgullo de decir que, entre aquellos alumnos del Instituto-Escuela hay varios que supieron asimiliar nuestros postulados y son hoy día elementos muy valiosos en su país.

Mujeres ejemplares: María Ugarte

Mientras nos dedicábamos en cuerpo y alma a la dirección del Instituto-Escuela, otras compatriotas desarrollaban un espíritu de trabajo y adaptación a la vida del exilio digno de encomio. María Ugarte fue una de ellas. Desde su llegada a la República dominicana en el 1940 con una hija de corta edad, para reunirse con su esposo que la había precedido, pasó los primeros meses en una colonia agrícola donde otros exiliados se habían instalado buscando el sustento en la tierra, la mayoría sin haber sido campesinos en España. El calor abrasador y las enfermedades que les atacaron a ella y a su hijita no le impedían —según me contaba— «quedar absorta ante la naturaleza tropical y adormecerse al anochecer con los lejanos sonidos de los tambores de los sencillos campesinos vecinos». Buscando remedio a su situación y con la esperanza de poder usar sus conocimientos como licenciada en Ciencias Históricas por la Universidad de Madrid, decidió dejar la colonia agrícola y marchar a la entonces Ciudad Trujillo para buscar una salida a su situación. «Allí —me dice María— encontré ayuda y la gente más buena del mundo.» La ayuda llegó en la forma de trabajos diversos: en archivos para localizar documentos dispersos; preparación de trabajos para la celebración del Centenario de la República; Jefe de Archivos y Bibliotecas, clases de organización y funcionamiento de Archivos... Sufre María las presiones consideradas normales en el régimen trujillista y renuncia a sus cargos en varias ocasiones pero sale de nuevo adelante. Tiene la oportunidad de dejar el país, con excelentes auspicios para su futuro, pero decide quedarse y, en circunstancias inesperadas, se le presenta la ocasión de inciar otra carrera: la del periodismo. Aunque ya había colaborado con varios artículos en la prensa, ella, en una entrevista recientemente publicada en la República dominicana, relata así sus primeras experiencias:

Mi carrera periodística se inicia el año 48 en el Caribe. El jefe de redacción me ofreció un puesto en calidad de redactora y mi primera intervención consistió en cubrir un crimen pasional en el que dos mujeres de vida alegre se habían apuñalado por el amor de un hombre. Una escena horripilante que estuvo a punto de dar al traste con mi incipiente

185

carrera periodística. Me sobrepuse y escribí lo que hubiera podido convertirse en un argumento de un crimen pasional. Recuerdo que este incidente marcó profundamente el camino de mi nueva profesión en un campo limitado, en aquella entonces, solamente a los hombres.

Ya establecida en el campo periodístico María Ugarte trató de sacar del anonimato a jóvenes artistas, inició páginas escolares y, de un modo muy solapado, muy peligroso en aquellos tiempos, trató de dar paso a las aspiraciones y sentimientos de libertad y justicia de la juventud dominicana. Pero su verdadera vocación era la historia. A la defensa del patrimonio cultural-histórico dominicano ha dedicado parte de su vida. Sus escritos y, sobre todo, su obra *Monumentos coloniales* son una de las fuentes más importantes para conocer la riqueza histórica que encierra la República dominicana. Su labor, interés y amor hacia la tierra que le dio cobijo han sido reconocidos. Se le han otorgado premios como el Pellerano, Alfau, Caonabo de Oro; es miembro honorífico de la Universidad Henríquez Ureña y ha sido reconocida por los corresponsales de prensa extranjera. La limitación de esta ponencia me obliga a ser breve en los honores y trabajos de María Ugarte. En una de sus últimas cartas me dice: «Mi vida, como verás, no ha sido ni muy accidentada ni de mucha lucha». Vida ejemplar, diría yo, de una mujer que a su talento une la modestia, que nos enorgullece a los exiliados y que la coloca entre las más destacadas de nuestro exilio. Al ofrecer su capacidad intelectual y de trabajo y su amor a la tierra que un día, desamparados y transterrados, nos abrió sus puertas, María ha visto prosperar a su hija también en el campo periodístico, crecer nietos y biznietos en la nación que ya no tiene para ella raíces adventicias, sino que las tiene firmemente clavadas para hacerlas florecer por generaciones en este continente.

Otra mujer que considero es digna de ser mencionada es Antonia Blanco. Llegó a la República dominicana en compañía de su esposo y pronto dio a luz su primera hija. Después de una breve estancia en San Francisco de Macoris, la familia se trasladó a la capital en busca, como otros exiliados, de más amplio campo para sus actividades. Su esposo, Emilio Aparicio, que tenía experiencia como actor en España logró organizar el Teatro-Escuela de Arte Nacional, y ella ayudó y actuó siempre al lado de Emilio con gran éxito. El fallecimiento de su esposo, pocos años después, obligó a Antonia a hacerse cargo de las responsabilidades contraídas y enfrentarse sola a la educación de sus dos hijas.

El Teatro-Escuela se convierte en Teatro de Bellas Artes, donde Antonia continúa colaborando como profesora de declamación. Dirige, durante muchos años, un programa de radio y más tarde de televisión, contando con la colaboración de algunos miembros de la que fue compañía teatral organizada por su esposo. Inicia un programa dedicado a la mujer que pretende «ampliar la cultura de las amas de casa a tiempo que les permite un remanso de paz en la rutina diaria». Continúa dirigiendo cuadros de teatro y contribuye en la formación de muchos jóvenes artistas dominicanos. La medalla al Mérito, que se le ha otorgado recientemente, reconoce su participación en el mundo artístico-cultural que su esposo inició y que ella continuó por muchos años. Ya cerca su jubilación, y todavía activa como profesora en la Escuela de Arte Escénico de Bellas Artes, Antonia Blanco ofrece, con sus dos hijas dominicanas, el mejor testimonio de su feliz adaptación al mundo americano, y espera terminar su vida continuando siempre como observadora de la obra que inició su esposo y que ella trató de continuar con cariño y gratitud.

El hecho de haber hablado, dentro de los límites de esta ponencia, de mis experiencias personales, de una obra educativa a la que presté toda mi energía de juventud y de dos mujeres solamente a las que admiro enormemente, no me ha hecho olvidar lo esencial de mi intervención: rendir homenaje a la mujer exiliada que no habiendo participado activamente en cargos de responsabilidad durante la guerra civil, salió de España acompañando a algún familiar y que hizo posible con su abnegación y sacrificio, su valentía ante el infortunio y su voluntad para adaptarse a nuevas formas de vida con escasísimos medios económicos, que su padre, esposo, hijo, etc., realizaran una labor positiva y en muchos casos distinguida en el exilio, y algunos formaran una familia cuyos hijos han seguido representando los ideales que trajeron a sus familiares a este continente. Sirvan estas palabras de rendido homenaje a estas mujeres a las que rara vez se menciona en nuestras conferencias.

Las limitaciones de mi intervención me impiden mencionar a otras mujeres que también han desarrollado trabajos dignos de encomio, no solamente en la República dominicana sino en varios países de América y con quienes he mantenido, a través de los años, estrecho contacto. Pero al limitar mi intervención a mi vida en los primeros años de mi exilio en ese país y a la obra de dos mujeres que allí residen todavía, he pretendido también rendir un homenaje de gratitud al pueblo dominicano que, a pesar de las limitaciones y temores que imponía el régimen dictatorial, nos abrió las puertas de sus hogares y nos brindó su generosa amistad y cariño estableciendo con nosotros, republicanos derrotados y transterrados, lazos de amistad que todavía perduran.

Su recuerdo nos acompañará mientras vivamos.

EL EXILIO DESDE ESPAÑA

PARA QUE YO ME LLAME
ÁNGEL GONZÁLEZ

Gonzalo Sobejano

Para que yo me llame Ángel González,
para que mi ser pese sobre el suelo,
fue necesario un ancho espacio
y un largo tiempo:
hombres de todo mar y toda tierra,
fértiles vientres de mujer, y cuerpos
y más cuerpos, fundiéndose incesantes
en otro cuerpo nuevo.
Solsticios y equinoccios alumbraron
con su cambiante luz, su vario cielo,
el viaje milenario de mi carne
trepando por los siglos y los huesos.
De su pasaje lento y doloroso,
de su huida hasta el fin, sobreviviendo
naufragios, aferrándose
al último suspiro de los muertos,
yo no soy más que el resultado, el fruto,
lo que queda, podrido, entre los restos;
esto que veis aquí,
tan sólo esto:
un escombro tenaz, que se resiste
a su ruina, que lucha contra el viento,
que avanza por caminos que no llevan
a ningún sitio. El éxito

de todos los fracasos. La enloquecida
fuerza del desaliento...

Acabo de leer el primer poema del primer libro de Ángel González, nombre y apellido que aparecen en su primer verso, como arrojando a la nada cualquier disfraz. Ángel González se ve a sí mismo en este poema inicial como el resultado preciso de todo cuanto ha sido y, expresándose con una precisión que es la versión justa de un contenido experimentado por la conciencia como necesario, asume libremente, a prueba de fracaso y desaliento, la precisión, o sea, la necesidad de ser quien es y decir lo que dice.

En el prólogo a la edición de sus *Poemas*, de 1980, trazó Ángel González el historial de su poesía en forma tan lúcida que apenas le hallo parangón con Luis Cernuda. Confesaba allí «la emoción ante la palabra bien dicha, el gusto por la belleza y la precisión del lenguaje» y su intención de «clarificar el caos», «desvelar o denunciar las imperfecciones de la Historia« y «testimoniar el horror» en que se sentía inmerso, no porque creyera estos sus deberes, sino porque eran «condicionamientos» de una biografía «desproporcionadamente nutrida de elementos que pertenecían a la Historia con mayúscula, a la historia de todos». Admitía el autor el realismo que ello comporta, su inclinación a colocar el mensaje en el aquí y el ahora, un pesimismo de raíz biográfica, la coincidencia de testimonio personal y testimonio histórico, la constancia del recuerdo de la guerra civil, el recurso a la ironía distanciadora, la voluntad de hacer poesía «a partir de la experiencia de lo cotidiano». Todo ello tiene validez principalmente para sus primeros libros: *Áspero mundo, Sin esperanza con convencimiento, Grado elemental, Palabra sobre palabra, Tratado de urbanismo* (entre 1956 y 1967). Pero, aun en la que él mismo considera su segunda etapa, a partir de 1969, las cualidades que juzga más nuevas —apertura a lo imaginativo, acercamiento a temas intrascendentes como el de la música ligera, y la búsqueda de una expresión próxima a la canción— no impiden la persistencia característica de la verdad de su vida en sus textos, y así, cuando quiere ensayar esquemas (como en *Procedi-*

mientos narrativos, 1972, y en *Muestra de algunos proce-dimientos narrativos*, 1977), los esquemas traducen experiencias, o el tema americano, a consecuencia de sus viajes y de su instalación en el nuevo continente, surge a menudo en sus últimos textos. Y he aquí, en ese mismo prólogo de 1980, la profesión de fe de Ángel González: «aun sin ambiciones de transformar el mundo, con la más modesta pretensión de clarificarlo (o de confundirlo) o simplemente de nombrarlo (o de borrarlo), la poesía confirma o modifica nuestra percepción de las cosas, lo que equivale, en cierto modo, a confirmar o modificar las cosas mismas». Así pues, aunque las modalidades hayan ido cambiando y refinándose, la poesía de Ángel González fue siempre y sigue siendo un testimonio —poético, creativo— de la verdad por él vivida, como lo confirma su último título, *Prosemas o menos* (1983), con gran número de textos situados en lo necesario del presente, como fe de vida configurada en palabra precisa.

Como poeta elegíaco, Ángel González ha asimilado muy personalmente la lección entrañada en estos versos de Antonio Machado: «se canta lo que se pierde», «Ayer es nunca jamás». Como poeta crítico, la lección propuesta por Quevedo («No he de callar, por más que con el dedo, / Ya tocando la boca, o ya la frente, / Silencio avises, o amenaces miedo»), propuesta continuada por otros poetas muy admirados de Ángel: César Vallejo, Gabriel Celaya, Juan de Leceta, Blas de Otero.

Yo pienso que Ángel González es, entre los poetas españoles de este siglo, y particularmente entre los de su generación o grupo de 1950, aquel que mejor ha concordado la emoción lírica y la emoción crítica. Nacido en Oviedo en 1925, su existencia fue un perder y perder por largos años, quizá siempre. Ha ganado premios, ciertamente, desde el Adonais de 1956 por su primer libro hasta el Príncipe de Asturias, en 1985, por el conjunto de su labor. Pero el premio mejor de su carrera en la vida consiste en el perfeccionamiento de su don de cantar, y sonreír, y comprender desde el dolor.

Se va a hablar en estos días del exilio interior y del exilio exterior. Ángel González conoce uno y otro. Desde su niñez, ensombrecida por la orfandad paterna y las miserias de la posguerra, hasta su madurez, cuando entre 1972 y 1975 resuelve enseñar en Albuquerque en vez de seguir penando burocráticamente en Madrid, Ángel González experimenta el exilio interior, viviendo después otro exilio —fatal, vital, total y, por tanto, en el fondo, político—. Ángel era un niño en la guerra civil española, y a él, como a tantos otros «niños de la guerra», nadie nos decía «márchate; si no, teme por tu vida», pero todo nos invitaba mudamente a la salida y el alejamiento. Y ahora ya es tarde para volver. ¿Volver para morar unos pocos años en el arrabal de senectud?

Oigamos a Ángel González, que tendrá muchas cosas que decirnos del exilio de España y desde España.

EL EXILIO EN ESPAÑA Y DESDE ESPAÑA

Ángel González

Hace pocos días, cuando me replanteé a mí mismo el tema que me corresponde tratar en esta reunión —complejo, polémico y de momento interminable tema— decidí, tras no pocas vacilaciones, cerrar los ojos a lo que cuentan los libros y confiar el hilo de mi argumentación a lo que me dicen los recuerdos. Cincuenta años de vida, cincuenta años que empiezan ya a ser pasto de la avidez de los historiadores, son tal vez demasiados años para confiarlos a una actividad tan borrosa, tan poco fiable como es el ejercicio de la memoria. Pese a ser consciente de los riesgos del procedimiento, he preferido hablar de la feria tal como me fue en ella, sacrificando la objetividad a la sinceridad. Queden así justificados los defectos de mi intervención de hoy que, aunque muchos, pueden reducirse a uno: parcialidad. Parcialidad en el punto de vista; parcialidad en la evocación fragmentaria, muy incompleta, de una larga historia; parcialidad e incoherencia inevitables en un testigo incapaz de renunciar a su condición de parte.

Para hablar del exilio de España y desde España es imprescindible comenzar aludiendo al exilio dentro de España, a la peculiar forma de exilio que vivimos muchos españoles, aun sin traspasar las fronteras de nuestro propio país, a partir de 1939. No pretendo, por supuesto, atribuirme una condición, la de exiliado, que tanto respeto me merece y que en ningún modo me corresponde; pero sí quisiera señalar, junto a las diferencias innegables, los paralelismos y semejanzas que se dieron en los respectivos problemas y situaciones que tuvimos que afrontar todos los que sufrimos las consecuencias de la misma derrota, tanto los que se vieron obligados a abandonar su patria como los que no tuvimos la oportunidad de hacer lo mismo.

Me parece que, en las circunstancias que se dieron en España a partir de 1939, es legítimo hablar de exilio interior siempre que sepamos que estamos hablando en sentido figurado, aludiendo a una situación equiparable en ciertos aspectos al exilio; situación que, a mi modo de ver, debe referirse no a la actitud de voluntario apartamiento de la vida oficial y pública que algunas personas con loable sentido de la dignidad manifestaron durante la era franquista, sino a la involuntaria marginación en la que se vieron obligados a vivir, por la fuerza de una situación excepcional, cientos de miles, tal vez millones de españoles que no tuvieron la opción de abandonar un país extraño que rechazaban y los rechazaba. A mi modo de ver, para que se dé una situación de exilio el rechazo propio no basta; es necesario también sentirse rechazado, expulsado de la patria sin otra alternativa. Los exilios no son únicamente el resultado de un radical desacuerdo, sino de la violencia. Sin la violenta represión franquista el exilio republicano no se hubiese dado, al menos en las dimensiones que alcanzó.

En cualquier caso puede parecer que al hablar de exilio interior se están forzando demasiado los límites del idioma, pues exilio viene a ser sinónimo de destierro, y destierro implica el abandono forzado de la tierra propia. Las contradicciones inherentes al enunciado «exilio interior», expresión tantas veces aplicada a los republicanos atrapados en la España de Franco, pueden resolverse fácilmente si se tiene en cuenta que unos y otros, los que se fueron y los que nos quedamos, nos encontramos inesperadamente viviendo en una patria que no reconocíamos como nuestra. No importa que algunos hayan tenido que recorrer cientos o miles de kilómetros para alcanzar esa patria impuesta y extraña. Si, como yo creo, uno de los ingredientes del exilio es la extrañeza, la que yo sentí ante el país que me depararon los momentos finales de la guerra civil y los subsiguientes y largos años de posguerra no puede haber sido menor que la que debieron experimentar los viajeros del *Sinaia* o del *Winnipeg* cuando desembarcaron en las costas, para casi todos ellos hasta entonces inéditas y remotas, de América. La ciudad en ruinas que yo contemplaba en los años 1938 y 1939, cuando la paz de Franco ya había sido instaurada definitivamente en Oviedo, una ciudad ocupada por moros y legionarios, transitada por ciudadanos armados, rostros que habían sido familiares y se volvieron de pronto irreconocibles por su arrogancia y su dureza, en la que incluso mis hasta entonces amigos, niños como yo, me excluían de esas conversaciones y de sus juegos, no podía resultarme más ajena, menos mía, más extraña, en suma. Es cierto que no me habían expulsado de ella, pero de alguna manera me la habían arrebatado de un brusco tirón bajo mis propios pies. Una frontera invisible, el hondo foso del tiempo de la guerra, confinaba a aquella ciudad, al país entero, en una región remota e inalcanzable. La expresión «antes de la guerra» surgía con miles de motivos en todas las conversaciones, y para mí no señalaba únicamente a un tiempo pasado, sino a un territorio perdido, a tantas cosas desvanecidas y en ocasiones mitificadas por la nostalgia, la nostalgia del verdadero desterrado.

Por otra parte, si el signo del destierro es la extrañeza, también lo es la incertidumbre, y puedo asegurarles que la mía y la de los míos —y la de millones de españoles— no fue, dentro de España, menor que la de quienes fueron expulsados de ella.

Y a la extraña y la incertidumbre propias del desterrado hay que añadir las inevitables secuelas de pobreza y peligro, humillación y soledad, esperanza y desesperación, definidoras también de la vida de tantos españoles en España; he ahí sumariamente expuestas, algunas de las marcas que pueden apreciarse, con diferencias de matiz, en las dos caras de la misma realidad configurada por el conjunto de los derrotados en la guerra civil.

Aunque el telón de fondo haya sido muy diferente en uno y otro caso, si prescindimos del paisaje es fácil comprobar que tanto quienes se fueron como los que se quedaron tuvieron que sufrir las mismas y penosas peripecias cotidianas para sobrevivir: profesores convertidos en representantes de las más diversas mercaderías, abogados trabajando de contables, maestros haciendo labores de mecanografía... Mi memoria guarda abundantes ejemplos de todas esas servidumbres, que se dieron en España lo mismo que en México o en Chile o en cualquiera de los países que acogieron a los refugiados españoles.

La extrañeza íntima y la incertidumbre de estos exiliados en su patria estaba confirmada y magnificada por el comportamiento de los otros, los usurpadores del poder, que a su vez los contemplaban como un «cuerpo extraño» dentro del nuevo orden que acababan de instaurar. Una serie de disposiciones administrativo-policiacas, como la necesidad de obtener un salvoconducto para traspasar los límites del término municipal, o la exigencia de toda una batería de certificados —de adhesión al Movimiento, de buena conducta religiosa y moral, de carencia de antecedentes penales...— imprescindibles para optar a los más modestos empleos, estaba especialmente diseñada para marginar, intimidar y reconocer a los sospechosos de disidencia. Todas esas medidas equivalían en conjunto a un riguroso código para registro y control de «extranjeros». La extrañeza no era, pues, producto tan sólo de la imaginación o del sentimiento de aquellos españoles, sino también el resultado de vivir sometido a un auténtico régimen de extrañamiento.

Si hacemos un balance comparativo de agravios, todavía la situación de esos «exiliados interiores» podía ser vista por algunos, por raro que hoy parezca, como un privilegio dentro de la España de posguerra. Porque junto a ellos o, mejor dicho, dramáticamente separados de ellos, estaban los presos políticos, eufemismo para nombrar a los prisioneros de guerra, condenados —¡tantos a muerte!— casi siempre por delitos de paz. Y también debemos tener en cuenta a los literalmente desterrados: los confinados a lugares remotos por decisión inapelable de un gobernador civil, los funcionarios destinados con carácter forzoso fuera de su provincia tras haber sido «rehabilitados» por las juntas depuradoras que limpiaron escrupulosamente de heterodoxos los escalafones de todos los cuerpos del Estado, sin olvidar a los llamados «emboscados» por sus celosos perseguidores, forzados a abandonar su habitual residencia para borrar en un pretendido anonimato el peligroso rastro de su pasado republicano. Si muchos españoles de los años cuarenta eran, por todo lo expuesto, merecedores del título de expatriados, nunca se les podría atribuir, en cambio, la condición de «refugiados». Años después de finalizada la guerra seguían atrapados en la zona más negra y peligrosa de la boca del lobo.

Quizá algunos piensen que el panorama desolador de la España de posguerra que tan sumariamente acabo de trazar es demasiado obvio y consabido. Pero, al cabo de cincuenta años, no creo que estos ejercicios memorísticos sean del todo ociosos especialmente ahora, cuando España, casi toda España, parece gozosamente abandonada a las delicias de una irresponsable amnesia respecto a los más trágicos episodios de su historia reciente. La pérdida o el abandono de la memoria suelen cumplir efectos sedantes y confortadores, pero pueden derivar en malas consecuencias. En cualquier caso, lo que ante todo pretendo destacar aquí es la semejanza de ciertas situaciones que se produjeron fuera y dentro de España, situaciones que justifican el uso de la expresión «exilio interior», no tan metafórica como a primera vista parece ni sólo limitada, como creen algunos, al ámbito de la actuación —o de la pasividad— en el terreno de la cultura y en otras variedades de la vida pública.

Por supuesto, también está el problema de la cultura, aunque sería más justo decir que *después* está el problema de la cultura. Y pongo énfasis en el adverbio «después» porque creo, con Elías Díaz, que «la vida es lo primero y lo más importante; por recordar a los intelectuales (muertos o exiliados) no debe olvidarse ni posponerse a los otros cientos de miles de exiliados y muertos sin nombre, sin renombre al menos» (*Pensamiento español 1939-1947*, Madrid, Cuadernos para el diálogo, 1974, p. 20).

Se trata de algo igualmente consabido, pero de obligada referencia: la guerra civil o, más exactamente, la toma del poder por el general Franco, tuvo efectos asoladores en la cultura española. Durante el primer tercio del siglo xx España había logrado realizar al fin una vieja aspiración que se remontaba a los albores del siglo xviii integrarse en la cultura europea. Y esa integración se produjo de modo brillantísimo; baste recordar los nombres de Picasso, de Falla, de Buñuel, de Juan Ramón Jiménez (todos ellos exiliados, por cierto), y de otros poetas integrados en la llamada Generación del 27 para advertir que, en muchos aspectos, España, la España anterior a la guerra civil, ocupaba posiciones de vanguardia o privilegio respecto a Europa. El impulso espiritual que produjo ese extraordinario momento sobrevivió pese a todo lo que vino después, pero sus efectos no llegaron o tardarían en llegar a la España franquista. La ausencia, por muerte o destierro, de las más brillantes personalidades del arte, de la literatura, del pensamiento y de la ciencia, convirtió al país, como tantas veces se ha repetido, en un páramo cultural. En el terreno de la cultura, el exilio nos dejó sumidos a los españoles del interior en el más absoluto desamparo. Tenía razón León Felipe: con los desterrados se había ido la canción, entendida esa palabra en un sentido amplísimo, como la energía producida por la vibración del espíritu y la inteligencia libres. Y lo peor es que ese vacío que abrió en la vida española la ausencia física de los intelectuales desterrados fue ahondado y magnificado por el celo censorio que presidió la política «cultural» del nuevo régimen. Los nuevos usufructuarios del poder proscribieron también con carácter retroactivo esa cultura desterrada —es decir, la cultura—, mutilaron y falsearon el pasado para justificarse a sí mismos y legitimar su obra devastadora. Durante los primeros momentos de la posguerra no sólo se prohibió la edición y circulación de determinados libros, de tantos libros imprescindibles, sino que se decretó la destrucción de otros muchos. Purgas en bibliotecas, librerías y fondos editoriales; reescritura de la historia a imagen y conveniencia de la Dictadura; exaltación de lo ínfimo e ignorancia, cuando no desprestigio, de lo ilustre; falsificación y censura. No es difícil imaginar los resultados demoledores del empleo a fondo de tales instrumentos represivos, que a veces podrían ser vistos como grotescos si no estuviesen tan entrañados en la tragedia. José María Pemán era el gran poeta en aquel país que caminaba *por el Imperio hacia Dios*. Los nombres de Picasso y Chaplin no podían ser pronunciados. Antonio Machado fue expulsado del cuerpo de profesores de Segunda Enseñanza después de muerto. Parece mentira —a veces me siento inclinado a pensar que fue mentira—, pero la memoria no me engaña: fue así. Ahora es imposible visitar aquellas raquíticas bibliotecas y librerías expurgadas, que debían haber sido conservadas en tal estado como piezas impagables de un hipotético museo de la barbarie, pero sí es posible consultar algunos libros ejemplares, como cierto manual de literatura española firmado por Gonzalo Torrente Ballester, que dan noticia del alcance y de la intenciones de aquella operación «cultural».

Claro está que una situación de tan extremo rigor no pudo ser mantenida más allá de ciertos límites temporales —aunque por demasiados años se sostuvo—. El fin de la segunda guerra mundial repercutió en todos los órdenes de la vida y de la política españolas, recortando visiblemente la arrogancia y las alas del águila imperial. Inevitablemente, en el espeso muro que nos aislaba de la realidad se iban abriendo grietas que permitían entrever el panorama proscrito. Y esas grietas se produjeron en gran parte por puro deterioro de los endebles, insostenibles materiales que conformaban aquel fortín de falsedades, y en parte por el esfuerzo de quienes se negaban a aceptarlas.

Y aquí quiero hacer una puntualización tal vez lateral, pero importante. Me negué siempre a aceptar que el inicio de la apertura fuese obra de los responsables de la cerrazón. Escuché muchas veces, antes y ahora, que la revista falangista *Escorial* respondía al intento de renaudar los hilos de una tradición cultural brutalmente deshecha. El homenaje capitular de sus fundadores a una obra de Felipe II hace ya sospechosa semejante empresa. En el mismo sentido, y por ejemplo, la famosa «recuperación» de Antonio Machado por parte de Dionisio Ridruejo no fue sino una tentativa de cambiar de lugar, en aquella España escindida claramente en dos mitades, a un nombre que el antólogo-censor sabía prestigioso e imprescindible, de recortar su obra y falsear su pensamiento para que cupiera dentro de los estrechos límites del quicio que permitía el acceso al Régimen. Antes que de una reivindicación, se trataba de una usurpación llevada a cabo sin ningún respeto por lo que era la obra y había sido la vida —y la muerte— del poeta y del hombre. Aquellos liberales de camisa azul tenían que saber que su intentona seudoaperturista nunca iba a alterar la brutal naturaleza de la Dictadura. Por esa razón, aunque pude suponerles mala conciencia, tampoco dudé, ni entonces ni ahora, de su mala fe. Toda la cultura, toda la literatura a ellos debida en los primeros años de posguerra tenía como objetivo el disimulo, la ocultación, igual que sus maniobras de recuperación de parte del pasado respondían el deseo de apuntalar lo insostenible. El sistema no hubiera permitido nunca otra cosa. Desde dentro del sistema, lo único que pudieron hacer los primeros en acusar síntomas de inconformismo o, mejor dicho, de desengaño, fue aferrarse exasperada y tercamente a sus viejas convicciones: marcharse de España para combatir en la División Azul, por ejemplo, o para servir de embajador ante la Santa Sede. Lo cual no reparaba nada, probablemente ni siquiera la mala conciencia de aquellos desertores hacia adelante —es decir, hacia atrás.

En realidad, durante los penosos años de posguerra no se trataba tanto de reanudar los vínculos con una tradición rota —de eso se encargaría el tiempo— como de crear, *allí y entonces*, una cultura diferente, o mejor aún disidente respecto a la cultura oficial. Y esa cultura distinta hay que apuntarla en el haber de los «exiliados interiores», cuando en un momento determinado se sintieron con fuerza para pasar del extrañamiento y la forzosa pasividad a la resistencia y a la oposición.

La naciente contracultura utilizó a la literatura como

caballo de Troya para poner de manifiesto las disidencias, primero, y el inconformismo y la resistencia, después. En 1947 se editaron dos libros de poemas en los que yo veo la iniciación de ese proceso, insinuado ya por Eugenio de Nora desde las páginas de la revista leonesa *Espadaña*; me estoy refiriendo a *Alegría*, de José Hierro, entonces un joven poeta recién salido de la cárcel, y a *Tranquilamente hablando*, de Gabriel Celaya, autor de obras editadas antes de 1936 que había guardado un significativo silencio tras la guerra civil. Son libros que, como antecedentes o incluso ya como primeras muestras de una literatura inconformista, me parecen de mayor trascendencia que otros más llamativos y aireados en su día, como *La familia de Pascual Duarte*, de Cela, e *Hijos de la ira*, de Dámaso Alonso. Cuando publicó su primera novela, Cela estaba todavía integrado en el Régimen, aunque no tardaría en ser considerado réprobo. Por su parte, el libro de Dámaso Alonso —quien también, más o menos pasivamente, estaba dentro del sistema y nunca dejaría de estarlo— era un poemario básicamente religioso en el que su autor clamaba al cielo por la miseria del mundo. En cualquier caso, presentar un mundo miserable frente a la versión heroica que ofrecían con unanimidad los integrantes de Juventud Creadora y demás poetas garcilasistas, no dejaba de tener interés.

Todo eso preparó el camino para que en los años cincuenta las cosas fueran muy distintas. Los cambios que se advierten en aquella década permiten hablar de un renacimiento de la literatura y, sobre todo, de la afirmación de una literatura disidente, crítica. En 1958, ante un libro de Ángela Figuera, León Felipe se sintió obligado a rectificar: «Nosotros —dijo— no nos llevamos la canción, la canción de la tierra, la canción que nace con la tierra... Vosotros os quedasteis con todo, con la tierra y la canción».

Creo que León Felipe confundía algunas cosas. Porque sigo pensando que la canción se había ido efectivamente con ellos, los en verdad desterrados, y que la que acabó rebrotando años después en España no era aquélla, tan inalcanzable por mal conocida, sino otra, aunque fuese vástago milagroso de la misma canción. Sé que no es posible crear algo a partir de la nada, pero aquello era un producto surgido casi desde la nada, obra en lo fundamental de los que habían vivido la guerra en la adolescencia o en la infancia, educados por tanto en la incomunicación y el aislamiento que —con pocas excepciones— tenían noticia muy incompleta y deformada de lo que habían sido las cosas en España antes de 1936 y de lo que estaba ocurriendo en el ancho mundo. Sabían, en cambio, mucho de la guerra y de las subsiguientes servidumbres. Sólo cuando sus vivencias se transformaron en conciencia, y la conciencia comenzó a manifestarse —es decir, a publicarse—, puede decirse que el exilio interior había terminado. La tierra no era todavía de ellos, como creía León Felipe, pero en muchos aspectos empezaban a sentirla, a asumirla y a rechazarla como suya.

Dejemos la evolución de la España de posguerra en ese punto para entrar en el tema del exilio propiamente dicho, para tratar de ver su significado sobre el fondo sombrío del país que acabo muy desordenadamente de evocar.

En principio, el exilio fue para nosotros, para los que no tuvimos otra opción que la de quedarnos en España, la huella de una enorme ausencia; un vacío que se advertía primero, dolorosamente, en muchos hogares, y más tarde, cuando despertamos a realidades menos urgentes e inmediatas, en todas las manifestaciones de la vida cultural y pública; en ese aspecto, aquel vacío llegó a ser la medida justa, ni más ni menos, de todo lo que carecíamos, de todo lo que constantemente echábamos en falta en las universidades, en los periódicos, en las bibliotecas. Ese vacío era también el lugar de nuestras esperanzas, de las más heterogéneas esperanzas centradas a veces en cosas aparentemente mínimas: un paquete postal conteniendo algunos kilos de azúcar o café, pequeñas cosas que en efecto llegaban, y otras que no llegaron nunca, como la carta de reclamación que yo creía adivinar siempre dentro de cada uno de aquellos sobres que de tarde en tarde recibíamos en casa desde tan lejos. Pero por encima de todas ellas estaba la gran esparanza, relacionada con la previsible y ya inminente victoria de los ejércitos aliados: que por obra de la diplomacia y de la justicia las naciones democráticas del mundo le devolviesen el poder al Gobierno que, aunque fuera de España, representaba la legitimitad. Evidentemente, que aquel Gobierno existiese significaba que nuestras esperanzas tenían fundamento: para eso, sin duda, había sido constituido. Y así era, en efecto, pero todos, los españoles de dentro igual que los de fuera, desconocimos u olvidamos el triste papel que la diplomacia había jugado en nuestra suerte.

Más tarde, con esa esperanza ya desvanecida, el exilio siguió siendo una imprescindible referencia, era la prueba de nuestra razón, confirmaba nuestra fuerza moral. Tuvimos durante algún tiempo una idea un tanto vaga e incompleta de todo lo que el exilio significaba, pero sabíamos que Picasso estaba pintando en Francia, que Alberti seguía escribiendo poemas en algún lugar de la Argentina, que Pedro Salinas y Juan Ramón Jiménez... Eso bastaba. Sentirnos acompañados por los mejores en los dominios de la inteligencia y de la cultura nos producía un indefinible e ingenuo consuelo, una íntima convicción de superioridad. También de seguridad frente al futuro, aunque entonces el futuro se presentase más lejano: la España que nosotros habíamos perdido sobrevivía en ellos. Y, para decirlo según el título de una conocida novela, un día volverían.

No imaginábamos todavía que quienes iban a volver eran ciertos personajes como José Ortega y Gasset y Ramón Pérez de Ayala. Y si los llamo «personajes» no es en atención a su obra literaria, que los hace acreedores del título de personalidades, sino porque sus implicaciones en la guerra civil los convirtieron para mí en eso: en personajes. Que Pérez de Ayala regresara a España para publicar en la tercera de *ABC* —¡de aquel *ABC*!— ilegibles glosas al Viejo Testamento, o que Ortega y Gasset volviera para disertar sobre el hombre y la gente, aunque para algunos especialistas fuese un acontecimiento muy importante, a mí no tenía más remedio que parecerme, ya que no indigno, al menos inoportuno. Esos regresos bajo tolerancia le conferían al Régimen una apariencia de liberalidad que estaba muy lejos de tener, y que en realidad nunca tuvo. No era ese regreso claudicante el que esperábamos de los exiliados. Por fortuna para quienes tantas esperanzas poníamos en ellos, hubo otros que volvieron con actitudes muy diferentes. El caso ejemplar de los que entraron clandestinamente en España para integrarse en la guerrilla, o el sonado regreso de José Bergamín, me excusan de citar una extensa nómina.

Como puede apreciarse, mi desdén por todo y por todos los que tuvieran implicaciones con el Régimen era absoluto; un desdén generalizado en los sectores (amplios sectores) afines. Yo no estaba dispuesto, por ejemplo, a conceder ningún valor a la obra de poetas como Leopoldo Panero y Luis Rosales. Incluso traté de no leerlos, en la medida de lo posible, durante los años en los que parecían dotados del don de la omnipresencia. Recuerdo que la vez que, no sé por qué azar, cayó en mis manos un ejemplar de *La casa encendida*, me llevé un gran disgusto; resulta que el libro me gustó. Insisto en que esa actitud de desdén y desconocimiento de todo lo que procediese del campo de los vencedores no era sólo mía. Hace no mucho tiempo, Carlos Barral se expresó del mismo modo en una intervención pública que tuve la oportunidad de presenciar. Pecamos tal vez de injustos, pero no voy a arrepentirme ahora. La «Ley del asentimiento» formulada por Carlos Bousoño justifica y atenúa mi arbitrariedad partidista: en aquellos años tan duros me era difícil asentir ante obras informadas, aunque fuese desde muy lejos, por principios inaceptables éticamente, por grande que fuera su «fermosa cobertura».

En consecuencia, dentro de España no nos era posible encontrar los modelos literarios que necesitábamos, prescindiendo, en el caso de los poetas, de algunos ejemplos que habían salido, por así decirlo, de nuestras propias filas. (Me anticipo a una probable objeción: Vicente Aleixandre representó en muchos aspectos el papel de padre y consejero de casi todos, pero para muy pocos fue modelo en un sentido estrictamente textual; a partir de *Historia del corazón* es él quien atemperó su paso al de los poetas más jóvenes.)

Aquí habría que hacer algunas distinciones. La novela y la poesía no tenían que superar los mismos problemas. Los modos y modas de la narrativa son fácilmente traducibles, pero para los poetas, tan dependientes de la tradición de su propia lengua, el problema de encontrar apoyaturas en el pasado era especialmente grave. Para no quedarnos en el anacronismo, los poetas de mi generación —la más desamparada y desconcertada entre todas las de la posguerra— necesitábamos tomar contacto con una tradición más amplia. Y esa tradición estaba en la zona proscrita del exilio, era patrimonio del exilio.

Disponíamos de antecedentes relativamente remotos y asequibles, como Antonio Machado y Juan Ramón Jiménez. Contábamos también con el ejemplo de los primeros poetas de posguerra —Celaya, Nora, Hierro, Blas de Otero—, con los que coincidíamos en muchas cosas y discrepábamos en otras. Completar el mapa de la Generación del 27, de la que yo tuve noticia fragmentaria y muy insuficiente por la antología *Poesía española contemporánea* preparada por Gerardo Diego, fue una tarea trabajosa y larga que acompañó e iluminó nuestros primeros pasos en la escritura. Cuando esa operación estuvo más o menos concluida, a mediados o finales de los años cincuenta, había motivos para decir que la vieja canción, la canción que se había ido con los desterrados, había vuelto a su tierra.

Aunque sólo en cierta y limitada medida. Porque si conseguimos saber del exilio lo que más perentoriamente necesitábamos, no llegamos nunca a tener una idea ni siquiera aproximada de todo lo que el exilio podía aportarnos, de lo que el exilio significaba en toda su riqueza y complejidad. Todavía en 1962, el libro fundamental de José Ramón Marra-López *Narrativa española fuera de España* produjo el asombro de los grandes descubrimientos. Es muy de lamentar que su estudio y antología de la poesía en el destierro haya sido prohibido por la censura cuando ya estaba en galeradas. Entonces daría a conocer muchas cosas ignoradas todavía hoy.

Si antes era explicable, ahora esa ignorancia es incomprensible y triste; prolonga el exilio, lo actualiza, referido no ya a los hombres, sino a sus obras. Aunque sería injusto ignorar todo lo hecho para reparar el vacío que el exilio dejó en nuestra reciente historia, ese vacío se sigue advirtiendo.

La reivindicación de alguna de la grandes figuras del destierro, como Luis Cernuda, cuya influencia caló hasta los huesos a no pocos poetas de los últimos años, y las ediciones y homenajes dedicados a la obra de Alberti o Juan Gil Albert, y más recientemente a María Zambrano, para citar sólo algunas de las más aireadas «recuperaciones», fueron acontecimientos deslumbrantes y justos, pero a todas luces insuficientes. Peor aún; temo que, en un momento como el actual, cuando el éxito entendido en sus más vulgares acepciones —el éxito de ventas, por ejemplo— es la medida del mérito, esos «deslumbramientos» resulten cegadores y dificulten la contemplación de todo lo mucho que detrás de ellos y en torno a ellos había y sigue habiendo. Por supuesto, pueden citarse bastantes más nombres del exilio —desde Max Aub a Manuel Andújar, pasando por Ramón J. Sender, Francisco Ayala y tantos otros— que acabaron ocupando un sitio en la literatura española. No todos con la misma justicia e igual fortuna. Y lo que es especialmente lamentable: no todos.

No creo que este irritante desconocimiento deba atribuirse a falta de generosidad. La causa habrá que achacarla más bien a una elemental carencia de curiosidad y a un exceso de autosuficiencia, combinadas con la variante del provincianismo que revela el inmoderado afán de atenerse a los dictados de la moda y a un insensato deseo de olvidar o borrar el pasado. Sean cuales fueren las causas, el hecho es que los españoles, demasiado ensimismados primero en sus luchas y problemas internos, y ahora demasiado autocomplacidos ante su recién estrenada «posmodernidad», no parecen demostrar mucha urgencia en asumir en su totalidad el importante legado literario y cultural del exilio. Creen conocer las líneas maestras del conjunto pero ignoran los detalles que, como en la arquitectura gótica, contienen tesoros de información y de belleza.

Hasta que esas deficiencias no se remedien no será posible hablar del fin del exilio, un tema que, si al comienzo de mi intervención califiqué de polémico e interminable, es porque lo juzgo inacabado. Son muchas las cosas expulsadas de España en 1939 que, al cabo de cincuenta años, aún siguen fuera de España. Tendremos que resignarnos, pues, a seguir hablando del exilio por lo menos hasta que pase de verdad a la historia, hasta que se integre, completo, en nuestra historia, que ojalá sea antes de que el Tiempo nos quite la palabra de la boca a los que lo hemos padecido, unos en su amarga realidad, y otros a distancia —tal es mi caso—, en sus desoladoras consecuencias.

LA POESÍA DESDE
EL TRANSTIERRO DE MÉXICO

LA CALZADA DE LOS POETAS:
UN PASEO LÍRICO
POR LA CIUDAD DE MÉXICO

Manuel Durán

«La calzada de los poetas» existe en el mundo real, y es una avenida —quizá más bien un sendero— que rodea árboles y arbustos en el parque de Chapultepec, en la ciudad de México. Existe en mi mente otra avenida, otro sendero, con el mismo nombre, inspirado por este mismo nombre. Mi avenida es un camino subjetivo, por el que cada sábado y cada domingo paseaba por la ciudad de México para visitar a algunos de los poetas españoles que el exilio había llevado a esa ciudad después del desastre de la guerra civil.

Yo había llegado a la misma ciudad por las mismas razones morales y políticas, aunque no en forma tan claramente autónoma, ya que cuando la guerra empezó yo tenía apenas diez años, y el exilio de mi familia me había llevado a México, después de pasar por Francia, y toda la variedad desconcertante y la deslumbrante belleza de la nueva ciudad y el país nuevo no podía separarme de los lazos que me unían con los que consideraba parte de mi cultura. Los poetas, me decía, era los únicos que no habían fracasado del todo en aquella amarga aventura de la guerra civil. Ellos, y un puñado de soldados heroicos. Los poetas representaban a la vez la tradición y el futuro. Para un adolescente en la ciudad de México en aquellos años, a partir del año para mí esencial de mi llegada a México, 1942, y sobre todo para alguien que como yo sentía una honda vocación literaria, ponerse en contacto con los poetas del exilio era una necesidad ineludible. A los diecisiete años mi llegada a México me revelaba un mundo nuevo, una sociedad a la vez atractiva y casi indescifrable, pero, sobre todo, la libertad de conectar el pasado y el presente. Los poetas españoles en el exilio mexicano eran a la vez bandera, áncora, y brújula. Y acercarme a ellos resultó increíblemente fácil.

Uno de estos poetas, Emilio Prados, vivía en la calle de Lerma, a la vuelta de la esquina de mi casa en Melchor Ocampo. Nos conocimos por casualidad en una tienda; nos delató, nos unió, nuestro acento, todavía el acento español en la ciudad de México, en que todos hablaban de forma más suave. Yo, apenas acabado el bachillerato, me disponía a entrar en la Facultad de Filosofía y Letras, y empezaba a escribir poesía. Poco más tarde mi proyecto —una tesis sobre el surrealismo en la poesía española— me llevaría a muchos de estos poetas para preguntarles cómo, de qué manera, la vanguardia, y concretamente el surrealismo, había influido en su obra y su concepción del acto poético. Pero todo esto llegaría más tarde. Lo urgente y esencial era establecer el contacto.

En casa de Prados conocí a otros jóvenes de mi edad que llegaban —también por los mismos motivos— a ponerse en contacto con los poetas desterrados. Eran ellos, igualmente, parte de este vasto movimiento, de esta ola del exilio. Entre otros, Carlos Blanco Aguinaga, que ha escrito mucho sobre Prados, que ha publicado la mejor bibliografía sobre Prados, y cuya vocación poética, fuerte, indudable, ha quedado en parte supeditada a sus muy importantes artículos y libros de crítica literaria. Y, también, Tomás Segovia, cuya trayectoria poética, y crítica, ha producido obras que son hoy conocidas y apreciadas en muchos países. Y también Jomi García Ascot, cuyo gran talento se expresaba en su conversación quizá más que en sus textos. Y muchos otros.[1]

Emilio Prados —mirada profunda casi oculta bajo los gruesos lentes, amplia sonrisa, palabra lenta que a veces la nostalgia dejaba suspensa en el aire, con la frase a medio acabar— nos hablaba de su infancia, de su vocación poética, de sus amigos: Altolaguirre, García Lorca, Aleixandre, tantos otros. Era para nosotros la revelación humana de la presencia viva de la Generación del 27, perdida para nosotros junto con la España que también se nos había perdido.

El paseo podía continuar de la calle de Lerman a la de Varsovia —cinco minutos—, en la que vivían Juan José Domenchina y Ernestina de Champourcin. Domenchina nos hablaba de su amistad con Juan Ramón Jiménez, de sus tertulias en Madrid, de sus colaboraciones críticas en *El Sol,* y también de lo último que se publicaba en España: como era antólogo, todos los poetas, viejos y jóvenes le enviaban sus últimos libros con la esperanza declarada o no, de que incluyera algún poema en su próxima antología. Ernestina se refugiaba en una poesía mística que le permitía cambiar su destierro en sala de espera para el paraíso. En el fondo ambos seguían viviendo en Madrid, y el encontrarse ahora en la ciudad de México les producía una extrañeza que esperaban —esperábamos todos aquellos primeros años de destierro— el regreso a España no tardaría en curar.

Pero había que seguir: a lo largo de la Reforma, hacia la avenida Juárez, el Café Sorrento, y la conversación —a menudo soliloquio— de León Felipe. Calva, barba primero oscura y después gris, bastón. Voz profunda y bien timbrada, llena de efectos dramáticos. León Felipe, siempre grandilocuente y teatral, nos impresionaba: nos llenábamos de respeto al comprender que su voz era quizá la más clara expresión de nuestro destierro, que decía —mejor que nadie— lo que nosotros pensábamos y queríamos decir. Al situar nuestro destierro dentro de un marco más amplio nos hacía sentirnos parte de la tragedia universal del hombre en marcha hacia un destino que no conoce ni entiende, rodeado de espacios infinitos y silenciosos.

Quizá Baudelaire tenía razón cuando en su célebre soneto al álbatros explica que el ave, cuyo reino es el vasto espacio, se convierte en animal torpe al ser capturado por los marineros y verse obligado a caminar por el puente de un barco; lo mismo ocurre con el poeta, cuyos vastos espacios imaginarios se ven de pronto limitados por las necesidades prácticas de la vida cotidiana; es incomprendido por la sociedad, y se siente como desterrado:

> *exilé sur la terre, au milieu des huées,*
> *ses ailes de géant l'empêchent de marcher.*

El poeta en el exilio es, pues, dos veces desterrado, lo es como ciudadano y también como poeta.

* * *

Especialmente difícil y angustioso es el caso de los poetas catalanes —Agustí Bartra, Josep Carner, entre otros— que conocí en la ciudad de México. Escribían en una lengua que la mayor parte de la población que les rodeaba, incluso los exiliados republicanos, no entendía. Y en su patria la opresión franquista había decidido convertir el catalán en una lengua muerta, totalmente prohibida y excluida de cualquier actividad pública. Se sentían por ello abrumados por la responsabilidad de continuar una tradición cultural, una lengua y una literatura, al borde de la extinción total.

Y sin embargo esta casi inevitable actitud de pesimismo y angustia se desvanecía cuando oíamos hablar a Josep Carner. Era, ante todo, una inmediata presencia humana llena de alegría, esperanza y optimismo, todo ello acompañado de unas gotas de ironía. Nos hablaba de una continuidad histórica y cultural, nos incitaba a creer en nosotros mismos y en el futuro. Era, indiscutiblemente, un inspirador, un líder poético e intelectual, carismático, sin excesos emocionales o irracionales. No podíamos pedir más. Que fuera, también, uno de los mejores poetas que Cataluña —y España— ha producido en nuestro siglo se nos ofrecía como un regalo suplementario, casi inesperado.

Mi contacto con Carner, y también, sobre todo, con Agustí Bartra, más joven, a quien conocí mejor y que llegó a ser gran amigo, me hizo volver a creer en el futuro de las letras catalanas. Nos reuníamos en un modesto café de la ciudad de México. Nuestras conversaciones —por mi parte creo que no debería llamarlas así: yo escuchaba el 95 por ciento del tiempo— tenían lugar en momentos históricos graves. No, desde luego, en la ciudad de México. Sí en lugares remotos, pero de los que nos llegaban noticias. Sí en Estalingrado. (Todavía recuerdo la «Oda a Estalingrado» que Neruda escribió entonces y que sus amigos pegaron por las paredes como cartel poético.) Sí en Auschwitz. Sí en Mauthausen (donde murieron tantos exiliados españoles). No era momentos de optimismo, sino de tensión trágica y épica. De todo ello eran conscientes Carner y Bartra. Su innato optimismo se teñía a veces de ironía trágica, de momentánea tristeza.

* * *

A Luis Cernuda y Manuel Altolaguirre los conocí en casa de Emilio Prados, de quien eran viejos amigos, sobre todo Altolaguirre, que en Málaga había publicado con Prados la revista *Litoral*. Altolaguirre llegaba de Cuba, donde se había establecido como impresor pero donde no se sentía del todo a gusto, a pesar de que su esposa era cubana. En México Altolaguirre siguió escribiendo poesía (*Las islas invitadas* es quizá su mejor libro de poemas y lo escribió en esta época) pero cada vez se sentía más atraído por el cine. Nos contaba anécdotas de su infancia en Málaga, su amistad con Aleixandre, su época de La Habana, y del mundillo de los estudios de cine en el que iba abriéndose paso. Nos hablaba de un gran director español, que conocíamos vagamente de nombre sin haber visto ninguna de sus obras, Luis Buñuel. Altolaguirre —juvenil, alegre, entusiasta, optimista— nos aseguraba que la película que iba a hacer con Buñuel (él, Altolaguirre, sería el productor, y Buñuel el director) iba a ser una gran película, trágica y cruel como la vida misma, con secuencias oníricas de gran belleza. Y no exageraba: la película se titulaba *Los olvidados*.

Luis Cernuda llegó de repente a casa de Prados, sin avisar. Residía en Estados Unidos (y allí tendría la ocasión de volver a verlo repetidas veces). La primera vez que hablé con él me decepcionó. No quiso hablar de poesía, ni de literatura en general, ni de recuerdos u opiniones personales. Parecían interesarle temas frívolos: las corbatas, las camisas, la moda en general. Tardé algún tiempo en darme cuenta de que aquellos temas pocos serios le ayudaban a construirse una máscara, una defensa ante quienes lo conocían poco. El verdadero Cernuda era un hombre a la defensiva, herido por experiencias amargas, con un agudo sentimiento de la urgencia del tiempo, del irremediable paso del tiempo, y también, en forma quizá contradictoria, desengañado de todo lo que el tiempo puede proporcionarnos, incluso el amor, incluso la patria: se mostraba irritado frente a la sociedad española de su juventud, que no sabía apreciar el don poético, y que con su burgués prosaísmo había contribuido a la caída de los mitos, mitos irremediablemente perdidos y rotos, como muñecas despedazadas y al mismo tiempo insustituibles. Algunos de sus poemas de esos años acerca de España, tales como «Vivir en Sansueña», expresaban un sentimiento muy complejo en que la nostalgia se encuentra cuidadosamente recubierta por una espesa capa de desdén y de amarga, desolada crítica. Desde luego, mucho más difícil de tratar que Prados, este último siempre abierto a las preguntas algo inquisitoriales que continuamente le dirigíamos, siempre paciente con los jóvenes, siempre dispuesto al diálogo, un diálogo que —lo sentíamos— no lograba hacerlo subir del fondo del pozo de su radical soledad.

Nostalgia, angustia, lamento por los mitos desaparecidos, eran quizá notas comunes a muchos de los poetas desterrados. Los mitos —el paraíso perdido, la edad de oro de la infancia, la patria lejana que era ahora vista por algunos en forma muy idealizada— eran precisamente lo que los poetas solían crear, o ayudar a crear, y por ello los poetas siempre han sido importantes para cualquier grupo humano. Un mito que había desaparecido, por lo menos para León Felipe, era el de la justicia, o, en otras palabras, el creer o pensar que vivíamos en un mundo justo, cuya justicia estaba garantizada por la bondad de Dios. La derrota de los republicanos en España era una, entre otras muchas, prueba de que vivíamos en un mundo injusto.

218

Frente a tantos motivos de desconfianza y de depresión nos quedaba, sin embargo, algún momento de esperanza. Vivir entre gente que hablaba nuestra lengua era, en principio, mucho más agradable que vivir escuchando día tras día un idioma extranjero, como era el destino de los poetas exiliados que residían en Francia o en Estados Unidos, por dar únicamente dos ejemplos. Al cruzar la frontera de los Estados Unidos con México, Luis Cernuda se sintió renacer, sintió reanudarse la vida que llevaba como en suspenso, como entre paréntesis, en el país de habla inglesa en que había residido bastantes años (era profesor en Mount Holyoke, Massachusetts, donde, por cierto, tuve ocasión de verlo y charlar con él repetidas veces). Escribe Cernuda en *Variaciones sobre un tema mexicano*:

> *¿Cómo no sentir orgullo al escuchar hablada nuestra lengua, eco fiel de ella y al mismo tiempo expresión autóctona por otros pueblos al otro lado del mundo? Ellos, a sabiendas o no, con esos mismos signos de su alma, que son las palabras, mantienen vivo el destino de nuestro país, y habrían de mantenerlo después de que él dejara de existir [p. 48].[2]*

Afirmación y negación, el sí y el no, se repiten a lo largo de la actitud de Cernuda hacia México, y en este sentido es bastante representativo de muchos otros escritores transterrados, a la vez entusiasmados por la belleza del país, atraídos por los mil rasgos de la cultura autóctona, e incapaces de identificarse del todo con las nuevas circunstancias. Cernuda, en México, a pesar de todos los encendidos elogios a lo que veía, se inquietaba ante la posibilidad de ser para los mexicanos «extraño y acaso odiado» y su sentimiento de falta de reciprocidad en el afecto ofrecido era para él un constante problema; frente a la honda simpatía por él sentida hallaba con frecuencia una frialdad, una actitud de recelo: «un gesto de amistad, en respuesta, lo hubiera agradecido tu simpatía...», escribe. Quizá Cernuda esperaba demasiado, quizá en parte su actitud se debía a su propia manera de ser. Como señala Marielena Zelaya Kolker:

Que el «gesto de amistad» no se haya producido tal vez se deba a un problema ya antiguo en Cernuda, pues cuenta Moreno Villa (*Vida en claro*, p. 148) que cuando se trataron en Madrid, había visto a Cernuda «casi llorar por no tener amigos ni nadie que le quisiese». Por otra parte, el despego que notan a veces los refugiados no es totalmente imaginario. Entre los intelectuales mexicanos, sobre todo de derechas, hubo cierto recelo y hostilidad hacia ellos como ya se ha visto en los comentarios citados de Antonio Alatorre; Javier Malagón (*Op. cit.*, p. 31) menciona la campaña periodística contra los refugiados, «en la que Alfonso Junco fue uno de los más destacados». Pero la frialdad en otros niveles también existió. Ricardo Garibay comenta: «La clase media católica mexicana no los quería, como tampoco quería a Cárdenas, que los trajo y mi adolescencia pasó atiborrada de diatribas contra los refugiados...», y agrega que su actitud se tornó en simpatía cuando los trató personalmente en la Universidad [p. 27].

Pero sigamos paseando por la ciudad de México en busca de los poetas españoles a ella recién llegados. A José Moreno Villa lo conocí en su casa, fui a visitarlo varias veces porque yo estaba preparando una tesis sobre la influencia del surrealismo en los poetas españoles de la Generación del 27, y me pareció que podría proporcionarme algún dato. Así fue. Me acogió con gran amabilidad y cortesía. Andaluz, de Málaga (como Prados, como Aleixandre), bigote recortado y modales exquisitos. Vivía en una casa profusamente decorada con sus propios cuadros y los de sus amigos. Había estudiado Historia del Arte en la Universidad Central de Madrid, y luego pasó al Centro de Estudios Históricos; conocía a todo el mundo, y me proporcionó datos y anécdotas de gran valor para el estudio que yo preparaba. Quizá se sentía más a gusto en México que los otros poetas del exilio, en parte porque su esposa, la viuda del escritor y diplomático Genaro Estrada, era de este país. Estaba escribiendo su autobiografía, *Vida en claro*, que se publicó en 1944, y me mostró la dedicatoria, dirigida a su hijo, nacido ya en México, y que decía, entre otras cosas, «[...] semilla hispana convertida en fruto al caer en tierra mexicana, quiero dedicarte especialmente lo que sigue aunque todo el libro está redactado para ti». Seguía escribiendo poesía, y preparaba una antología de toda su obra poética, que salió en 1949 *(La música que llevaba)*. Sentía verdadero afecto por México y por todo lo mexicano, y al mismo tiempo confesaba que las piedras de México, tanto las piedras naturales, en bruto, como las transformadas por la mano del hombre, tenían una voz secreta que él no podía descifrar del todo. En su opinión, dos habían sido los factores decisivos en la formación del grupo de poetas que se ha llamado la Generación del 27: la influencia de Ortega y el ejemplo del surrealismo, visto no como movimiento francés sino como una corriente internacional, a la que España había hecho aportaciones importantísimas tanto en la poesía como en el arte y en el cine.

A Juan Larrea lo conocía por medio de su hija, muchacha de gran belleza —casi tan hermosa como las hijas de Max Aub, a quien siempre le decíamos que sus hijas eran su mejor producción artística—, y de la que fui medio novio. El padre me inspiraba respeto y algo de miedo. Tenía un carácter brusco, hablaba poco, y cuando le pregunté acerca del ultraísmo y el surrealismo me contestó al principio muy escuetamente, a pesar de que conocía a todos los escritores de estos movimientos, había sido muy amigo de Gerardo Diego, de César Vallejo —por quien sentía verdadera veneración—, de Vicente Huidobro. A Pablo Neruda también lo conocía, y contra él estaba preparando un libro que vio la luz en 1967 *(Del surrealismo a Machu Pichu)*. Larrea era hombre serio y muy trabajador, como buen vasco, y la creación y dirección de la gran revista *Cuadernos Americanos*, de la que fue, con León Felipe, Jesús Silva Herzog, y varios otros escritores españoles y mexicanos, el eje y factótum. Como yo no conseguía hacerle hablar de los temas que me interesaban, recurrí a una treta: sabía que odiaba a Neruda (su hija me lo había señalado), y por eso mismo le dije que acababa de conocer a Neruda en una fiesta de la Embajada de Checoslovaquia (lo cual era cierto), y que me había parecido muy simpático, y, desde luego, su poesía me gustaba mucho. Esto lo enfureció, pero así quedó roto el hielo, y empezó entonces a contarme anécdotas acerca de Vallejo, Neruda, y otros escritores que había conocido en París, en Madrid, y en otros diversos lugares. Larrea siguió pareciéndome un «tipo raro», caprichoso y excéntrico, nada racional en el fondo, y dado a bruscos cambios en su vida. En México se había abierto paso en el mundo intelectual, su opinión era siempre escuchada, y todos leíamos con interés, con emoción incluso, sus ensayos sobre el surrealismo entre el viejo y el nuevo mundo. De pronto lo dejó todo y se fue a la Argentina, no a Buenos Aires sino a Córdoba, donde dirigió varios años el Aula César Vallejo en la Universidad.

Había poetas muy difíciles de conocer o localizar. Pedro Garfias, por ejemplo, vivía en un pueblo de la provincia y raras veces iba a la ciudad de México. En una ocasión alguien, no recuerdo quién, me dijo que Garfias estaba en la capital y me dio la dirección de un bar en el que encontraría a Garfias si no perdía tiempo en mi tentativa. Fui al bar y en efecto logré conocerlo. Estaba recitando poemas suyos y de otros autores, y de vez en cuando intentaba improvisar algún romance, pero en general se interrumpía antes de llegar a un final satisfactorio. No tenía papel en mi poder y creo que las improvisaciones se perdieron definitivamente.

A Jorge Guillén lo esperábamos con impaciencia. El Colegio de México lo había invitado a dar unas conferencias. Por desgracia, surgieron dificultades en la obtención del visado: Guillén viajaba con pasaporte español y México había puesto en vigor reglamentos muy complicados para los visados de pasaportes españoles. Lo conocí años más tarde, en Estados Unidos, cuando él era profesor en Wellesley College y yo en Smith College y éramos, por tanto, casi vecinos. (Más cerca aún residía Cernuda, que enseñaba en Mount Holyoke College.) Mis paseos poéticos por la ciudad de México se iban ampliando y prolongando cada vez más; me llevaron finalmente a lugares muy lejanos de la ciudad mexicana: A Maryland, donde conocí a Juan Ramón Jiménez; a Baltimore, donde vivía Pedro Salinas; al Wellesley de Jorge Guillén; a Boston, donde visité a Concha Zardoya en su hermoso piso de la calle Tremont (*Los engaños de Tremont* es el título de uno de sus mejores libros).

Ninguno de los tres me decepcionó en cuanto a personalidad y calor humano. Guillén y Salinas coincidían en muchas ideas y opiniones: buenos amigos, casi hermanos, veían el mundo con lucidez apasionada, con una inteligencia sabia y profunda. A la vez poetas y críticos —sobre todo Salinas, crítico admirable, pero también Guillén—, la poesía de ambos estaba evolucionando en el mismo sentido, impelida por experiencias similares —la guerra, el exilio—. La ironía, el desencanto, la crítica de una época cruel inspiran algunos de los mejores poemas de Guillén y Salinas en estos años de su destierro. La tecnología, en especial la tecnología norteamericana, que Salinas solía admirar (recordaremos su famoso poema «Underwood Girls», en que las *girls* son las teclas de una maquina de escribir) se le aparece ahora como fuerza despersonalizadora en un universo cada vez más mecánico e indiferente (esto queda muy claro si comparamos su «Nocturno de los avisos», inspirado por los anuncios de la avenida Broadway en Nueva York, con alguno de sus poemas de juventud). Salinas —recuerdo ahora una conversación en el Faculty Club de la Universidad Johns Hopkins en Baltimore, con Juan Marichal y otras personas cuyo nombre se me olvida— veía en la tecnología creada a raíz de la guerra, y en especial en la bomba atómica, una fuerza abstracta cada vez más difícil de dominar y sujetar, una especie de Golem que en lugar de servir a la humanidad contribuiría a acrecentar la angustia y el temor, y pondría nuevas barreras entre la sociedad humana y el mundo de la naturaleza.

El exilio iba también a influir profundamente en la poesía de Jorge Guillén. En los poemas que iba añadiendo a *Cántico* (en las ediciones de 1945 y de 1950) se nota ya la presencia de un mundo menos perfecto que el que inspiraba el primer *Cántico*, un mundo más desordenado, más precario. Los poemas se hacen más largos y más complejos (véanse, entre otros, «Sol en la boda» y «Luz natal»). Cuando le pregunté acerca de aquellos cambios en el tono de su poesía me contestó que se debían a un doble cambio, el de su experiencia personal, afectada por el paso del tiempo y la muerte de personas queridas —su esposa especialmente—, y la experiencia colectiva de los años de guerra y exilio. Me sugirió que comparara los primeros poemas de Dámaso Alonso con los poemas escritos después de la guerra civil —algunos durante la guerra— y recogidos en *Hijos de la ira* en 1944. El cambio en la poesía de Dámaso Alonso era aún más brusco, más dramático, más espectacular que la lenta evolución de la poesía de Jorgen Guillén. Había así, para Guillén, un exilio interior —esta frase se ha aplicado a los alemanes antinazis que no salieron de Alemania durante la época de Hitler— en España también; Aleixandre y Dámaso Alonso, entre otros, se sentían a disgusto, se evadían cada cual a su manera: Aleixandre se refugiaba en la nostalgia y evocaba su infancia en *Sombra del paraíso*, Alonso expresaba su angustia y su sentimiento de culpa en términos metafísicos y cósmicos en que nos sentimos al borde del apocalipsis. En *Clamor*, en *Maremágnum*, Guillén daba expresión poética a los años inciertos, caóticos, que estábamos viviendo. El «absoluto presente» del primer *Cántico* iba siendo sustituido por una visión más cercana a lo histórico y lo anecdótico.[3]

A Juan Ramón Jiménez lo conocí en 1949 gracias, en gran parte, a los contactos que había yo venido haciendo en la ciudad de México en mis paseos poéticos. Llevaba para él unas cartas de presentación de Juan José Domenchina y Ernestina de Champourcin, sin las cuales probablemente no me hubiera sido posible visitarlo. Tuvimos varias largas conversaciones en que me habló de su obra —acababa de publicar *Animal de fondo*, quizá su libro más importante, ciertamente el más ambicioso y el más misterioso— y de la obra de otros poetas españoles y de otros países, siempre con una mezcla de sabiduría, inteligencia, e intuición, a veces con unas gotas de malevolencia. Su aspecto físico era impresionante: elegancia, sobriedad, expresividad, mirada intensa que hacía pensar en un gurú o un monje zen.

Me despedí de Juan Ramón, y de Zenobia, su admirable esposa que tanto le ayudaba —y que daba sus clases en la Universidad de Maryland cuando él, enfermo o cansado, no podía darlas—, pensando que aunque mucho era lo que se había perdido en la guerra civil española, algo se había salvado, y de ese algo una parte importante era el quehacer de tantos poetas que seguían escribiendo a la otra orilla del mar.

NOTAS

1. Entre estos otros figuran el malogrado Luis Rius, poeta y crítico, que ha escrito la mejor biografía de León Felipe; Ramón Xirau, cuya actividad como ensayista, filósofo, poeta (sobre todo en lengua catalana) lo ha convertido en autor bien conocido a ambos lados del Atlántico; Roberto Ruiz, el único novelista y cuentista del grupo, junto con Arturo Souto. Muchos de ellos se reunieron —nos reunimos— en torno a revistas jóvenes como *Presencia* y *Clavileño*.

2. Para las relaciones entre los escritores emigrados y los países —sobre todo México— que los acogieron, véase el interesante y bien documentado libro de Marielena Zelaya Kolker, *Testimonios americanos de los escritores españoles transterrados de 1939*, Madrid, Cultura Hispánica/Instituto de Cooperación Iberoamericana, 1985.

3. En mi ensayo «La influencia del exilio en la obra de Pedro Salinas y de Jorge Guillén», *Ínsula*, 470-471, enero-febrero (1986), señalaba: «Es preciso recordar que *Clamor* lleva un subtítulo, *Tiempo de historia*. El "absoluto presente" de *Cántico*, que a Joaquín Casalduero le recuerda la visión literaria de plenitud que se encuentra en la prosa de Gabriel Miró, ha sido sustituido por algo distinto, por una especie de contrapunto. La historia, con sus anécdotas, sus aventuras, sus peripecias, ha venido a sustituir a aquel glorioso presente absoluto, justificando así unos versos escritos por Guillén en 1928: "¡Bodas / tardías con la historia / que desamé a diario!".

»*Clamor* es como un dique opuesto a la inundación de la historia, y como tal observamos a veces su fragilidad, casi patética, frente al alud incontenible de la violencia del mundo contemporáneo. El poeta mismo nos advierte que en esta etapa de su obra encontraremos una abundancia de narración y descripción. Sin embargo, en ambos casos procede con gran sobriedad, con una economía de recursos poéticos que a Casalduero le recuerda el estilo pictórico de Cézanne.

»Quizá lo más importante en esta poesía del destierro es que el poeta no reacciona siempre de igual manera frente a los acontecimientos y al paso del tiempo. *Que van a dar en la mar*, por ejemplo, la hermosa elegía inspirada por la muerte de la esposa amada, ofrece momentos de desaliento, de amargura, de retroceso: "Ay, los ímpetus de mi fe / Declinan ante el gran enredo".

225

»Pero el poeta reacciona, la voluntad de seguir adelante es más fuerte: "Vivir es algo más que un ir muriendo".

»Y, por fin, "Respiro, no agonizo, vivo y vivo".

»Es esta voluntad terca y victoriosa de no ceder, ante el caos, la crueldad y la estupidez imperantes en aquellos años sombríos lo que ayuda a Guillén y a Salinas a seguir viviendo, a seguir escribiendo, a amar y odiar, a crear una obra, en prosa pero sobre todo en poesía, que vivirá muchos años después de que los que hemos vivido estos años de guerra y de destierro hayamos desaparecido.»

ESPAÑA Y EL EXILIO EN LA OBRA DE LOS POETAS HISPANOMEXICANOS

Susana Rivera

Los integrantes de la generación hispanomexicana salieron de España a una edad muy temprana, en la infancia o primera adolescencia, más o menos entre los dos y catorce años. España, por lo tanto, sólo podía representar para ellos un origen remoto que con el paso del tiempo se hacía paulatinamente más borroso y distante.

Por este motivo, algunos críticos o historiadores de la literatura no los ven como exiliados y se ha cuestionado asimismo su representatividad dentro del ámbito literario en su patria de nacimiento, lo que en cierta manera también pone entre interrogantes su españolidad.

En contraste con estas opiniones resulta sorprendente, en principio constatar la importancia que tienen el exilio, el tema de España y el pasado en la obra de los poetas hispanomexicanos. Sorpresa que no se les escapó ni siquiera a ellos mismos; no dejó de producir extrañeza que fueran precisamente los más jóvenes, aquellos que tenían una experiencia más borrosa de su lejana patria, los que mostraran una mayor fijación en los temas españoles, hecho que Ramón Xirau califica de «fenómeno curioso dentro de mi generación»:

Quienes teníamos de 13 a 15 años en 1939 —Durán, García Ascot, Segovia—, sin dejar de recordar a España con nostalgia y a veces ira, fuimos menos nostálgicos que aquellos que tenían de 10 a 12 años en la misma fecha (Rius, Pascual Buxó, Enrique de Rivas) [...] Muchas veces me he preguntado por qué esta mayor nostalgia entre los más jóvenes.

Creo que este «fenómeno curioso» se explica si tenemos en cuenta que una de las consecuencias más trágicas del fenómeno del exilio es, sin duda, el sentimiento de desarraigo. Pero sólo se puede hablar de desarraigo si hubo previamente un fuerte sentimiento de arraigo, la seguridad de pertenecer a una tierra concreta. Este arraigo apenas empezaba a insinuarse en la sensibilidad de aquellos niños cuando su existencia fue bruscamente alterada por el exilio. Tan brutal alteración los convirtió en seres en cierta manera incompletos. Pero en su caso no es el futuro lo que les falta, sino el pasado, hecho reiteradamente destacado por los jóvenes desterrados. Pascual Buxó se pregunta: «si los padres poseyeron abundantes recuerdos como para que nunca haya dejado de arder su imaginación... ¿qué pudieron hacer sus hijos...?»; y Manuel Durán lo confirma: «no llevábamos dentro suficientes reservas, recuerdos, experiencias, para sostenernos indefinidamente "fuera del tiempo". El exilio al cortarle [al desterrado] las raíces, le sume en un perpetuo presente que es al mismo tiempo un pasado».

Casi todo exiliado, en un intento de seguir siendo el que siempre fue, vive normalmente sumido en su vida anterior. Según Vicente Llorens «[...] la existencia del desterrado [...] se proyecta anormalmente hacia el pasado... vive casi exclusivamente del recuerdo». Aunque la causa sea la misma, el efecto es distinto en cada edad, porque el joven, cuando recurre al pasado, a lo que comenzaba a ser, se encuentra a veces con un tiempo y un espacio indefinido, vago... pero casi siempre con irreparable vacío. «España, dice Pascual Buxó, era el nombre de nuestro vacío, nuestra palabra salobre y solitaria»; y Jomi García Ascot reconoce en un poema que: «Anterior a mi cuerpo / yace el jardín en mí / Tan sólo los naranjos y la fuente / lo estremecen a veces / *y sé que no recuerdo*». Cuando Roberto Ruiz afirma que «era innegable que nos pesaba el pasado, no por breve menos intenso», creo que la intensidad se debe justamente a su brevedad; es la atracción de algo desconocido pero que les pertenece íntimamente, lo que más vivamente palpita en ellos. Quizá por eso los más jóvenes, los que menos contacto tuvieron con España, hayan sentido su pérdida con más fuerza: es la generación «más hondamente exiliada» según Marra-López, escritores «doblemente desterrados», según Pascual Buxó. En su intento de recobrar algo que apenas fue se ha convertido, como dijo de ellos Francisco Giner de los Ríos, en «más españoles que nadie en su expresión y en su sentimiento, fieles por instinto, por ternura elemental y clara, a la poesía y cultura españolas».

La nostalgia, el tema de España y el exilio no surgen en su obra ni con la misma frecuencia ni la misma intensidad, tampoco con el mismo enfoque. Manuel Durán, por ejemplo, parece muy desligado de estos temas en su poesía pero al mismo tiempo confiesa que el exilio es «parte de nuestra vida, fuente de vigor y de flaqueza, ingrediente de lo que decíamos, pensábamos y escribíamos, molde insoslayable de nuestra actividad». Enrique de Rivas aborda el tema de España únicamente en el poema inicial de su primer libro, dedicado a la catedral de León, «sólo vista en fotografía»:

> *Catedral de León, tierra de España,*
> *tu augusta soledad no la conozco,*
> *tus torres, nobles piedras, las he visto*
> *en pálidas imágenes tan sólo.*

El texto no es únicamente la exaltación de una España idealizada, sino, sobre todo, reconocimiento por parte del poeta de la carencia de una patria real, del radical desarraigo que afectó a la gran mayoría de los integrantes de su generación en el exilio. Y es de notar que, pese a su ingenuidad, o acaso por ella, el jovencísimo Enrique de Rivas expone abiertamente lo que hay para él de imposible y de irreal en el pensamiento y el sentimiento de esa patria perdida y lejana:

> *Evocas, Catedral, un sueño mío:*
> *tener el pensamiento justo y claro*
> *de una patria de quien diga con certeza*
> *que la siento porque en ella me he formado.*
>
> *Y no puedo decirlo porque vivo*
> *muy lejos en el tiempo y la distancia,*
> *y sueños son tan sólo lo que tengo;*
> *ni siquiera una poca de nostalgia.*

A la mayor parte de los poetas de su generación les costará más tiempo y más vacilaciones llegar a conclusiones semejantes. El poeta sabe que no puede sentir una patria en la que no se ha formado; sólo sueños, ni siquiera nostalgia, lo vinculan a ella.

En el poema titulado «Dicen», de Nuria Parés, la «España peregrina» es objeto de un tratamiento irónico y distanciador:

> *¡Ay, qué bonito nombre! ¡Qué nombre tan bonito*
> *para ir por el mundo a la deriva*
> *como un barco de velas desplegadas,*
> *como una extraña carabela antigua!*

El aparente elogio queda desmentido por expresiones que insinúan lo que para ella hay de inútil y de anacrónico en ciertas actitudes mantenidas por los exiliados.

La experiencia del destierro es sometida a un proceso desmitificador con implacable ferocidad en el poema «Exilio» de Rodríguez Chicharro. El texto da una versión de la Historia que corrige o, mejor dicho, niega la habitualmente escrita. Esa cruda exposición, con precisiones realistas, de los ángulos más sombríos del exilio tiene especial interés para quienes intentan, desde fuera, entender tan complejo fenómeno, y sólo disponen de testimonios escritos tal vez desde la gratitud o la inseguridad y la consiguiente timidez que se derivan de la propia situación del desterrado. Rodríguez Chicharro no se manifiesta ni con gratitud ni mucho menos con timidez. Su crítica desmitificadora apunta directamente a quienes los recibieron:

Nos colocaron en fila como semilla en surco fértil.
Nos midieron los pasos y —supongo— las intenciones.
«Solamente se puede —dijeron— llegar hasta aquí.»
Agregaron: «Es conveniente indicar a quien se deba
las veces que se juzgue necesario —muchas sin duda—
lo profundamente agradecidos que le están el Presidente
—nuestro Tata, el Tata a quien fallamos cada día,
[...]
Pero ante todo trabajar, y el descanso llegado,
mover la metafórica cola en prueba de alegría
porque —semidesnudos— nos dieron ropa usada,
porque —a la intemperie— nos brindaron refugio
en internados y hospicios donde los otros niños
—hoy sí, mañana también— nos recordaban (ululantes)
nuestra condición de pinches refugiados de mierda
que nos tragábamos su pan, y, de haberlos, sus frijoles,
los cuales —al menos a mí, transcurridos los años—
aún se me atragantan —agrios— en el recuerdo.

El poema pertenece al libro *Finalmente*, escrito, como el
título indica, desde la seguridad de la inminencia de la
muerte: tal vez eso explique el amargo e irónico distanciamiento con que Rodríguez Chicharro contempla su experiencia del exilio que nunca, ni en su obra anterior ni en la
de sus compañeros de promoción, se había presentado con
tonos tan sombríos.

Gerardo Deniz, uno de los más jóvenes poetas entre los
hijos del exilio español, parece ya totalmente desprendido
de las preocupaciones por España y el destierro. Sin embargo, en el final de su poema «Héroes», cuyo tema puede
reducirse muy simplificadoramente a la negación de la tarea de forjar héroes o de mitificar la Historia, aparece inesperadamente una dura parodia de la versión gloriosa que
del exilio dieron algunos de sus protagonistas. Cito únicamente los versos finales:

Se advierte [...] la componenda
con aquel del éjodo y del llanto, por los meandros
[y] cagandros del destierro,
de México a cualquier orangután tuerto.

El objeto de la descalificación del poeta acaba siendo León Felipe. Más que desmitificar una versión de la historia, el poema la denigra en una especie de mitificación degradadora e invertida, que el poeta lleva a cabo apoyándose incluso en detalles ortográficos; si Deniz escribe «éjodo» y no «éxodo» es, sin duda, porque los españoles tienden a escribir «Méjico» con «j» y no con «x»; así, la palabra resultante, éjodo, pierde todo su sentido, y sólo se entiende dentro de ella una forma del verbo «joder». En el intento de desmitificar la experiencia del exilio, Deniz, reacciona como otros de los integrantes de la generación hispanomexicana, pero su negación y rechazo es tan desmesurada que acaba configurando una voz diferente, única.

Otro poeta del grupo, Jomi García Ascot, matiza cuidadosamente lo peculiar de su experiencia en el texto titulado «Del exilio»: «Hemos venido aquí desde muy niños, / a esperar y a vivir», dice declarándose representante no de todos los exiliados, sino de los que sufrieron el destierro «desde niños».

Pero la importancia que cobra el exilio en la poesía de García Ascot gira en torno a una aguda conciencia de la temporalidad, a la sensación de pérdida que el hecho de vivir supone, y al doloroso —por imposible— deseo de recuperar o actualizar lo perdido, y se convierte así en una constante evocación del tiempo y de los territorios de su niñez. La evocación de la infancia es un procedimiento típico del exiliado pero en los mayores suele basarse en la evocación idealizada de un paraíso perdido, en la creencia en que «cualquier tiempo pasado fue mejor». En García Ascot, en cambio, se trata del tiempo peligroso, incierto y turbulento de la guerra que acaba configurándose en la imagen de un largo viaje sin destino y sin fin. Las estaciones y los trenes polarizan uno de los recuerdos más nítidos e imborrables, más dramáticos también, del niño, que el poeta evoca de una manera recurrente:

> Hay en alguna parte
> un cuarto terrible, como sala de espera,

como vestíbulo de hotel,
como alta bóveda de una estación
a la hora de salida de los trenes,
un cuarto terrible y desolado
donde suenan a un tiempo en todos los idiomas
las voces de la urgencia
en relámpagos altos, sin sentido.

Perdido allí, como un niño extranjero
que sus padres dejaron para arreglar papeles y derechos,
yo he mirado por años el tumulto
y los trenes partir...

Los trenes sirven a García Ascot no sólo para fijar una vivencia o para explicar un momento de la vida, sino para representar la existencia entera del poeta; trascendido, el tren llegará a ser símbolo de todo su existir:

Escucho todavía el tren que me ha traído
a través de la noche
hasta esta noche.
[...]
¡Oh tanto y tan largo viaje para sólo viajar
lejos de casa,
tanto y tan largo viaje para sólo alejarse,
para sólo exiliarse de uno mismo!

El exilio «de uno mismo», el abandono del ser, el alejamiento, la pérdida de lo que fuimos y de la realidad en la que fuimos, es obra del tiempo, que convierte a la vida en un incesante deambular fatigoso y sin sentido:

Y llevar tanto bulto de recuerdo y de olvido
tantos años de vida entre estaciones,
tanta inútil nostalgia y no llegar aún
donde poder bajar
—quizá sólo a estirar las piernas
a beber agua, a fumarse un cigarro—
para poder dejar en este tren un rato
tanto cansancio de tanto y tan largo viaje
que no acaba.

La vivencia del exilio adquiere su dimensión más trascendente cuando actúa como un dato que, desde un segundo término más o menos lejano, justifica muchos matices, tonos e incluso líneas argumentales aparentemente
independientes de ese tema.

En la zona más universal de la obra de los poetas hispanomexicanos, sobre todo en los casos de Luis Rius y Tomás
Segovia, el exilio no es tanto un tema deliberado como una
condición vital que, de manera alusiva y abstracta, a su vez
condiciona la obra. Aparece *como fondo* que se trasluce a
través de otros temas y motivos, o como fundamento que
actúa de punto de partida.

Para Tomás Segovia el exilio, antes que tema o episodio,
es uno de los «marcos o claves» que le dan sentido a la vida:
existe la posibilidad de traspasar «la idea de exilio lleván-
dola más allá de sí misma, librándola de su limitación de
simple tema».

La poesía de Luis Rius es, en este aspecto, ejemplar. La
experiencia del exilio está explícitamente expresada en sus
primeros poemas, pero muy pronto la anécdota se convierte en categoría y las consecuencias del exilio se perciben de una manera implícita; desde una determinada situación histórica, desde su peripecia humana concreta, su
poesía se convierte en una gran alegría de la condición humana.

El destierro de España es el motivo directo de varios
sentimientos y actitudes del poeta, sobre todo de la «extraña sensación... de no ser yo del todo; ser a medias;
muerto y vivo; una sombra», que se debe en principio a un
pasado no inmemorable como en el caso de García Ascot o
de Enrique de Rivas sino a una realidad que nunca llegó a
ser completamente:

> *Inacabada infancia*
> *que en la frente te llevo*
> *y en el corazón, vana, inútilmente*
> *busco, di, ¿en qué tierra*
> *yo te abandoné un día sin saberlo?*

La carencia de un pasado tendrá graves y desoladoras consecuencias en el presente:

> *Yo fui, no soy, y mi verdad es esta,*
> *Ser tan sólo memoria y lejanía,*
>
> *Siempre he sido pasado. Así me muero:*
> *no recordando ser, sin haber sido,*
> *sin tampoco haber sido antes primero.*

Por medio de las experiencias del exilio el poeta Luis Rius llega a tomar conciencia de su honda, totalizadora y permanente extranjería; es el extranjero que no encuentra su sitio en el mundo, ni siquiera en sí mismo:

> *Llegó aquí después*
> *o antes, a destiempo.*
>
> *Llegó aquí. Extranjero*
> *fue de sus palabras*
> *y de sus silencios,*
> *de todas sus horas,*
> *de su mismo cuerpo.*

La desolación del poeta trasciende las vivencias concretas que la motivaron; no se trata ya de un exilio biográfico sino espiritual y existencial. Tampoco es un exilio referido a una patria sino a todo un tiempo y todo un espacio:

> *Desterrado en el tiempo*
> *como en isla infinita,*
> *sin retorno. Exiliado*
> *en esta edad que avanza, que declina,*
> *que no cesa, que huye,*
> *río al mar, día a día.*

La relación que existe entre exilio y poesía en la obra de Tomás Segovia está desvelada con exactitud y precisión en las siguientes palabras del propio poeta: «no creo haber puesto nunca la "impronta" del exilio en mi poesía. [...] Ahora; en otro sentido, toda mi obra puede leerse así

—como una meditación sobre el exilio. O más bien, a partir del exilio». Segovia consigue, en efecto, ocultar la presencia del exilio a tal extremo que su poesía puede leerse sin advertirla. Sin embargo, el exilio y las circunstancias de él derivadas son la clave última que la explica plenamente. Esto es especialmente válido para *Anagnórisis*, donde el tema no está planteado de un modo directo ni realista; la Historia y la biografía están alegorizadas, transportadas al terreno del mito. Leteo y Mnemósine, Eurídice y Ariadna, el sombrío, infernal ámbito del Hades, son las alegorías de las que se sirve Segovia con la intención tal vez de darle universalidad a su experiencia concreta.

El extenso poema se debe interpretar de acuerdo con las dos citas que lo preceden: *anagnórisis* equivale, por una parte, al reconocimiento de «la propia verdadera identidad» y por otra a «la declaración por parte del heredero de aceptar la herencia». El poeta emprende un largo viaje espiritual sumergiéndose en las aguas de Leteo, en el olvido, para así convocar a la memoria en su totalidad e identificarse y afirmarse a sí mismo. Esa identificación también conlleva el deseo de liberarse de la pesadumbre heredada que es el exilio para su generación, ya que ellos no fueron los responsables de los hechos que lo motivaron. Logra aligerar el peso de esa carga no rechazándola sino, por el contrario, asumiéndola ya que, según él «no hay dónde desterrarse del exilio». Gran parte del poema insiste en la «orfandad errabunda» del hablante y en la búsqueda de la inalcanzable «materna Eurídice»: «Siempre detrás de mí vino una diosa / que yo delante perseguía».

El argumento de *Anagnórisis* podría fácilmente referirse a la angustia puramente existencial, pero una breve canción intercalada en su monólogo, titulada «Aniversario (julio, 1936)», desvela inesperadamente el origen concreto, histórico-biográfico de esa orfandad:

> *Tanto tiempo después y aún no comprendo*
> *esta sombra brutal*
> *que veis a veces todavía*
> *danzar al fondo de mis ojos*

y que cayó sobre ellos un día de mi infancia
cuando en una mañana radiante despertaba
y contra el cielo fresco
vi levantarse un impensable brazo
que apuñaló a mi Madre...

La identificación de la figura de la Madre (a la que es imposible no ver como la «materna Eurídice» buscada, perdida y añorada siempre) con todo lo que fue asesinado un día de la infancia del poeta en julio de 1936, está dada ahora claramente.

En el *Cuaderno del nómada* deben verse, según Segovia, las impresiones de su primera visita a España. La aproximación al tema sigue estando marcada por la ambigüedad, y sin esa advertencia del autor sería difícil, si no imposible, asegurar que el libro plantea el tema del regreso a una patria nunca nombrada.

Segovia declaró también que, cuando regresó a España, no volvía «en busca de sus raíces [...]. Yo lo que quería era intentar mirarles en los ojos a unos cuantos enigmas de mi vida». El poema «Enigma en el camino» responde fielmente a esa pretensión.

No puedo piensa el Nómada
Parar aquí llegado de tan lejos
[...]
Sin buscarle los ojos a esta tierra
De mirada huidiza
Sin obligarla al menos
A que mueva los labios.

Hasta haberle arrancado unas palabras
Que ni comprende
Ni le exaltan
Pero que harán su carga más pesada
Y más grave su pie cuando se aleje.

El *Cuaderno del Nómada* es probablemente el libro más pesimista de Segovia. La crónica del regreso a la patria da noticia más que de un encuentro, de un *des*encuentro, y da fe de un fracaso porque al enfrentarse con esa realidad se hace más consciente de su pérdida y todo acaba en el vacío.

Todo en la vida está ausente
Menos tu ausencia

Segovia intentó evitar en su poesía la impronta del exilio, pero no pudo borrarla; lo más que consiguió fue hacerla ambigua, evitando las referencias a situaciones concretas, publicas o privadas, sustituyendo los nombres propios y reconocibles por símbolos que, si los aluden, es de manera muy imprecisa.

El exilio no es un *tema* central en la obra de los poetas hispanomexicanos pero sin esa experiencia y el papel decisivo que desempeñó en su formación, en su percepción del mundo y de su propia existencia, estos poetas tal vez no hubieran escrito los poemas que escribieron, sino otros o ninguno; como supone Ramón Xirau, «muchos no habrían escrito jamás una línea de no contar como instrumento de creación la experiencia del exilio».

JUAN RAMÓN JIMÉNEZ
EN SUS «ESPACIOS» DE EXILIO

EL FONDO DEL EXILIO
DE JUAN RAMÓN JIMÉNEZ

Graciela Palau de Nemes

En una carta que Juan Ramón le escribe de Riverdale, Maryland, a una poeta de Madrid, le dice: «De pronto, el año pasado, gran año para mí, al poner el pie en el estribo del coche, aquí en Riverdale, camino de New York, camino de la Argentina, lo *sentí,* es decir, lo vi, lo oí, lo olí, lo gusté, lo toqué. Y lo dije, lo canté en el verso que él me dictó. Eso es todo».[1] El verso es *Animal de fondo,* su obra cumbre y el referente de «lo vi, lo oí, lo olí», etc., es el dios con minúscula de la búsqueda de toda su poesía. Es decir, que la famosa trascendencia de *Animal de fondo* surge de una manera bastante pedestre en el espacio de su mundo común y corriente.

El dios de *Animal de fondo* definido y redefinido en exquisitas imágenes: «Eres la gracia libre, / la gloria del gustar, la eterna simpatía, / el gozo del temblor, la luminaria / del clariver, el fondo del amor, [...]»,[2] es la conciencia del yo lírico. Conciencia es conocimiento y sentimiento interior por el cual aprecia el hombre sus acciones. Juan Ramón la define como «comprensión del "hasta qué punto divino podía llegar lo humano de la gracia del hombre; qué era lo divino que podía venir por el cultivo"», y completa esta definición añadiendo: «conciencia inmanente resuelta en su

limitación destinada; conciencia de uno mismo, de su órbita y de su ámbito».[3] Nótese la insistencia en los nominati-
vos que tienen que ver con el espacio natural del hombre:
limitación destinada, órbita, ámbito.

Mucho se ha escrito sobre el carácter místico de *Animal
de fondo*; hoy quiero, con una óptica más de este mundo,
mostrar la relación de esta obra con el ámbito natural de
Juan Ramón y demostrar hasta qué punto el exilio, a partir
de 1939, contribuyó a su creación.

Animal de fondo es la culminación de un proceso de se-
cularización de lo religioso. Como ha hecho notar Gutiérrez Girardot: «Para la moderna sociología de la religión, la
"desmiraculización del mundo" es sencillamente "un proceso por el cual partes de la sociedad y trozos de la cultura
se liberan del dominio de las instituciones y símbolos religiosos"».[4] En esta exposición voy a partir de las ideas de
Georg Simmel, original y fecundo sociólogo del que sus colegas decían, en la década del setenta: «está de vuelta de un
punto que todavía estamos luchando por alcanzar».[5] Lo
mismo podría decirse de Juan Ramón en cuanto a *Animal
de fondo*.

En el ensayo «The Transcendent Character of Life» dice
Simmel (y traduzco): «La posición del hombre en el mundo
se define por el hecho de que en cada dimensión de su ser y
su conducta, se encuentra siempre *entre dos fronteras*. Esta
condición constituye la estructura formal de nuestra existencia y se manifiesta de muchas maneras en las diversas
provincias, actividades y destinos de la vida humana»
(p. 353). Y añade: «La frontera, arriba y abajo, es el medio
que tenemos para encontrar dirección en el infinito espacio de nuestros mundos» *(ibíd.)*. Simmel excluye de este
texto conceptos abstractos relacionados con lo sobrenatu-
ral, puesto que la sociología estudia al hombre en sus relaciones humanas. Por su parte Juan Ramón considera, en la
época de *Animal de fondo*, que la poesía es una función del
mundo real: «no es voz de Dios —dice—, ni un *daimon* desconocido otorga al poeta facultades negadas a los demás
mortales; tampoco nos cambia de mundo llevándonos a
otro májico de sueño, ensueño o pesadilla porque no pode-

mos, en ningún caso, arrancar al hombre de su suelo donde está pegado, caído, inevitablemente anclado (el hombre es siempre hombre-en-el-mundo)».[6]

El exilio afecta la visión de ese suelo de Juan Ramón donde está anclado. Como le escribió a Enrique Díez-Canedo: «Desde estas Américas empecé a verme, y a ver lo demás, en los días de España: desde fuera y lejos, en el mismo tiempo y el mismo espacio. Se produjo en mí un cambio profundo, algo parecido al que tuve cuando vine en 1916».[7]

En 1916 Juan Ramón experimentó el encuentro con la nueva poesía imaginista de los Estados Unidos, que buscaba liberarse de toda sujeción y sostenerse por palabras exactas e imágenes precisas. Esto y la culminación de su pasión amorosa al casarse con Zenobia el mismo año en Nueva York lo llevó a su propio encuentro con la *poesía desnuda*, desprovista de adorno, una forma poética única en su espacio y en su tiempo. Cuando salió exiliado en 1936 estaba reconocido como maestro de poetas en España y América y el más grande poeta español de su época. El exilio le permitió superarse.

Según el sociólogo las formas culturales surgen cuando se interrumpe la unidad de la experiencia inmediata y se interpone distancia entre el sujeto y el objeto, y de allí en adelante las formas culturales sirven no solamente para permitirle al ser notar los objetos de modos característicos, sino también para situarse a una distancia característica del objeto (Levine, p. XXXIV).

Se ha preguntado en qué medida la expatriación favorece o impide la creación literaria. En el caso de Juan Ramón, los primeros años del exilio en Puerto Rico y Cuba fueron un impedimento para su poesía. El exilio en los Estados Unidos, de 1939 en adelante, la favoreció. Se ha puesto en duda su declaración a este respecto, cuando dijo que por Puerto Rico y Cuba escribió casi exclusivamente crítica y conferencia y que no fue hasta su residencia en Florida cuando pudo escribir poesía.[8] Pero no es necesario especular sobre si se interrumpió o no su creación poética en los primeros años del exilio. Su mujer Zenobia da fe de ello en su Diario y se queja de que Juan Ramón pase el

tiempo en la edición y crítica de la obra de otros sin dedicarse a la propia.[9] Existen además razones de orden psicológico que le impiden a Juan Ramón dedicarse a la poesía
durante la guerra civil.

En «De mi "Diario poético"», escrito durante la estancia
en Puerto Rico y Cuba, leemos: «Yo no creo que el poeta,
como tanto se dice, y más con esta nueva y más verdadera
guerra del mundo, debe nunca acomodar su poesía a las
circunstancias; ahora, por ejemplo, a las de la guerra. No,
no creo, no he creído ni creeré nunca en la poesía ni en el
poeta de ocasión. La poesía (las artes interiores y exteriores) es fruto de la paz. El poeta "callará" acaso en la guerra
porque otras circunstancias graves e inminentes le cojen el
alma y la vida; porque debe ayudar con su inteligencia, su
sensibilidad, su esfuerzo íntegro a los que luchan por la
verdad evidente [...] para que venga pronto la paz».[10] En
Puerto Rico y Cuba Juan Ramón trabajó por la República y
por la paz.

Los Jiménez se trasladaron de La Habana a Miami el 28
de enero de 1939 y llegaron el 29. La guerra civil terminó
en la primavera del 39 y Juan Ramón volvió a la creación
poética ese otoño. Zenobia habla de ello en su Diario. El 10
de noviembre de 1939 dice: «J.R. está sencillamente lleno de inspiración y rebosante de alegría. Se levanta a las 4 o
a las 5 a.m. y empieza a escribir». Esto confirma las declaraciones de Juan Ramón en la ya citada carta a Díez-Canedo:
«En la Florida empecé a escribir otra vez en verso. Antes,
por Puerto Rico y Cuba había escrito casi exclusivamente
crítica y conferencias. Una madrugada me encontré escribiendo unos romances y unas canciones que eran un retorno a mi primera juventud, una inocencia última, un final
lógico de mi última escritura sucesiva en España» (p. 65).
Sin la lengua y el pueblo que Puerto Rico y Cuba le propor-
cionaron, Juan Ramón recurrió a Moguer, el otro lado de
todas sus fronteras geográficas y el verdadero lado de su
frontera espiritual. El encuentro queda confirmado en el
Diario de Zenobia del 10 de noviembre de 1939, en el que
comenta que Juan Ramón está lleno de inspiración y
añade: «Las casas blancas, techos de teja y pinos le recuer-

dan a Moguer y su nostalgia fluye en verso. Es una suerte que vea a Moguer a distancia».

El aislamiento y la paz le permitieron a Juan Ramón tomar conciencia de sus dos fronteras, la del exilio y la de España, armonizarlas y trascenderlas en el mayor exilio de Washington y Maryland, falto aún de la lengua y sin siquiera las casas blancas que le recordaran las de su suelo nativo. Miami fue para Juan Ramón Jiménez, como dijo en su gran obra *Espacio*, «la ciudad de la unidad posible».[11] En las noches de Florida, garzas, marismas, estrellas le hablan como le hablaban en Moguer; la Nueva York del exilio «es igual que Moguer, es igual que Sevilla y que Madrid. Puede el viento en la esquina de Broadway, como en la esquina de las Pulmonías de mi calle Rascón en Moguer»,[12] y después dirá que «Washington se parece tanto a Madrid en el otoño, que su belleza le duele materialmente».

Espacio y *Tiempo*, los dos largos poemas en prosa escritos en Florida, iluminan el fondo del exilio de Juan Ramón, es decir, su exilio más verdadero. Estas obras son autobiográficas, como ya se ha comentado sobre *Espacio* y como ya he comentado sobre *Tiempo*, cuando estaba aún inédito, cotejándolo con el *Diario* de Zenobia.[13] El 19 de enero de 1940 Zenobia nota que Juan Ramón, en vena creadora, ha decidido hacer un nuevo libro, combinación de autobiografía e historia de literatura española actual; eso es *Tiempo*. Tanto Juan Ramón, en su obra de creación como Zenobia en su *Diario* notan que el escenario y la paz de Miami (en aquella época), le hacen al poeta volver a Andalucía.

La recordada Andalucía de Miami no es la de Puerto Rico y Cuba, la Andalucía «de pandereta», para usar una frase de Darío, de 1904, en una de las primeras reseñas importantes sobre la obra de Juan Ramón. Hablaba Darío de los tocadores de guitarra y pandereta y los que hacían literatura alegre, con todo el color y exuberancia de la región, mientras que Juan Ramón cantaba «noble y deliciosamente, a la sordina, la recóndita nostalgia, la melancolía» que llevaba Andalucía en el fondo de su pecho.[14] Y Rodó, en 1916, le dio el título «Recóndita Andalucía» a su reseña de la poesía de Juan Ramón, y hablando de las varias Andalucías decía preferir la delicada, divina y hermética de la que Juan Ramón tenía el alma y la voz (p. 35). Moguer era la Andalucía recóndita del poeta.

Juan Ramón siempre le cantó a Moguer con ternura. Para él era madre; luz, por su sol, pureza por su blancura. En el exilio, Moguer adquirió una dimensión de profundidad que anticipó a la de *Animal de fondo*. En un poema del exilio titulado «La ola de mi pozo», Juan Ramón repudia el mar, tan exaltado en toda su poesía, y llama a la tierra de Moguer «su verdad»: «Pozo mío, Moguer fatal, / con su monte, su puerta y su pinar, / con la piedra y la paz; / tierra firme al estar / viviendo y moridero del real / amante, del que vuelve a su verdad».[15] El típico y bello pozo de Moguer, encanto de su niñez, tan presente en su descripción del pueblo en *Platero y yo*, se va convirtiendo en el símbolo de la conciencia del yo lírico que le permite la trascendencia de *Animal de fondo*; pero el lector cuidadoso de *Platero*, ese extraordinario libro de tanta significación, notará que ya en 1907, fecha de su creación, el pozo y el alma están vinculados. En el capítulo titulado «El pozo» dice el yo lírico: «(La noche entra, y la luna se inflama allá en el fondo, adornada de volubles estrellas. ¡Silencio! Por los caminos se ha ido la vida a lo lejos. Por el pozo se escapa el alma a lo hondo! [...])».

En el poema del exilio que acabo de mencionar, «La ola de mi pozo», Moguer es la tierra de la paz (Madrid fue la de la guerra); es la tierra firme del vivir y el que la ama ha de volver a ella en el morir porque allí está su verdad, es decir, sus orígenes, su inocencia, su sencillez. El resto del poema reitera la cualidad de firmeza y permanencia que el yo lírico le atribuye a Moguer: «Tierra del pozo y el lagar, / tierra, memoria quieta en su lugar, / tierra plantada del pisar [...] / tierra para el andar, tierra para el pasar, / tierra para el callar, / tierra para el quedar. [...] / A mí, para el desesperar, / me basta con la ola de mi pozo, / más mar, / más ancho mar, / más alto mar, / más hondo mar».[16] Muestran estos versos que la nostalgia del exilio está concentrada en el recuerdo de Moguer y este recuerdo es suficiente sustento para su poesía y su vida de exiliado.

En 1942, los Jiménez se trasladaron a Washington. En 1943, el poeta sustituye a Zenobia, enferma, y da una charla en la Universidad de Maryland. En 1944 Zenobia se incorpora permanentemente al Departamento de Lenguas Extranjeras de la Universidad; poco después Juan Ramón es nombrado lector. Los Jiménez mantienen un piso en Washington, compran una casa en Riverdale cerca de la Universidad y recuperan el equilibrio que les ha faltado en su vida de exiliados.

Perdido todo en España, habían estado viviendo de las mensualidades derivadas de la herencia de Zenobia; pero ahora ambos contaban con un suelo seguro, Juan Ramón volvía a recibir regalías por sus escritos, Zenobia se sentía feliz y colmada en su papel de maestra y volvieron a establecer un ritmo de vida armonioso, como en los fructíferos años en Madrid después de su matrimonio cuando Juan Ramón dedicaba el día a la creación literaria mientras Zenobia llevaba sus negocios en la ciudad, seguro él de que habría de tener a su lado a la mujer amada a la hora del descanso.

De la estancia en Washington y Maryland nacieron los poemas agrupados bajo el título *Una colina meridiana*, que incluyen las «Canciones de Queensbury», nombre de la calle donde vivían en Riverdale; «Los olmos de Riverdale», y «Del bajo Takoma», lugar vecino. El título *Una colina meridiana* es el del lugar donde tenían su piso en la Calle 16 de Washington, Meridian Hill, así llamada porque marca el meridiano cero de la nación. Cerca les quedaba el parque Meridian Hill, acabado de construir en 1940 en la tradición formal europea, con cascadas, fuentes, estanques, alamedas. Juan Ramón lo visitaba a menudo, le recordaba El Retiro de Madrid. En Riverdale vivía aislado en gustosa soledad, cuando quería iba a Washington en busca de cultura y las amenidades de una ciudad.

El discurso poético de Juan Ramón en los poemas de *Una colina meridiana* es paralelo a veces al discurso íntimo de Zenobia en el *Diario*; ambos registran la primera floración de la primavera, los primeros pájaros, la mudanza de las hojas; pero mientras Zenobia describe la realidad circundante, Juan Ramón transmuta esa realidad en calidad sempiterna de una belleza ya percibida y sentida. En este espacio de Washington y Maryland Juan Ramón vive esa «sensualidad hermosa» de que habla en *Animal de fondo*. De nuevo acudo al *Diario* de Zenobia para confirmar. El 23 de octubre de 1949 escribe: «Este ha sido un otoño maravilloso, tan largo y soleado, casi sin lluvia, de modo que la mudanza de las hojas ha sido larga y como suspendida en su mayor hermosura. Juan Ramón ha estado feliz, asomándose loco de contento a todas las ventanas y diciendo: "Esto es una gloria, Zenobia hija" y llamándome constantemente para que viera algún aspecto nuevo de la belleza exterior».

En la llanura de Florida, Juan Ramón sintió el espacio atmosférico «inmensamente inmenso», y este sentido de inmensidad le dio su poema «Espacio» en el que se siente uno con el universo. Pero este anhelo, de gran parte de los poetas modernos es, hasta cierto punto, un anhelo de dispersión. Si la poesía de Juan Ramón se hubiera quedado en «Espacio», hubiera sido un gran poeta pero no uno de los poetas más singulares del siglo. En *Animal de fondo* el ser no se dispersa, se concentra en un círculo amoroso en el que participan todos los sentidos. El movimiento es de todo lo creador hacia el fondo del ser natural, la conciencia del poeta. En el último poema del libro, poema clave titulado «Soy animal de fondo», las frases *fondo* y *pozo* aparecen en cada una de las seis estrofas. El yo poético y su dios están en el fondo del aire, pero las fronteras, no son las del aire sino las del pozo sagrado del yo lírico, su conciencia que en el discurso poético es «mayor que todo el sueño / de eternidades e infinitos / que está después, sin más que ahora yo, del aire». Como dice el sociólogo Simmel en «The Transcendent Character of Life»: «la inherente flexibilidad y dislocación de nuestras fronteras, nos permite expresar nuestra esencia con una paradoja, estamos limitados en todas direcciones y no estamos limitados en ninguna dirección» (p. 355). Y en otro ensayo, «The Metropolis and Mental Life», afirma que «el más serio problema de la vida moderna nace de la tentativa del individuo por mantener la independencia e individualidad de su existencia contra el poder soberano de la sociedad, contra el peso de la herencia histórica y la cultura y técnica exterior de la vida» (p. 324).

Dijo Juan Ramón, condenando a los que quieren hacer del poeta un metafísico: «el poeta es un artista; quizá diría con más gusto un "artífice" o artesano de la palabra y con ella trabaja en este intento humano, obstinado y a la vez humilde, por descubrir la esencia del hombre. Trabaja desde su propia intimidad que ilumina y hace patente a los demás, penetrando con ella de golpe en la intimidad ajena [...]».[17]

En el exilio, Juan Ramón no perdió el sustento íntimo de su escritura, en su vía poética hay silencio, pero no hay discontinuidad. A pesar de la distancia, consigue testimoniar su mundo de un modo nuevo, liberándose del dominio religioso de su herencia histórica pero sin perder conciencia de sus raíces. Y al reconocer que la frontera infinita aquí en la tierra es solamente la de la propia conciencia, también acepta la finitud del hombre aquí en la tierra, con lo que resuelve, líricamente, el más hondo conflicto de la modernidad.

NOTAS

1. Juan Ramón Jiménez, «A Ángela Figuera», *Cartas literarias*, Barcelona, Bruguera, 1977, p. 175.

2. «La transparencia, Dios, la transparencia», *Animal de fondo*, en *Tercera antolojía poética 1898-1953*, Madrid, Biblioteca Nueva, 1957, p. 964.

3. «Notas», *ibíd.*, pp. 1.018-1.019.

4. Rafael Gutiérrez Girardot, *Modernismo*, Barcelona, Montesinos, 1983, p. 28. Gutiérrez Girardot cita a P. Berger, *Zur Dialektik von Religion und Gesellschft*, Fráncfort, 1973, p. 103.

5. Donald N. Levine (ed.), «Introduction», en *Georg Simmel, Individuality and Social Forms*, Chicago, The University of Chicago Press, 1971, p. 1x. Levine cita a Hugh D. Duncan, «Simmel's Image of Society», en *Essays on Sociology, Philosophy and Aesthetics*, Nueva York, Harper Torchbooks, s.f., p. 108. Los ensayos de Simmel que se mencionan en este trabajo son de la edición de Levine, *Individuality and Social Forms, op. cit.*, de la que se dará la página en el texto.

6. J.R. Jiménez, «De "Qué es la literatura"», en «A *La Torre*», *Cartas literarias, op. cit.*, p. 289.

7. J.R. Jiménez, «A Enrique Díez-Canedo», en *ibíd.*, p. 65. La carta fue escrita de Washington el 6 de agosto de 1943.

8. *Ibíd.*, íd.

9. La autora de este trabajo está dando a la publicación el *Diario* de Zenobia con un estudio inicial, notas y comentarios. Saldrá en edición conjunta de la Editorial Alianza y la Universidad de Puerto Rico, donde se encuentra el original.

10. J.R. Jiménez, «De mi "Diario poético", 1936-37. (Fragmentos)», *Universidad de la Habana*, V, 15, noviembre-diciembre (1937), p. 5.

11. «Fragmento tercero», en *Tercera antolojía poética*, *op. cit.*, p. 872.

12. «Espacio. Fragmento segundo», en *ibíd.*, p. 864.

13. Ver María Teresa Font, *Espacio: Autobiografía lírica de Juan Ramón Jiménez*, Madrid, Ínsula, 1972 y Graciela Palau de Nemes, «*Tiempo*, obra inédita de Juan Ramón Jiménez. Su relación con *Espacio*», *Actas del VIII Congreso Internacional de Hispanistas*, Madrid, Istmo, 1986, pp. 355-362. Las *Actas* recogen ponencias presentadas en el VIII Congreso de la Asociación Internacional de Hispanistas celebrado en la Universidad de Brown en 1983. En 1986, año de la publicación, salió J.R. Jiménez, *Tiempo y Espacio* (prólogo y notas de Arturo del Villar), Madrid, EDAF, 1986.

14. Rubén Darío, «La tristeza andaluza. Un poeta», *Juan Ramón Jiménez* (edición de Aurora de Albornoz), Madrid, Taurus, 1980.

15. J.R. Jiménez, *En el otro costado* (edición preparada y prologada por Aurora de Albornoz), Madrid, Júcar, 1974, p. 29. Albornoz dice en la Introducción a esta obra y en referencia a la producción poética de J.R. en los tres primeros años del exilio: «sabemos que su producción poética no llega a interrumpirse del todo en ningún momento»; pero escribir unos escasos poemas en tres años no justifica esa declaración. El error quizá se deba a que J.R. da la fecha 1936-1942 a los poemas de *En el otro costado*, pero la fecha no es inclusive. Albornoz no da más que siete poemas anteriores a los escritos en Florida en 1942 y la mayor parte de ellos fueron escritos en alta mar, en 1936, a la salida de España. Llegado a América en 1936 y hasta fines del verano de 1939, residiendo ya en Miami, son muchas las vicisitudes de su vida de exiliado y él necesita paz y tranquilidad para la creación poética. En «De mi "Diario poético"», obra de J.R. que contiene los fragmentos en prosa y los aforismos escritos en Puerto Rico y Cuba, aparece el poema «Ola, sombra» fechado en el 36, en el Atlántico, y otro muy corto, de siete versos con fecha de 1 de enero de 1937 y un antiguo poema titulado «Allí» (*Revista Cubana* [La Habana], VII, 19-21, enero-marzo [1937]). Otro poema titulado «Hoy de ayer» es una versión «revivida» de algo anterior (se publicó en *Universidad de la Habana*, V, 15, noviembre-diciembre [1937]).

16. *En el otro costado*, *op. cit.*, pp. 29-30.

17. «De "Qué es la literatura"», en *Cartas literarias*, *op. cit.*, p. 289.

EL DESTIERRO EN *IDEOLOJÍA,* EL LIBRO DE LOS AFORISMOS DE JUAN RAMÓN JIMÉNEZ

Antonio Sánchez Romeralo

El exilio de Juan Ramón Jiménez comienza el 22 de agosto de 1936. Ese día el poeta sale de España por el paso catalán de la Junquera, y entra en un largo destierro que durará mientras viva: veintidós años. Su tierra de desterrado —«el otro costado»— va a ser América. Llega allí después de «5 inmensos días grises» por un mar que veinte años antes le había dado una nueva *sintaxis poética* y un gran libro —el *Diario*—, pero que ahora permanece gris y mudo ante un pasajero que tiene el corazón y el pensamiento en otra parte: «He mirado poco el agua, el mar. Mi ser, cuerpo y alma, no estaba este segundo viaje a América, tan distinto del primero, con el presente mar tranquilo, sino con la lejana, enloquecida tierra».[1] Si en aquel primer, ilusionado viaje, el mar había sido representación de vida («Tu nombre hoy, mar, es vida...»),[2] el mar ahora atravesado se extiende, gris, como una imagen de la muerte final absoluta, el hielo único que será un día la patria de todos: «la del desconocimiento unánime, la unánime paz fraternal de los finados en lo desconocido sin color».[3]

Ya «en el otro costado», el poeta hace en la prensa neoyorquina un llamamiento a favor de la España republicana: «Pido aquí y en todas partes simpatía y justicia, es decir, comprensión moral para el Gobierno español que representa la República democrática...».⁴ Y al llegar a Puerto Rico, en septiembre de ese año, insiste: «Yo no soy político. Soy un poeta; pero mis simpatías están con las personas que representaban la cultura, el espíritu español, que son los que trajeron a España la República... El Gobierno que existía cuando he salido de España tenía derecho a gobernar y ser respetado y ayudado. Era un Gobierno votado legalmente por la voluntad popular en las urnas electorales».⁵ De Puerto Rico, Juan Ramón Jiménez, siempre acompañado de su mujer, se traslada a Cuba —esto ocurre en noviembre— y allí permanecerá el matrimonio por espacio de dos años. La *Revista Cubana* publica en seguida fragmentos de un *Diario poético* del autor, donde encontramos esta condena del éxodo de tantos españoles forzado por la guerra y un planto por la tragedia española:

> España (Corazón, cerebro, alta entraña) sale de España.
> Lo que significa espíritu, idealidad, esfuerzo, cultura mejor,
> deja ¿por qué, por quién? a España sin ello, sin ellos, sin ella,
> para trabajar sobre el suelo distendido, en lo normal de España y de ellos que es, por ellos, la vida de España.
> ¡Ay de mi España!⁶

En enero de 1939, Juan Ramón y Zenobia vuelven a Estados Unidos y allí vivirán hasta 1951, primero en Florida (Coral Gables), después en Washington, y en Maryland (Riverdale). En medio, en 1948, está el viaje a la Argentina, con una estancia de varios meses (de agosto a noviembre) en Buenos Aires, viaje que propicia los poemas de *Dios deseado y deseante*: el mar resarce ahora con creces al poeta del silencio y el desaliento del mar de 1936. Finalmente, en marzo de 1951, Juan Ramón se traslada definitivamente a Puerto Rico en busca de salud y de alivio a su incurable nostalgia de desterrado, alivio que en un principio encuentra, y que, entre 1951 y 1954, le permite trabajar con ahínco y entusiasmo. Especialmente importantes son esos años para sus proyectos de ordenación final de la Obra, a los que vamos a referirnos en seguida. Pero una cruel y dolorosa enfermedad empieza a minar la salud de Zenobia. En el verano de 1954, la depresión se apodera, otra vez, del poeta. Zenobia muere de cáncer el 29 de octubre de 1956. Año y medio después —el 29 de mayo de 1958— moría Juan Ramón Jiménez. El destierro acabará entonces y sólo entonces para ellos. Sus cuerpos son trasladados a España y enterrados en Moguer.

* * *

Toda la obra de Juan Ramón Jiménez escrita a partir de 1936 se ve afectada por la honda, a veces trágica, pero existencial y poéticamente enriquecedora experiencia del destierro. La obra escrita en América —el poeta lo supo muy bien— representa una nueva desnudez. «Desde estas Américas —escribe a Enrique Díez-Canedo en 1943— empecé a verme y a ver los demás y a los demás, en los días de España; desde fuera y lejos, en el mismo tiempo y el mismo espacio. Se produjo en mí un cambio profundo, algo parecido al que tuve cuando vine en 1916. Más que nunca necesitaba la espresión sencilla, en la que creo haber escrito lo menos deleznable de mi obra...» La expresión sencilla le servirá ahora para reencontrar el paraíso perdido de la infancia y la adolescencia, rescatadas la inocencia y la sinceridad primeras a las que vuelve el poeta los ojos con nostalgia, y para ahondar en la expresión de los impulsos místicos —a la conquista de lo absoluto—, que si siempre existieron en su obra, ahora aparecen, más acuciantes y sueltos, con una mayor y como elemental radicalidad. Además —y esta es una de las notas características y diferenciadoras de la poesía del destierro— la inseguridad y el desaliento se apoderan a veces de la palabra. Si comparamos la majestad segura del canto dominante en los poemas de *La estación total* con la tensión dinámica arrebatada pero balbuceante, hasta llegar a la incoherencia, de muchos de los poemas escritos en América, comprenderemos la diferencia que va de una a otra poesía, y el sentido cualitativo del cambio.

Pero, como no podía menos de ocurrir en una obra

como la de Juan Ramón, en la que lo poético y lo existencial van tan unidos, el destierro y la nostalgia aparecen muchas veces en su poesía, integrados en el tema poético. Para cita, baste recordar el «Fragmento segundo» —la hermosa «Cantada» del gran poema *Espacio:*

> «[...] *Y por debajo de Washington Bridge (el puente más con más de esta New York) pasa el campo amarillo de mi infancia.» Infancia, niño vuelvo a ser y soy, perdido, tan mayor, en lo más grande.* Leyenda inesperada: «dulce como la luz es el amor», y esta Nueva York es igual que Moguer, es igual que Sevilla y que Madrid. Puede el viento, en la esquina de Broadway, como en la esquina de las Pulmonías de mi calle Rascón, conmigo; y tengo abierta la puerta donde vivo con sol dentro». *Dulce como este sol era el amor* [...]. En el jardín de St. John the Devine, los chopos verdes eran de Madrid, hablé con un perro y un gato en español, y los niños del coro, lengua eterna, igual del paraíso y de la luna, cantaban, con campanas de San Juan, en el rayo de sol derecho, vivo [...]. Y entré cantando ausente en la arboleda de la noche y el río que se iba bajo Washington Bridge con sol aún; hacia mi España por mi oriente, a mi oriente de mayo de Madrid...

Juan Ramón Jiménez tuvo clara conciencia de lo que significaba el año 1936, comienzo de su exilio, en su obra. Por eso, en el proyecto del libro *El Mar*, nunca realizado, los tres mares en que dividía su tiempo vital y poético aparecían así delimitados: *Primer mar* (de 1895 a 1915); *Segundo mar* (desde el *Diario* hasta 1936); *Tercer mar* (desde 1936).

Pero el destierro no sólo aparece como determinante estético o temático en la poesía de Juan Ramón Jiménez; aparece en toda su escritura, también en las diversas formas de escritura en prosa que practicó: en la prosa lírica, en el ensayo, en la prosa aforística, en la epistolar...

Ya hemos dicho que los años finales de Puerto Rico, entre 1951 y 1954, fueron muy importantes en el trabajo de ordenación última de la Obra completa del poeta en verso y prosa. En un escrito de esos años, recordaba Juan Ramón lo que para un escritor como él, encadenado a sus libros y a sus papeles, había supuesto el peregrinar de los años finales, acosado siempre por enfermedades, y a cuestas con la casa —«mudanza de todo y pérdida de tanto; casas, cosas, libros, libros, libros, y sobre todo, manuscritos, manuscritos, manuscritos... y en cada sitio, volver a empezar, volver a empezar, volver a empezar...»—. Pero al final de ese escrito —un aforismo del libro inédito *Ideolojía*—, el poeta reafirmaba su voluntad de trabajo y hacía un balance de los últimos logros, que eran, en realidad, el fruto de toda su vida:

> Lo que me queda de mi trabajo constante, amasado con voluntad más constante cada vez, son estos libros que estoy comenzando a dar con esta «Ideolojía», con esta «Leyenda», con esta «Historia», con esta «Política», con esta «Carta pública», con esta «Traducción», con este «Complemento»... Metamórfosis mía constante; volver a empezar... ¡Y de qué modo, ahora![7]

Ideolojía («aforismos»), *Leyenda* («poesía»), *Historia* («prosa lírica»), *Política* («ensayo y crítica jeneral»), *Carta* («cartas públicas y particulares»), *Traducción* («traducción de poetas extranjeros, aparte de Tagore») y *Complemento* («complemento jeneral») eran los siete volúmenes escogidos, por materias, en que el autor dividía ahora su obra en prosa y verso, en aquella última ordenación que él llamó *Metamórfosis*, para afirmar la renovación permanente de su escritura. («Mi escritura es metamórfosis como mi naturaleza y la Naturaleza», proclama el último aforismo de ese libro primero en la lista: *Ideolojía*.)

En todos esos libros aparece, de una manera u otra, el tema del destierro. En *Ideolojía*, el volumen de los aforismos, está en los dos últimos libros, de los seis en que la obra se divide, todos encabezados por sendos hermosos títulos: el Libro 5.º (1936-1949): *El olvido no pierde nada, todo lo atesora. Y si merecemos la memoria, ella nos dará la llave del olvido;* y el Libro 6.º (1949-1954): *Lo permanente nos mira sólo con el alma de lo sucesivo que ha pasado por su cuerpo.* Un gran número de los 4.115 textos recogidos en mi edición de *Ideolojía* —ya concluida y próxima a publicarse— es inédito (dos terceras partes). En los libros 5.º y 6.º los del destierro, lo son la mayoría: de los 1.061 que comprenden sólo 330 fueron publicados por el poeta.

En esta colección de estudios y recuerdos en torno al exilio español provocado por la guerra civil no debe faltar una antología de textos procedentes de esta *Ideolojía, 1897-1957* de Juan Ramón Jiménez. De ellos, algunos los publicó el autor en vida, otros son inéditos. Valgan como representación de lo mucho que el poeta pensó, sintió, habló, escribió sobre aquella tragedia que él supo vivir y expresar con hondura humana y exquisita dignidad.[8]

1

PARA EL DESTERRADO

Para el desterrado, la tierra mejor, el terreno único de su patria es el mar (terreno, digo, porque el mar tiene fondo y puede uno ser enterrado en él), patria universal.

Sólo en el mar, lo universal, sol, luna, estrellas, son igualdad, libertad, fraternidad. Y no se diga que el mar Mediterráneo no es lo mismo que el Caribe o el de la China. Si el mar nunca es igual, como siempre es movimiento y cambio, cualquier mar puede ser el mío en sus infinitas variaciones; de modo que mío es todo el mar.

Y al fin y al cabo, el mar todo un día será sólido, el día de la blanca tierra fría y única, el continente, el terreno único, no dividido por aguas; el yelo único bajo el que todos tendremos una sola patria: la de los finados en lo desconocido sin color.

El fin del mar es nuestro fin.

2

ERA MI MADRE

Cuando yo estaba en España, creía que todos los españoles que conocía allí hablaban español, hablaban en español. No lo dudaba, ni necesitaba diferenciarlos. Hoy, trasterrado y deslenguado, creo que ningún español de los que conozco fuera de España, habla en español, el español que yo voy perdiendo. ¡Qué estraño!

Y si analizo esto y revivo aquello, decido que la única persona que hablaba español, en español, el español que yo creo español, era mi madre, tan natural, tan directa y tan sencilla, cuya voz sigo oyendo debajo de la mía inolvidablemente.

Y sufro más que nunca que ella esté lejos de mí más que muerta, tan callado y oculto su español de hoy bajo nuestra tierra andaluza, Osuna, Cádiz, Moguer.

3
MI ESPAÑOL SE HA DETENIDO

Como el idioma es un organismo libre, y vive, muere y se trasforma constantemente, el español que se venga hablando en España desde el año 36, en que yo la dejé, habrá cambiado en 7 años, tendrá 7 años más o 7 menos, según y conforme.

Si yo pudiera o quisiera ir a España ahora, seguramente hablaría, oiría y hablaría, con duda primero y luego, un español diferente al que estoy hablando y escribiendo. ¡Yo estraño o el español estraño! ¿Igual yo que esos judíos que he oído hablar por aquí, que hablan todavía su español del siglo 15? ¡Qué estraño!

En todo caso, mi español se ha detenido hace 7 años en mí. Yo supongo, no lo sé yo tampoco, que hablo como hace 7 años. Desconfío de mí ya y desconfío ya de lo que leo ahora escrito en español en España y fuera de España.

Y si quiero recordar, pensar, criticar el español, a los españoles, ya no sé lo que leo, lo que hablo ni lo que escribo.

4
A LO QUE LLEGA

¿Ir a ver a un español recienllegado ahora de España, para hablar con él? ¡Qué estraño; a lo que llega el español perdido!

5
SU ESPAÑOL DETENIDO

Y todos los españoles aquí y ahora tienen su español detenido en años diferentes; uno, por ejemplo, en el 1917, otro en el 20, en el 28, el 35. Y yo sé, por sus palabras de aquel año, que yo aislé en España, el año en que vinieron.

¿Cuál mejor, el venido más antiguo, el más reciente, el más medio?

¡Qué concurso de estrañezas! Todos hablamos un español diferente o creemos hablarlo. O lo creo yo en todo caso.

Ninguno hablamos en español. (Ahora mismo dudo si está bien este «ninguno hablamos» o si está bien para mí. Claro que lo puedo pensar, pero no quiero. ¡No lo quiero pensar, no quiero pensarlo! ¿Cómo estará mejor?)

Prefiero escribir en otra metamórfosis, una metamórfosis cualquiera diferente. No tener parado mi español.

6

DE MI ESCRITURA ANTERIOR

¡Qué estraño una buena parte de mi escritura anterior, la más literaria! ¡Qué necesidad de volver a escribir esto, aquello; qué repulsión tales libros de literatura poética «castellana»! ¡Qué nostaljia de mi español de niño en Moguer! ¡Qué afán de dejarlo todo claro, liso, trasparente (como Leonardo quería la pintura del cuerpo humano), redichos sonetistas arquitecturales!

Pero, ¿cómo arreglar todo esto mío sin libros ni papeles, tanto perdido en España? ¡Qué estraña duda!

7

¿MUERTO MI ESPAÑOL?

¿Muerto hoy para mí el español de España, muerto el otro español desterrado, muerto mi español?

El español de España ¿no se está desarrollando conmigo; yo no he contribuido «allí» ni «aquí» a desarrollarlo desde el año 36? ¿Mi español no se desarrolla con ninguno de los dos?

8

COMO OÍR ANIMALES

Porque medio español ha salido de España, medio no es sin el otro medio, y yo no estoy con ni en ninguno de los dos.

¿Mejor oír otros idiomas, como oír animales, pájaros, perros, etc.? Pero no saberlos o saberlos mal.

¿Para qué «saber bien» otros idiomas? ¿Para qué ladrar un perro en otro idioma, un pájaro cantar?

Eso lo saben ellos y yo.

9

¡MI ESPAÑOL!

Y yo, un día, escribí un español, auténtico y propio, y fui sencillo a veces y a veces complicado, corazón o cabeza, lírica o sátira; pero siempre de «dentro» de España y de los españoles de España.

Yo estaba «creando» un español de España, ¡mi español!

258

10

La patria es madre e hija al mismo tiempo. Ella nos crea y nos cría, y nosotros la hacemos y la conservamos con las manos de nuestro sentir, nuestro pensar y nuestro querer.

11

Vivir en América (América total) es, para mí, hoy, estar en el revés de Europa. Un estado intermedio entre la vida y la muerte, mi vida y mi muerte por lo menos.

Pero Europa (la muerte) es ahora otra muerte con relación a ella misma, a la Europa de ayer mismo, a mi Europa; es otra muerte mía. (Europa puede ser mi muerte material, América quizá sea mi ausencia definitiva.)

12

Uno se consuela pensando que aunque no esté en su patria, está en lo eterno, el sol, el mar, la luna, las estrellas, por ej. Pero lo eterno, el sol, la luna, las estrellas, el mar no es eterno *en sí* sino *en dónde.* Sí, muy hermoso el sol, muy hermoso, pero cuando uno mira el sol no mira al sol mismo, mira al sol en donde da. *En donde da el sol es y está sólo el sol,* ¿no es Harvard castillo de Moguer?

13

Siempre que del litoral a Madrid, viajes de vuelta, iba llegando al centro de España como a las cavidades del corazón. Luz de corazón, de entretelas, luz de sangre, más cada vez. Ya en Madrid, el centro del corazón como en una capilla, un sagrario, no queda más que el centro propio, adentrarse, bajar por dentro de uno, por la escalera de caracol de uno mismo a la salida de uno mismo al universo interior, tan grande como el de fuera, no, más grande, mucho más grande, más secreto, más misterioso y profundo, más eternidad propia concentrada.

España, centro de España sin salida, con salida por dentro.

14

«ESPAÑOL» DE ESPAÑA

«Español» de España, hablado en España, oído en España, reído y llorado por el llano y el monte de España, en los rincones más entrañables, en los altos más puros de la tierra vivida y morida al amanecer y al oscurecer.

Lengua del agua de España, del viento de España, de la luz de España, de la sangre, de la muerte de España; acabada en el límite de la tierra de España, del mar de España, sin posibilidad de comunicación ni traslado.

Acento sin verdadero eco posible, de España.

15

VERDAD SOLITARIA

España, paraíso con peña, hontanar y tiemblo en verdad solitario. Y a la vuelta, siempre la mujer y el hombre ocultos en la verdad.

¿Y el resto? Meados, sangres y mierdas.

16

COMO UNA PATRIA

En cuanto a la espresión, la solución única del poeta despatriado, ¿no es crear una lengua (no por lujo, Joyce, por necesidad) como una patria?

17

SIN RUMOR ESPAÑOL

¡No oír español al pueblo de España; al hombre, a la mujer, al niño; ese español que es el rumor de mi sangre, la razón de mi vida!

¿Qué es mi vida sin rumor español esterno e interno?

18

TUS MARÍAS

España, Andalucía, ¡cómo estará soñando ahora la voz de tus Marías, María de Montemayor, María del Carmen, María del Pilar, María de los Dolores, María del Rocío, María de la Esperanza junto al agua corriente por el campo propio!

19

Por mi gusto, no hablaría ni leería ni escribiría nunca más lengua que la de España, y querría una federación universal de lengua española.

20
A LAS ORILLAS DE LOS RÍOS

Me voy a las orillas de los ríos, el Hudson, el Shenandoah, el Potomac a ver si les oigo el romance español rumor de los ríos españoles y no me suenan a inglés, sino a río español traducido a río inglés.

21
CON MI MUJER

Con mi mujer hablo siempre español, claro está, pero ya nos correjimos uno a otro y hasta consultamos el diccionario.

22
¡A OÍR, A HABLAR!

¡A hablar, a oír, íntimos, discretos, fuertes, tonantes habladores una lengua como la de España!

23
ESTRANJEROS

No debo, no puedo, no quiero necesitar más lengua que la mía, estranjeros, más lengua que la tuya, España.

24
EL SILENCIO DE LA MUERTE

Y ¡cómo me llega en el sol hirviente de la tarde primera tu voz, tu grito, tu mediavoz, España; cómo domina tu voz el mar, cómo invade la piedra, cómo resiste el fuego, cómo sube hasta lo último del aire; cómo es la voz del corazón de la tierramundo, la voz de la vidauniverso!...
Y si te callaras, voz, tu silencio sería el silencio de la muerte.

25

TODO PARA MÍ

Lengua madre, lengua única, lengua humana y divina, lengua española, ¡todo, todo para mí!

26

EN LA PROFUNDIDAD

Mi madre viva, de quien yo lo aprendí todo, y más que todo mi lengua, hablaba como toda España para mí. Y, España toda me habla ahora a mí ¿desde dónde? como mi madre, más lejana en la superficie de esta tierra, más cercana ahondando aquí, atravesando la tierra en su profundidad, en la profundidad, más alta ahora para mí, de su muerte.

NOTAS

1. «De mi "Diario poético", 1936-37 (Fragmentos)», *Revista Cubana*, 19-21, enero-marzo (1937), p. 55.
2. *Diario de un poeta reciencasado*, poema CLXXXV.
3. Juan Ramón Jiménez, *Ideolojía (1897-1957)* (núm. 3.163), libro inédito hasta su publicación en Barcelona, Anthropos, 1990. Luego se hablará de él.
4. Juan Ramón Jiménez, «Comprensión y justicia», en *Antolojía jeneral en prosa (1898-1954)* (ed. Ángel Crespo y Pilar Gómez Bedate), Madrid, Biblioteca Nueva, 1981, p. 1.005.
5. *El Mundo* (San Juan de Puerto Rico), 7 de octubre (1936).
6. «De mi "Diario poético", 1937-37 (Fragmentos)», art. cit., p. 65; *Ideolojía*, núm. 3.057.
7. *Ideolojía*, núm. 3.933, *op. cit.*
8. El aforismo número 1 de la selección que sigue fue publicado con otros textos, bajo el título «Relaciones de día y lugar» (véase en *La corriente infinita* [ed. de Francisco Garfias], Madrid, Aguilar, 1961, pp. 288-293:292; los núms. 2 al 9 proceden de «Mi español perdido ("¡Qué estraño!")», *Rueca* (México, DF), 7 (1943), 5-10; repr. en *Ínsula* (Madrid), 49, 15 enero (1950), y en *El Tiempo* (Bogotá), 7 de mayo (1950), Suplemento literario; el núm. 10 publicado en «Vivienda y morienda», *La Nación* (Buenos Aires), 30 de octubre (1949), p. 1; los núms. 11 al 16 quedaron inéditos a la muerte del autor; los números 17 al 26 proceden de «Patria y Matria (España ¿dónde te oigo?), 1937-1953», *Índice* (Madrid), 124-125, abril-mayo (1959), p. 11.

TIEMPO DE EXILIO
DE JUAN RAMÓN JIMÉNEZ

Arturo del Villar

Los dos mayores poemas de Juan Ramón Jiménez, *Tiempo* y *Espacio*, son escritura de exilio. Y lo son no solamente por haber nacido en lugares ajenos a la patria natal y por aludir a otros sitios diferentes de los que constituían su geografía lírica, sino porque su motivación es precisamente el destierro. Podemos asegurar que de no haberse producido la sublevación de los militares monárquicos contra la República en 1936 no existirían esos poemas. Lo cual no justifica, por supuesto, la guerra civil y su consecuencia posterior, porque ninguna obra artística puede compensar una guerra y una dictadura. Más bien hay que lamentar que muchas producciones estéticas se deban al exilio de sus autores.

En la *Tercera antolojía poética* se encuentran poemas inspirados por lugares visitados durante el destierro de su autor, lo mismo que sucedió en el *Diario de un poeta reciencasado*, resumen de su viaje a y por los Estados Unidos. Ciudades y campos exóticos para un europeo llamaron la atención del poeta y pasaron a sus versos. Moguer y Madrid dejaron de ser los centros de atención de su poética por unos meses en 1916, con motivo del viaje de bodas, aquella vez con gozo. En 1936 volvió a repetirse la ausencia, entonces con dolor y angustia, matizados al principio por su confianza en el triunfo republicano, hasta que a comienzos de 1939 se demostró imposible.

Pero no todos los poemas compuestos fuera de España puedan ser calificados de exilio. Son, ciertamente, poemas escritos en el exilio, aunque no poemas de exilio. Esos álamos y olmos que encontramos tan hermosamente descritos en *Una colina meridiana* son americanos, pero no proporcionan una escritura de exilio. Es la actitud del poeta la que condiciona el resultado, y consigue redactar un escrito, en prosa o en verso, que clasificaremos o no de exilio.

Tiempo y *Espacio* sí son el resultado de una inspiración causada por el destierro de España. Un destierro que era voluntario, aunque no por ello menos doloroso. Fue un exilio político, ya que Zenobia y Juan Ramón se mantuvieron fieles toda la vida a la República, hasta su muerte en Puerto Rico. Es verdad que Zenobia pretendió regresar a España cuando supo que tenía próxima la muerte, para no dejar a su marido solo y enfermo en un país que no era el suyo de nacimiento, aunque lo fuese de elección. Sin embargo, Juan Ramón no quiso atender sus explicaciones respecto a la distinción entre la patria y sus gobernantes.

Por Florida

Preocupado por la causa republicana, Juan Ramón puso su pluma al servicio del Gobierno constitucional y del Ejército leal, intervino en mítines políticos, y buscó ayuda para los patriotas españoles. Durante los tres años de guerra en España escribió poco en verso. Residieron en los Estados Unidos, Puerto Rico y Cuba, sin que los traslados y la inseguridad de todo tipo, incluso económica, afectasen de manera significativa la salud del poeta, pese a ser propenso a las depresiones.

Juan Ramón se mantuvo informado día a día de la marcha de la guerra y de cuanto afectaba al Gobierno constitucional. Su fe en el triunfo del Ejército leal le permitía sobreponerse a las calamidades del exilio. Continuó·enviando su adhesión a los manifiestos y proclamas de políticos e intelectuales a favor de la República.

En enero de 1939 comprendió que ya no quedaba motivo para la esperanza. Decidieron instalarse en los Estados Unidos, donde vivían los hermanos y muchos otros familiares de Zenobia, y eligieron una tierra que en parte recordaba a Andalucía: Miami, en Florida. El lugar y las circunstancias sociopolíticas se unieron para que Juan Ramón escribiera sus dos poemas mayores en extensión y en intención, *Tiempo* y *Espacio*. Una conjunción feliz para una situación desgraciada, que tuvo enorme trascendencia para la literatura española.

En diciembre de 1940 fue internado en el Hospital de la Universidad de Miami. Salió al mes siguiente, sintiéndose recuperado, casi podría decirse que resucitado después de un colapso que estuvo a punto de terminar con su vida. Esa felicidad aminorada por la angustia de un exilio que adivinaba largo se convirtió en una necesidad de escribir. Le invadió lo que definió como «una embriaguez rapsódica», y comenzó la redacción de *Tiempo* y *Espacio*. Así se lo explicaba a Enrique Díez-Canedo en una carta que se ha reproducido muchas veces por su valor documental.[1]

Gracias a esa carta conocemos el nacimiento de los textos, y por medio de los manuscritos y de las sucesivas ediciones de *Espacio* contemplamos su desarrollo. En ambos poemas es posible seguir sus metamórfosis, por lo que constituyen un verdadero tesoro para la crítica genética.

Tiempo brotó en una prosa continuada, casi como una escritura automática, y quedó incompleto e inédito hasta que yo mismo lo di a conocer.[2] *Espacio* surgió en verso, ese verso calificado por su autor de desnudo, y así empezó a publicarse parcialmente aunque en su primera publicación completa apareciese en prosa.[3]

Son dos las circunstancias que influyen en el desarrollo de ambos textos. Por una parte, se resignaba el poeta a vivir en el destierro, y por otra resurgía de una enfermedad que pudo resultar muy grave por un error médico. Se trata de dos sentimientos contrarios muy poderosos, que influyeron para crear esa embriaguez rapsódica propicia para la creación poética.

El futuro se presentaba incierto, el pasado era un anhelo irrecuperable, y el presente se escindía en dos sensaciones opuestas. Prefería no plantearse lo que iba a hacer fuera de España, y por ello se refugiaba en el recuerdo de su vida anterior, desde la infancia en el paraíso perdido de su pueblo andaluz hasta los años de felicidad en Madrid después de su boda. Aquellos días de enero de 1941 pretendían asentarse en otro tiempo y en otro espacio que mitigasen la ansiedad por lo que iba a suceder a partir de allí.

Confusión espaciotemporal

La situación geográfica facilitó el salto a otros lugares y a otros tiempos. Es verdad que en otras ocasiones su escritura había trascendido las categorías espaciales y temporales para colocarse en situaciones vividas en el recuerdo y fuera de la realidad presente en el momento. Pero aquí, en estos dos poemas, la trasposición se encuentra totalizada, no se refiere a un instante, sino a la esencialidad del hombre exiliado y recién salido del hospital.

El clima, la llanura, el colorido y los demás accidentes geográficos contribuyeron a consolidar una nueva realidad fuera de un espacio y de un tiempo determinados. Se creía un resucitado, sin tierra ni horario concretos. Su manera de estar en el mundo le sorprendía por no parecerse a lo que fue habitual hasta entonces en ese período que configuraba su historia.

Hallamos en *Tiempo* una explicación de la confluencia de sensaciones diferentes causada por el clima uniforme: «Aquí se ven todas las estaciones a un tiempo; el árbol seco, el amarillo, el verde, el cobre, el rojo cobijan flores de todas partes y tiempos» (III, 71-74). Todas las partes y todos los tiempos se unifican en ese lugar y en ese instante determinados, para contribuir con una escenografía llamativa a la perplejidad del poeta.

Y todo el «Fragmento segundo» de *Espacio* resalta la proyección de tierras americanas y españolas hasta identificarse, con lo que entra en el túnel del tiempo y recupera la infancia andaluza mientras pasea por Nueva York: «Infancia, niño vuelvo a ser y soy, perdido, tan mayor, en lo más grande. Leyenda inesperada: "dulce como esta luz es el amor", y esta New York es igual que Moguer, es igual que Sevilla y que Madrid» (II, 8-12).

La estación total encontrada en Florida propició la coincidencia de un espacio y un tiempo igualmente totales, porque eran únicos. La tierra de exilio pasó a ser la natal, y el tiempo inseguro retrocedió a los momentos de felicidad y confianza.

De esas circunstancias concurrentes surgieron *Tiempo* y *Espacio* como una evasión de la realidad incómoda. Juan Ramón era un exiliado político en un país donde mayoritaria y oficialmente se habla un idioma que no era el suyo, el de su trabajo como escritor. Sus amigos, sus médicos, sus libros, y lo que para él tenía mayor importancia, los originales de su Obra, se hallaban lejos. Entre los muertos causados por la guerra perdió a su ahijado, Juan Ramón Jiménez Bayo; a muchos amigos, entre ellos Federico García Lorca. Es inimaginable lo que hubiera hecho de no contar con la compañía de Zenobia.

Mediante la escritura de sus dos grandes poemas complementarios solucionó por el momento la crisis emocional padecida, que le había llevado al hospital semanas antes. Gracias a ellos enlazó tiempos y espacios variados, que trasladó al futuro para darse esperanza. Vivía, y por consiguiente el futuro estaba abierto.

Poeta del tiempo

A Juan Ramón siempre le inquietó el tiempo, como señal de la finitud de la vida. Al principio, entre 1900 y 1913, la idea del tiempo fue terrorífica para él, pero después la convirtió en medida de la eternidad, cuando se supo inmortalizado por medio de su escritura lírica.[4] Fue un cronósofo convicto, por lo que se le debe calificar de poeta del tiempo si se quiere resumir su actividad creadora. Por otra parte, el tema ha sido motivo de inspiración para muchos otros grandes poetas.

Quizá el hombre del siglo xx necesita revisar su noción de lo que es el tiempo. Las teorías científicas han modificado los conceptos anteriores. Prueba de ello es que especialmente en los últimos años se han sucedido algunos ensayos interesantes que pretenden captar el propio espacio físico del tiempo.[5] También en este aspecto Juan Ramón Jiménez resulta ser un adelantado, porque su intuición de poeta le facilitó la comprensión de unas teorías físicas que requieren una especialización académica. Lo que no entendía con la razón lo intuía con la sensibilidad inmensamente desarrollada.

Más que sentir el tiempo, lo padecía. Consideraba que era su más real enfermedad, la incurable y crónica, que le acabaría llevando a la muerte. La expresión directa de esa idea se encuentra en un aforismo revelador de su angustia ante el paso del tiempo, debida al reconocimiento de la impotencia humana para actuar contra él:

> Nada pesa, oprime, asfixia tanto como el tiempo. ¡Qué atmósfera segunda irrespirable! ¡Quién pudiera librarse del tiempo maldito!
> Pero ni la vida ni la muerte, ni el todo, ni la nada nos librarán de él, para nosotros ni para los otros.[6]

Derrotado de antemano por el «tiempo maldito», supo descubrir la relativa eternidad de las obras de arte, que al menos hacen sobrevivir a sus autores en la memoria de otros seres humanos. Un motivo recurrente de su escritura tenía que ser por fuerza el tiempo en todas sus representaciones y divisiones.

El instante eterno

El hallazgo de la salvación temporal por medio de la Obra se materializó en un libro que debía titularse necesariamente *Eternidades*. Iniciado en 1916, desde ese año y hasta el comienzo de la guerra en 1936 escribió muchos poemas que tienen al instante como protagonista. Le parecía misterioso que el instante dejara de ser real para convertirse en eterno. Meditó honda y hermosamente en esa fugacidad que es eternidad, puesto que no resulta mensurable.

Por lo tanto, escribió sobre el tiempo para intentar comprenderlo y para buscar la manera de pararlo. En el momento de mayor cambio en su vida, al aceptar con resignación el exilio político, y al sentirse casi resucitado al salir del hospital, necesitó componer *Tiempo*, con la intención de fijarlo. Era inevitable, y trajo como consecuencia la escritura de *Espacio* con el propósito de definir la tierra recién descubierta. Y aquel instante se hizo historia.

Otro aforismo señala cuáles eran las motivaciones juanramonianas para desear continuamente revisar su escritura, en busca de la máxima depuración y sencillez posibles. La razón está en su dependencia del tiempo fugaz, que le hacía desear una eternización del presente, esto es, un instante inmóvil, a un tiempo intemporal:

> Mi necesidad de cambiar cada día mi escritura viene de que yo quisiera siempre tener en presente toda mi vida; de que yo quisiera haber tenido siempre las ideas de cada instante.[7]

La presentificación se materializó en la escritura, porque de esa manera pensaba poseer la eternidad supuesta ya para su Obra. El instante quieto era también pasado y futuro, como un resumen de vida. Al captarlo en la escritura se identificaba con el tiempo, y su duración se eternizaba.

Cada persona siente el invisible transcurrir del tiempo de una manera particular. Asimismo, la actitud ante el tiempo varía mucho de unos seres a otros. Los filósofos no se ponen de acuerdo al analizar las categorías temporales. Simmel llegó a negar la realidad del tiempo: en su opinión, el presente no debe ser considerado tiempo, sino simplemente un momento, como un punto en el espacio; es la coincidencia del pasado y el futuro, pero el pasado ya no es y el futuro aún no es: sólo es real, pues, el presente, que no es temporal, luego el tiempo no existe.

Sin embargo, las noches siguen a los días y vemos enve-
jecer a los seres y destruirse a las cosas. Esa contemplación
llega a crear un tiempo psíquico, aunque admitamos con
Simmel que no existe el tiempo, según una peculiar interpretación de las transformaciones advertibles. Juan Ramón Jiménez creía en el tiempo psíquico, el suyo, sin esos
fundamentos filosóficos. Lo que le asustaba era precisamente ese vacío simmeliano relativo al pasado y al futuro,
por lo que daba toda su atención al presente. Y lo que buscaba era su eternización para colmar el vacío de las demás
categorías.

La música embriagadora

Lo curioso es que en *Tiempo* no se habla del tiempo. Es
una escritura de tiempo, no sobre el tiempo. Alguna vez se
hallan referencias a espacios temporales, aunque sin pretender comentar su naturaleza. El sentimiento cronológico
se condensa en la misma escritura, que es su ejemplifica-
ción real más adecuada.

El argumento interno del poema es, desde luego, el
tiempo en su plenitud esencial. Sin embargo, el lector encuentra una sucesión desorganizada de temas diversos,
unidos por la ambientación musical. Precisamente la
música es la más intemporal de las artes: al ser sonido, su
duración es instantánea. Una sinfonía es irrepetible, porque cada vez que se interprete resultará distinta. Ciertamente, la música se puede fijar en las partituras, y las técnicas de grabación permiten conservar un concierto. Pero la
esencia de la música está en su fugacidad, semejante a la
del tiempo.

Juan Ramón conocía bien esa música de las esferas ce-
lestes descrita por los pitagóricos y comentada por fray
Luis de León, semejante a la música callada advertida por
Juan de la Cruz. Esa música es la que anima *Tiempo*. A menudo se materializa en una partitura célebre ejecutada por
una orquesta prestigiosa bajo la batuta de un director famoso. Una era el reflejo de la otra en el texto.

Así, *Tiempo* engarza sus temas gracias a las referencias musicales. Parece que fue escrito en un súbito impulso inspirador, bajo el imperio de la «embriaguez rapsódica» explicada a Díez-Canedo, y es lógico que Juan Ramón aplicase una adjetivación musical a ese acto creador. Tan breve como el sonido de una nota musical en el oído, y tan perenne en la memoria capaz de reproducirlo continuamente, debió de ser la rapsodia temporal escuchada por el poeta desterrado y resucitado, ante un espacio que aparentaba ser infinito. Gracias a los originales, sabemos que el texto creció a partir de la idea inspiradora de una forma incontenible. Es un monólogo interior peculiar, con todas las características juanramonianas.

Como el original está incompleto, hay en él espacios en blanco pendientes de añadir citas o palabras que en el momento de la escritura no recordaba, y que prefería no buscar entonces para no interrumpir la fluidez creadora. Asimismo, la división en capítulos o fragmentos, como él escribió para resaltar la unidad textual, fue posterior. Probablemente se debería a la convicción de que era preferible para el lector establecer unas separaciones, que le sirvieran de descanso y recordatorio.

Tales fragmentaciones se asemejan a los diversos tiempos musicales de una sinfonía: el silencio entre ellos no rompe la unidad, sino que la refuerza. Así sucede en *Tiempo*, un escrito cronosófico carente de medida porque se mantiene en el presente eternizado.

La eternidad diaria

Descubrimos en *Tiempo* el desenlace obligado de *Eternidades*, el libro escrito entre 1916 y 1917, inmediatamente después del hallazgo fundamental del verso desnudo que aparece en el *Diario de un poeta reciencasado*. La boda y el verso desnudo o libre son dos acontecimientos que entraron a la vez en la vida y la Obra, tan unidas siempre en Juan Ramón, aquel año decisivo de 1916.

Fue entonces también cuando opinó que su poesía alcanzaba tanta altura que sería eterna mientras los seres humanos continúen interesándose por las bellas artes. De ahí que el libro inmediato al *Diario* se titule *Eternidades*. Sentía dos eternidades: la de la Obra y la de su nombre, que era tanto como la suya propia.

La primera contemplación del tiempo fue negativa, porque le aproximaba a la muerte. Desde *Eternidades* cambió su carácter para hacerse amable, por cuanto el tiempo era la eternidad, sinónimo de supervivencia. Se creyó libre de la dictadura temporal para siempre.

No iba a ser así. El destierro de su patria modificó las estructuras vitales y literarias organizadas hasta 1936. El replanteamiento de la cuestión se inició precisamente en enero de 1941, al componer *Tiempo* y *Espacio* como obras de exilio.

Eternidades se inicia con una confesión de duda sobre la escritura: «No sé con qué decirlo, / porque aún no está hecha / mi palabra». Y en seguida reclama a la inteligencia «el nombre exacto de las cosas», para expresarse con justeza. A lo largo del libro, que parece seguir el itinerario de la creación poética, se va consolidando la palabra del poeta, que es capaz de nombrar con precisión todas las cosas. Y al final se atreve a exclamar con toda seguridad: «¡Palabra mía eterna!». Es, pues, en *Eternidades* donde se materializa la equiparación de la Obra con la eternidad, y donde el tiempo deja de ser temible para convertirse en aliado del poeta.

Veinticinco años después, al escribir *Tiempo*, su palabra manaba incontenible. Sabía muy bien cómo decirlo, cómo exponer su sentimiento cronosófico. Su palabra estaba hecha y engarzada con la eternidad. Por eso, la embriaguez calificada por él mismo de rapsódica movía su mano con el lápiz apenas sin descanso, casi al dictado. No se podía detener, ni lo necesitaba.

Juan Ramón calificó de monólogo interior esa escritura apresurada, en lucha contra el tiempo, cuando su mano era incapaz de resumir todas las ideas que le empujaba la inteligencia a redactar. En la mente se agolpan los conceptos en espera de tiempo suficiente para llegar al papel. A diferencia de la escritura automática, en este monólogo encrespado es la inteligencia siempre animadora de las palabras exactas. Por eso, comentó el poeta al iniciar su largo escrito cómo era aquel monólogo sucedido:

> Desde muy joven pensé en el luego llamado «monólogo interior», [...] para mí el monólogo interior es sucesivo, sí, pero lúcido y coherente. Lo único que le falta es argumento. Es como sería un poema de poemas sin enlace lójico. Mi monólogo es la ocurrencia permanente desechada por falta de tiempo y lugar durante todo el día, una conciencia vijilante y separadora al marjen de la voluntad de elección [*Tiempo*, I, 26-41].

Resalta la lucidez y coherencia de su escritura, presentada como una recapitulación de ideas abandonadas a lo largo del día por falta del tiempo imprescindible para reproducirlas. A la hora del sueño le arrebata ese impulso creador que le impele a escribir inconteniblemente cuanto le dicta su conciencia, otro nombre de la inteligencia evocada en *Eternidades*. Esa conciencia estuvo en todo momento vigilante para distinguir la exactitud de las cosas.

El tiempo psíquico

El monólogo interior deriva del otro yo que dicta casi al poeta lo que debe escribir. Es ese «segundo yo» maldecido en *Espacio* porque «no se deja callar, no lo dejo callar» (III, pp. 128-136), que convierte al poeta en un médium sin voluntad.[8] Para ese yo interior ignorado por todos los que trataban al poeta, el tiempo carece de una duración mensurable. Es un tiempo psíquico, falto de adaptación al desarrollo habitual del devenir humano.

Para ese tiempo psíquico, la temporalidad se muestra en un presente perpetuo, en el que son imposibles los conceptos de pasado y de futuro, sino que los contiene yuxtapuestos en un instante sin fin. Las intuiciones entrevistas a partir de *Eternidades* se confirman plenamente en *Tiempo*.

En realidad, el tiempo psíquico parece dar la razón a Simmel, puesto que carece de una realidad concreta.

Los «egos» del yo juanramoniano son el mismo y el otro en ese tiempo psíquico. La inteligencia equiparable a la conciencia reconocía su asedio continuo y trataba de evitar su influjo, inútilmente la mayor parte de las veces. La presencia del otro le obligaba a adaptar su escritura de manera que manifestase las ideas nutrientes. Estaba de acuerdo con ellas, pero deseaba dominarlas con su inteligencia, en todo momento y en todo escrito.

El yo que permanecía en el presente eternizado seguía sometido a las oscilaciones del tiempo terrestre. Esa distinción causaba el enfrentamiento anímico, potenciado en el exilio por las carencias de cuanto relacionaba ese presente con la historia anterior.

Jean-Paul Sartre habló sobre la presentificación en sus comentarios a la temporalidad. En su terminología existencialista, el presente es un para-sí, que es el propio de la conciencia, al plantearse la realidad de su existencia. Se es presente en relación a algo con lo que se está en conexión. El ser al cual el presente es presencia se denomina presente. Pero el presente es una huida ante el ser, luego no es. Se intenta captarlo en el instante, admitiendo que el presente es; sin embargo, no es, sino que se presentifica en forma de esa huida continua.[9]

Coincidían el poeta y el filósofo por los mismos años en su concepción cronológica. Inevitablemente, se diferenciaban las exposiciones de su pensamiento, pero el sustento ideológico es parecido. En el tiempo psíquico juanramoniano sólo es posible una categoría, porque todo está presentificado, todo es ahora mismo.

La presentificación en el pensamiento no implica quietud, sino ebullición. Al no existir ni el antes ni el después, se contempla a la vez el todo del existir, y es entonces cuando se comprende la aseveración hecha por Lope de Vega que a Nietzsche tanto gustaba citar: «Yo me sucedo a mí mismo». La sucesión es instantánea, completa y perpetua. Y así es como en *Tiempo* y en *Espacio* todo se manifiesta sucesivo, en su ser y en su devenir, que es uno y mismo.

El presente no es igual al instante. Ninguno de los dos conceptos es mensurable con relojes, por lo que es inútil pretender explicar su duración. En el presente caben varios instantes porque encierra el pasado y el futuro. Pero no hay parámetros capaces de armonizar su escala cronológica. En *Espacio* se facilita una definición del presente, pero desde sus caracteres negativos: «No es el presente sino un punto de apoyo o de comparación, más breve cada vez; y lo que deja y lo que coje, más, más grande» (I, 241-244).

La brevedad del presente puede ser instantánea. Pero si es el tiempo mismo el que se presentifica, no hay modo de concretar la duración, que será inmensa o mínima, según lo entienda el ser que atiende sus nexos de causalidad en el tiempo psíquico.

El tiempo y la nada

Un precedente importante para entender el concepto juanramoniano del tiempo se descubre en el cuarto cuaderno de *Sucesión* (1932). Es un breve texto en prosa fechado en 1927, cuando su autor tenía 45 años; titulado «El tiempo», se descompone la certidumbre del cronólogo ante la inconmensurabilidad del instante. El escrito pertenece a esa época en que se dejaba dominar por la meditación sobre el instante, en tarea de presentificación cumplida en la aventura del exilio americano. Dice así:

> Estábamos hablando hace un instante: «Dentro de 20 años, cuando yo tenga 45...». Y de pronto, malestar, menos cuerda, una luz y una sombra que se huyen, la mano por los ojos; y sin saber cómo, nos encontramos diciendo: «Hace 20 años, cuando yo tenía 25...».
> Y ¿qué es lo que ha pasado mientras tanto, en ese dudoso, incojible, incomprendido instante? Nada, eso, tiempo.

Ese instante presentificado equivale entonces a veinte años de un cómputo biográfico equilibrado. En otro momento su duración será mayor o menor, puesto que no es tiempo de relojes. Su naturaleza se percibe psíquicamente, y difiere en cada caso y en cada ser. Por eso, al preguntarse Juan Ramón qué es lo que ha pasado en ese instante fantasmal, se contesta que nada, tiempo.

¿No es nada el tiempo? O, dicho de otro modo, ¿es la nada el tiempo? En tal supuesto equivaldría a la muerte. Pero Juan Ramón se reconocía en esa época inmortal por su Obra. El tiempo no es temporal si se presentifica. Sin llegar a la negación propuesta por Simmel, es preciso reconocer que el presente no es tiempo, ya que resulta imposible fijarlo, concretarlo con respecto a algo. Es forzoso presentificar el futuro y el pasado para conseguir conocer el tiempo. Así es como se evita la nada y se disuelve la amenaza de la muerte, dentro de ese tiempo psíquico a la medida.

Así lo anotó Wittgenstein en su diario el 8 de julio de 1916, cuando Juan Ramón acababa de regresar a Madrid después de su viaje de bodas, en el que descubrió el verso libre en su propio diario lírico. Meditaba el filósofo de esta manera acerca del sentido de la vida y de las motivaciones de la felicidad:

> Soy feliz o desgraciado, eso es todo. Cabe decir: no existe lo bueno y lo malo.
> Quien es feliz no debe sentir temor. Ni siquiera ante la muerte:
> Sólo quien no vive en el tiempo, haciéndolo en el presente, es feliz.
> Para la vida en el presente no hay muerte.
> La muerte no es un acontecimiento de la vida. No es un hecho del mundo.
> Si como eternidad no se entiende una duración temporal infinita sino atemporalidad, entonces puede decirse que vive eternamente quien vive en el presente.
> Para vivir feliz tengo que estar en concordancia con el mundo. Y a esto *se llama* «ser feliz» [...].[10]

Vivir eternamente en el presente era la apetencia de Juan Ramón. Para conseguirlo debió presentificar el tiempo total. Vemos que su intención estaba próxima a los filósofos de su época vital, enzarzados como él en descubrir la estructura de la temporalidad.

Y es en *Tiempo* y en *Espacio* donde se cronosifica el pensamiento juanramoniano. En esa escritura coetánea de ambos poemas complementarios se superponen personas, paisajes y acontecimientos, presentificados entonces como rechazo del exilio político al que se había condenado a sí mismo con su compañera.

Al vivir en el presente eternizado no le molestaba la idea de la muerte, y además evitaba la contemplación del destierro. Podía sentirse feliz en ese punto indefinible donde confluían un espacio infinito y un tiempo eterno. En el centro absoluto.

La fuga raudal del tiempo

Juan Ramón había asumido su condición de desterrado de España con plena decisión política. Pero uno de sus «egos» padecía aquella situación con un desgarramiento íntimo, porque necesitaba continuar su enraizamiento en la patria, escuchar la lengua materna a diario, y manejar sus objetos personales cuidadosamente reunidos, en especial y por encima de todo su Obra.

El conflicto entre los dos «egos», el que consideraba imprescindible permanecer en el exilio y el que anhelaba encontrarse en España, provocó la reaparición de las depresiones que le atormentaron la vida entre 1900 y 1913, entre la muerte de su padre y el encuentro con Zenobia. A pesar del convencimiento pleno de haber vencido a la muerte por medio de la escritura, la angustia del destierro desencadenó otra vez la neurosis nunca curada por completo.

Una salida para ese enfrentamiento psíquico se la procuró la presentificación del tiempo. Si admitimos la opinión de Kant respecto a que el espacio y el tiempo son intuiciones puras anteriores a las cosas, es factible colocarse en una situación premeditada ante el tiempo y elegir una secuencia cronológica apetecida para proyectarla hacia la vida entera.

El presente no es real, pero el tiempo se presentifica precisamente por ello, y se convierte en eternidad. Así es factible superar una situación molesta al superponerle otra feliz, cuando las dos permanecen en presente. La eternidad de la Obra puede proyectarse sobre los instantes sucesivos de la vida humana, y hacer de las dos una identidad en ese punto básico explorado.

Lo que deseaba superar el poeta era su presencia en el destierro, es decir, su ser presente al destierro. Puesto que la escritura constituía su medio de eternización, con ella resolvía el problema. Mediante la eternidad de la presentificación se anexionaba espacios y tiempos ausentes y pasados. Caían el antes y el después para «vivir el día único de la gracia» (*Tiempo*, I, 61).

Sabía conscientemente que se hallaba en Florida en enero de 1941. La música y la escritura la teletransportaban a cualquier lugar y situación que prefiriese a la radical realidad física. Por eso la escritura rechazaba el descanso y fluía en fuga acompasada. Sentía una voz incluso que le dictaba y le obligaba a escribir sin parar (*Espacio*, III, 128-136). De esa manera, superaba el dolor de su destierro, al menos en la comprensión de uno de los «egos» de su yo inquieto. El espíritu es inquietud, según la definición de Hegel, y el cuerpo suele ser el almacén de las enfermedades. La agitación de ambos conduce a la neurosis.

Al comenzar *Espacio* se retrató Juan Ramón en aquel tiempo de la escritura. Por ser su escritura plenamente coetánea de la de *Tiempo*, los conceptos y los detalles se trasvasan a menudo entre ellos. Leemos en las primeras líneas del poema prosificado:

> «Los dioses no tuvieron más sustancia que la que tengo yo.» Yo tengo, como ellos, la sustancia de todo lo vivido y de todo lo porvivir. No soy presente sólo, sino fuga raudal de cabo a fin. Y lo que veo, a un lado y otro, en esta fuga (rosas, restos de alas, sombra y luz) es sólo mío, recuerdo y ansia míos, presentimiento, olvido [*Espacio*, I, 1-15].

La autentificación de no ser presente sólo manifiesta el convencimiento de Juan Ramón respecto a la fenomenología de la temporalidad. En ese párrafo el presente equivale al instante en su condición negativa, a ese lapso cronológico que los seres cultos miden con diversos relojes. El poeta admite su existencia, pero niega que él sea únicamente ese lapso mensurable en su vida humana.

Se reconoce «fuga raudal de cabo a fin», que es tanto como decir que las estructuras temporales poseen un inicio y un término en la biografía de los seres, dos polos entre los que se genera su propio tiempo personal. Y ese tiempo está presentificado siempre, es sólo suyo en todas y cada una de sus posibilidades.

Concreta en *recuerdo* y *olvido* el tiempo pasado, mientras reserva *ansia* y *presentimiento* para el futuro. Y asegura que lo ve, y que lo comprende porque en su tiempo, su vida, su biografía estructurada por medio de esos elementos. Lo contempla todo en ese presente, lo tiene todo presentificado. En consecuencia, se reconoce semejante a los dioses, para quienes las teologías fabrican una eternidad en la que siempre está el tiempo en presente.

Debe entenderse que Juan Ramón no buscaba deificarse en ningún modo: resultaría absurdo en quien desde muy joven rechazó las religiones. Al equipararse a los dioses presentaba, en imagen literaria, la explicación de su reconocida inmortalidad en la Obra.

Final sin fin

Tiempo quedó incompleto, porque no se podía terminar, al ser precisamente escritura de tiempo, construida en el exilio por el desencadenamiento de unos acontecimientos probablemente irrealizables en España. Debió de ser un enorme consuelo para Juan Ramón Jiménez, en aquellas circunstancias tan alejadas de las habituales hasta 1936, recoger en la escritura incontenible su historia presentificada, hacia su punto de estancia en el infinito.

Nació como un monólogo interior, pero es preciso admitir que la mayor parte de la poesía lírica no hace otra cosa que monologar sobre los sentimientos del autor. Al ser tales sentimientos comunes a todos los seres de una cultura determinada, otras personas se reconocen en la escritura, y la derivan a su situación anímica.

Sin embargo, la tragedia juanramoniana registrada en *Tiempo* y en *Espacio* hace que lleguen a ser poemas épicos. No en balde describen la historia de una vida de poeta rota por el destierro sentido como inevitable. Su belleza resume su grandeza. En el presente perpetuo a que nos lleva recobramos siempre la imagen dolorida del poeta encarado a su destino en la escritura.

NOTAS

1. «Pues en 1941, saliendo yo, casi nuevo, resucitado casi, del Hospital de la Universidad de Miami [...], una embriaguez rapsódica, una fuga incontenible empezó a dictarme un poema de espacio, en una sola interminable estrofa de verso libre mayor. Y al lado de este poema y paralelo a él, como me ocurre siempre, vino a mi lápiz un interminable párrafo en prosa, dictado por la estensión lisa de La Florida, y que es una escritura de tiempo, fusión memorial de ideolojía y anécdota, sin orden cronolójico; como una tira sin fin desliada hacia atrás en mi vida» (Juan Ramón Jiménez, *Cartas literarias* [edición de Francisco Garfias], Barcelona, Bruguera, 1977, pp. 65 ss.). En las citas de J.R.J. se conserva su peculiar ortografía, distinta de la académica en uso.

2. Juan Ramón Jiménez, *Tiempo* y *Espacio* (edición de Arturo del Villar), Madrid, Edaf, 1986; dos impresiones. Sobre esta edición se ha hecho la americana, *Time and Space*: A Poetic Autobiography (traducida por Antonio T. de Nicolás), Nueva York, Parangon House Publishers, 1988. Las citas de ambos poemas se hacen por la edición de Edaf, indicando el «fragmento» o capítulo en números romanos y la línea en arábigos.

3. Abre el número 28 de la revista madrileña *Poesía Española*, correspondiente a abril de 1954.

4. Teoría que desarrollo ampliamente en mi ensayo *Crítica de la razón estética (El ejemplo de Juan Ramón Jiménez)*, Madrid, Los Libros de Fausto, 1988, en los capítulos 2 y 3. Sobre el concepto juanramoniano del tiempo hay algunos textos que deben consultarse, y que citamos a continuación: Fernand Verhesen, «Tiempo y espacio en la obra de Juan Ramón Jiménez», *La Torre* (Puerto Rico) 19-20, julio-diciembre (1957); Basilio de Pablos, *El tiempo en la poesía de Juan Ramón Jiménez*, Madrid, Gredos, 1965; Paul R. Olson, *Circle of Paradox*.

Time and Essence in the Poetry of Juan Ramón Jiménez, Baltimore, John Hopkins Press, 1967; Arturo del Villar, «*Eternidades*, el prólogo de la Obra», *Ínsula* (Madrid), 416-417, julio-agosto (1981); Rosalba Fernández Contreras, «Categorías: coordenadas poéticas», en *Actas del Congreso (sobre J.R.J.)* Huelva, Instituto de Estudios Onubenses, 1983.

5. Entre los modernos ensayos cronosóficos es recomendable el del historiador Krzysztof Pomian, *L'Ordre du temps*, París, Gallimard, 1985, que en sus 370 páginas revisa cómo se ha medido y vivido el tiempo en Occidente. Otros ensayos merecen también nuestra atención: Norbert Elias, *Saggio sul tempo*, Bolonia, Il Mulino, 1986; Ilya Prigogine e Isabelle Stengers, *Entre le tempos et l'éternité*, París, Fayard, 1988, así como las Actas del Coloquio celebrado en Cerisy en junio de 1983 en torno a la obra de este premio Nobel de Química, editadas con el título *Temps et devenir*, Ginebra, Patino, 1988.

6. Juan Ramón Jiménez, *La corriente infinita* (edición de Francisco Garfias), Madrid, Aguilar, 1961, p. 280.

7. Juan Ramón Jiménez, *Autobiografía y autocrítica* (edición de Arturo del Villar), Madrid, Los Libros de Fausto, 1985, p. 78, af. 297: «En presente».

8. El tema del otro yo es fundamental en la Obra juanramoniana. Lo he tratado extensamente en el capítulo cuarto de mi ensayo citado, «Encuentro con el otro». Asimismo, en el prólogo a la edición de *Tiempo* y *Espacio* se comenta la función del otro yo en estos poemas.

9. Apretadísimo resumen del segundo capítulo de la segunda parte de *L'être et le néant*, París, Gallimard, 1943. El propio Sartre declaró haber empezado a escribir este ensayo de una manera sistemática en el invierno de 1939-1940, de modo que resulta coetáneo de *Tiempo* y *Espacio* en buena parte.

10. Ludwig Wittgenstein, *Diario filosófico (1914-1916)* (trad. de Jacobo Muñoz), Barcelona, Ariel, 1982, pp. 128 ss.

LOS EXILIOS DE CATALUNYA, GALIZA Y EUSKADI

CATALANES EXILIADOS EN MÉXICO: ANNA MURIÀ Y AGUSTÍ BARTRA

Kathleen McNerney

El exilio de Cataluña de Anna Murià empezó en 1939 cuando, junto con un grupo de escritores que trabajaban para la Institució de les Lletres Catalanes, cruzó la frontera de Francia por Agullana. Estos literatos catalanes llegaron a Perpiñán y luego a Toulouse, esperando que se les tramitara una residencia en el exilio. Una vieja casa convertida en hostal para estudiantes en Roissy-en-Brie, a unos 25 kilómetros de París, se convirtió en la primera residencia temporal de este grupo de unos doce escritores. La mudanza definitiva tuvo lugar en abril. Su estancia, poco menos de un año, fue bastante agradable dadas las circunstancias: tenían piscina, bosques donde pasear, cocineros y criada. Todo ello fue concertado por los contactos de Francesc Trabal con los comités franceses que se formaron para ayudar a los republicanos que escapaban de España. Durante este período, Murià hizo una fuerte amistad con Mercè Rodoreda, con la cual mantuvo una copiosa correspondencia después de su separación. Y fue en ese momento cuando Murià encontró el amor de su vida: Agustí Bartra.[1]

La intensa vida en el exilio sin duda aumentó y aceleró la formación de relaciones de todo tipo. A causa de las relaciones amorosas con Joan Prat, mejor conocido como Armand Obiols, Rodoreda fue en cierto modo excluida del grupo. Anna Murià, entre otros, la defendió cuanto pudo. Agustí Bartra no formaba parte del grupo original, pero se anexionó a éste en Roissy-en-Brie el tres de agosto, después de pasar varios meses en campos de concentración. El tres de diciembre escribió una carta a su padre anunciando sus relaciones con Anna y su partida inminente hacia América.

Murià y Bartra solicitaron pasaje a México en enero de 1940 pero se les dijo que no había sitio y que tendrían que ir a la República dominicana, al menos por una temporada. Animaron a Rodoreda para que fuera con ellos, pero ella no quiso. Más tarde confesó en una carta a Murià que lamentaba haberse quedado en la Europa demolida por la guerra. Bartra y Muriá consiguieron finalmente llegar a México después de haber vivido una temporada en la República dominicana y haber estado de paso en La Habana. Pasaron treinta años antes de volver definitivamente a Barcelona en 1970. En este período de tiempo tuvieron dos hijos e hicieron varios viajes a Estados Unidos y Europa. Murià había hecho punto cuando estaba en Francia, como «totes les senyores dels escriptors», nos dice ella, pero en México dejó de bordar, crió a su familia y colaboró en varias revistas de catalanes en el exilio en Latinoamérica.[2] También escribió durante este período una biografía de su marido, *Crònica de la vida d'Agustí Bartra*. Ella había escrito dos novelas antes de la guerra, pero abandonó el género hasta después de su repatriación a Barcelona. A partir de este momento escribió dos novelas más, otro libro sobre Bartra, historias para niños y artículos para revistas literarias. Hoy en día concede entrevistas y continúa escribiendo en mayoría sobre sus recuerdos, así como también prólogos e introducciones para obras de otros escritores.

Dos de las obras de Anna Murià son particularmente valiosas respecto a las nuevas vidas de los catalanes exiliados en México. La primera edición de *Crònica de la vida d'Agustí Bartra*, publicada en 1967, trata en detalle no sólo la vida de Bartra hasta dicha fecha sino también sus obras, amistades y desde luego las vidas de los que le rodeaban. En la segunda edición, publicada en 1983, se añade un prólogo de Antoni Ribera y un epílogo escrito por Murià en el cual describe los ataques que precedieron a la muerte de Bartra.

La novela de Murià de 1986, *Aquest serà el principi,* examina de forma ficcional el mismo período, los acontecimientos y la gente que describe en su *Crònica.* En un período de tiempo de unos cuarenta años, esta obra extensa se divide en tres períodos históricos y tres lugares: la Barcelona de la República y la guerra, el exilio a Francia y luego a México y la vuelta a Cataluña durante los últimos años del régimen de Franco. En su prólogo debate extensamente la cuestión de si esta novela es autobiográfica. En el sentido de ser tan extensa; de que los hechos históricos son analizados por ella, que algunos de los prototipos de personajes eran gente que ella conocía y que algunas de las anécdotas le eran familiares, Murià responde que sí es autobiográfica. Dicho esto, explica que la novela representa sólo en parte su propia realidad y su vida; que los personajes los ha fusionado y que las anécdotas las ha transformado. Incluso la obra más fantástica, nos dice, siempre se basa en la realidad. Nos da dos ejemplos de hechos reales en su novela: la descripción del primer lugar donde se refugió en Francia después de cruzar la frontera, una vieja estación de bomberos donde sólo había colchones de paja y un pequeño hornillo para hacerse el desayuno y poco más. El otro ejemplo representa la creación de una leyenda de alguien que ella no conoció personalmente, pero que entre los círculos de amistades en los cuales ella se movía lo conocían bien. Se trata de Andreu Nin, llamado Haima en la novela, activista republicano que murió bajo circunstancias extrañas. La gente tenía curiosidad por la dedicación y lucha incesante de este hombre entregado, aventurero y dinámico y especialmente por su muerte prematura, a resultas de banderías de la izquierda. La curiosidad de Murià sobre él se incrementó con las confidencias de su viuda, que también estaba exiliada en México y que siempre le fue fiel. Murià nos explica que como no lo conocía personalmente, fue capaz de crear una leyenda sobre este personaje heroico sin demasiadas interferencias de la realidad. Incluso crea, o mejor dicho muestra, dos personajes en la novela cuya relación se basa en la adoración al héroe derrotado.

Una de las técnicas narrativas más eficaces con la cual Murià nos cuenta sus historias fue desarrollada sin duda por el mismo exilio: el escribir cartas. Ni *Crònica de la vida d'Agustí Bartra* ni *Aquest serà el principi* entran en el género epistolar, pero las dos están entrelazadas con cartas; de forma real en la primera obra y de forma imaginaria en la segunda. Las dos novelas recalcan las acciones de leer y escribir, las ideas de ausencia y presencia, es decir, la creación de intimidad o de distancia.

A simple vista la definición de novela epistolar acopla perfectamente con la técnica que utiliza Murià. Ruth Perry explica que las historias de cartas «are about reactions to separation» y que dan énfasis a «the revelation and expression of feelings».[3] Los personajes que escriben cartas buscan la respuesta de un lector específico y a la vez se sitúan dentro del texto —las cartas constituyen la presencia de ambos, escritor y remitente—. Además, las cartas se refieren a sí mismas, de tal manera que una novela epistolar puede versar sobre las técnicas de escribir. Esta autorreferencia puede tomar forma de intertextualidad, porque el que escribe cartas se refiere a otras cartas o textos fuera de la correspondencia. Aunque la situación esencial de la novela epistolar puede que nos presente al individuo solo en una habitación con papel y pluma, en realidad, el escribir cartas y los que las escriben concentran la mirada de los lectores en una mayor complejidad de temas. Las cartas permiten a los personajes ficticios crear nuevas definiciones de ellos mismos y mantenerse en contacto con los que les rodean; a los escritores de carne y hueso establecer las coordenadas espacio-temporales que pueden haberse olvidado en la memoria. La carta puede indicar ambas, ausencia y presencia; establecer lazos o barreras; concentrarse en torno a la escritura relativa al habla, a la marginalidad y al silencio. El exilio de Murià ciertamente debe haber mejorado la experta manipulación de este género.

El primer ejemplo del uso de cartas en *Crònica* es simplemente un esfuerzo por recrear con precisión un período de la vida de Bartra, en el cual Murià no fue ni observadora ni participante. Se trata de la niñez de Bartra, reconstruida con agendas y cartas viejas. Los documentos son como una vuelta al pasado: primero nos presentan al poeta llegando de un campo de concentración a Roissy-en-Brie y después nos ofrecen vislumbres de su juventud antes de conocer a Murià. Adelantándose a los primeros años de exilio en México, Murià nos cuenta que Bartra también emplea cartas al escribir su novela *Xabola*, crónica de ausencia/presencia sobre cuatro amigos que sobreviven en un campo de concentración. Pero el uso más prolongado de esta forma en la biografía es un capítulo que se titula «Epistolari de l'absència». Aquí, los niveles de ausencia y exilio se multiplican. A Bartra le conceden una beca Guggenheim en Estados Unidos en 1961 y se traslada allí con su familia por un año. Sin embargo el viaje es perjudicial para los estudios de su joven hijo Roger, de tal manera que lo envían de vuelta a México. Es la primera separación de esta familia, tan duramente apartada del resto de su estirpe. Este capítulo reúne cartas de Murià, Bartra y su hija Eli dirigidas al Roger ausente. Las cartas, escritas entre abril y agosto de 1961, mencionan otros exilios en el pasado y el futuro, tales como los de Manuel Durán y Margaret Randall. Muestran también preocupaciones y características de cada uno de los que las escriben: Bartra repasa su obra y pide revistas y libros de México; Murià menciona acontecimientos políticos, enfatizando la invasión de Cuba en la bahía de Cochinos y las quejas sobre el calor sofocante; la única carta de Eli cuenta una anécdota familiar. En la primera de las cartas de Murià a Roger, ésta recuerda la proclamación de la República en su XXX aniversario declarando que, sin esa grata celebración de su juventud, Roger no hubiera existido. Acaba la última carta anunciando su viaje inminente a Europa, ese primer retorno al viejo mundo.

Las cartas incluidas en *Aquest serà el principi* son dirigidas y escritas a y por varios personajes. Tienen la función de ofrecer una distancia narrativa y diferentes puntos de vista sobre personajes y acontecimientos. La principal relación examinada en la novela entronca a Víctor y Martina, una pareja que se parece tanto a Bartra y Murià que algunos, sólo por este aspecto, han catalogado esta novela de autobiográfica. Existe un gran intercambio de cartas entre ellos cuando están exiliados en diferentes áreas de Francia, antes de casarse y partir hacia el nuevo mundo. En el intercambio, Víctor establece claramente su superioridad y dominación y Martina accede conscientemente a todas sus ideas y caprichos. Según él, no debe sufrir por los «pequeños» detalles que le cuenta en sus cartas. Por ejemplo, le enseñará a elegir las cosas importantes por las que sufrir. De hecho, anuncia como si se tratara de una reflexión tardía: «He fet una cosa que no sé si et desplaurà, però en aquest cas tindria remei. A París estan fent gestions per treure'm d'aquest camp i embarcar-me a Mèxic... He hagut d'omplir una fitxa amb totes les dades; tinc dret a demanar també l'embarcament de la meva família i, saps què he fet?, t'hi he posat a tu com la meva muller».[4]

Víctor y Martina también reciben cartas de los que quedaron atrás. La carta de Gabriela no dice nada de Isabel; aunque ambas vivan en Barcelona, han perdido contacto. La carta de Gabriela sugiere que los barrios no céntricos de Barcelona parecen estar tan lejanos como el nuevo mundo; desde que Isabel se trasladó a Horta, no sabe nada de ella. Por otra parte, dice que el mundo es un pañuelo, ya que da la casualidad que Gabriela conoce a un catalán que vive en México, amigo de Víctor y Martina.

En las últimas cartas de la novela, Murià permite que sus escritores enfaticen ciertas cuestiones penosas sobre el exilio. Berta, que fue a América con Víctor y Martina pero que ahora vive en otro país, dice lo siguiente: «Què és la pàtria? Què és l'amor a la pàtria? Sempre m'ho he preguntat, amb més insistència com més passen els anys sense pàtria... Pot haver-hi més d'una pàtria? Què seran els nostres fills?» (p. 337). Berta habla más tarde sobre la muerte de su madre, otro de los aspectos del sufrimiento de los jóvenes exiliados que dejaron atrás a sus mayores. Bartra ya había sufrido la misma experiencia. Termina dicha larga carta con una descripción de su propio estado mental, algo paradójico a consecuencia de esa pérdida: «Des d'aleshores sóc diferent... Sento diferent tot el que em volta, tot el món... Diria que em creixen arrels» (p. 351). Es la alienación misma la que provoca en ella arraigarse en el nuevo país. En este curioso ejemplo de metaficción, Víctor contesta la carta de Berta citando a Bartra: «Ara que la teva "solitud de nàufrag filial", com diu Bartra, recordes?, sí, recordes que llegírem i comentàrem junts aquell *Rèquiem*, sense pensar, més ben dit, pensant-ho però sense creure-ho, perquè aquestes absències no es creuen ni abans ni després de produir-se, que la veu d'un de nosaltres, un dia, havia de soldar-se amb aquells versos. Que la terra que els té a ells dos t'ajudi a esqueiar la solitud, el bocí de terra que tu ja toques, que jo tocaré aviat, que anomenem nostra, ara més nostra, més terra» (p. 358). La carta, la novela, el poema citado, todo ello se junta para concluir este trabajo intentando superar los sentimientos de alienación que todos los exiliados en sus nuevas tierras adoptivas han experimentado.

NOTAS

1. Ver Mercè Rodoreda, *Cartes a l'Anna Murià. 1939-1956*, Barcelona, laSal, 1985, donde se nos muestra esta dolorosa descripción del exilio.

2. Murià cuenta los hechos desde su punto de vista en su breve prólogo-entrevista en *Cartes, ibíd.*

3. Ruth Perry, *Women, Letters and the Novel*, Nueva York, AMS Press, 1980, p. XII. La autora expresa su agradecimiento a Anne Bower por la sugerencia de algunas ideas sobre la novela epistolar desarrolladas en este artículo.

4. Anna Murià, *Aquest serà el principi*, Barcelona, laSal, 1986, p. 153. Todas las acotaciones subsiguientes pertenecen a esta misma obra.

JOSEP CARNER EN NABÍ

Jaime Ferrán

En el Simposio sobre «La emigración y el exilio en la literatura hispánica del siglo xx», celebrado en la Universidad de Syracuse los días 24 y 25 de octubre de 1986, presenté una ponencia sobre «Tierra y exilio en Josep Carner». Al prepararla me di cuenta de que todo mi esfuerzo no era más que una preparación para comprender algo, que, de algún modo, se me escapaba...

Al mediar la ponencia había identificado el problema con estas palabras: «La guerra civil, que había partido a España en dos, partía también por la mitad la vida del poeta, que ahora sí, encontraba en el exilio una nueva perspectiva dramática, amarga, que pronto se reflejaría en uno de sus libros fundamentales: *Nabí*, aparecido en 1941, que parece que "fue concebido en Hendaya, continuado en Beirut, donde Carner fue cónsul un año y medio (1935-36), y terminado en México", como nos recuerda Gabriel Ferrater».[1]

El hilo de mi ponencia actual quiere volver hacia aquella ruta no desbrozada entonces, pero que ahora se me antoja imprescindible para quien quiera comprender totalmente a Carner.

El mismo Gabriel Ferrater nos ha recordado que antes de *Nabí*, Carner «había adoptado motivos chinos (y no tan sólo como traductor), y después adoptó otros del México precolombino».[2] El espíritu del poeta estaba, pues, preparado, para la llamada del gran tema bíblico, que le ocupará antes, durante y después de nuestra guerra civil.

El lírico Carner se enfrentaba con un poema épico —si entendemos bien *Nabí*— al tiempo en que Josep Maria de Sagarra trataba, también épicamente, *El Comte Arnau*. La generación noucentista llegaba a su madurez y cada uno de sus representantes nos ofrecía su voz más rotunda.

En la advertencia inicial, previa al Primer Canto del Poema, Carner nos advierte que «la palabra hebrea usada para significar "profeta" es nabí, eso es portavoz o intérprete de Dios; pero en la Escritura —reconoce Baruch Spinoza en su *Tractatus Theologico-Politicus*— su significación se reduce a intérprete de Dios».[3] Desde el principio, pues, el poeta —en su acepción de intérprete o trujamán, como deberíamos traducir la palabra catalana *torsimany*, usada por Carner— se ve como «vate» —en la dimensión visionaria, que preconizara repetidamente Rimbaud.

En las distintas etapas de su periplo diplomático, con la objetividad que le daba su ausencia de la patria, el poeta podía ofrecer a sus contemporáneos una meditación exhaustiva sobre los tiempos confusos que le había tocado vivir. Su poesía parece, pues, emprender un vuelo más alto que el que había alcanzado hasta entonces. No hablamos de bondad o de excelencia, porque Carner las había tenido desde el inicio de su asombrosa carrera poética, sino de la voluntad de enfrentarse con un tema excepcional, que la excepcionalidad de los tiempos requería. La condición de «vate» del poeta le permite, en efecto, anticipar los grandes problemas —y las grandes tragedias— de su etnia. Carner iba infalible hacia el diagnóstico de uno de los momentos más apasionantes de la historia española, que había comenzado con la instauración de la República, a la que Carner se había adherido sin reservas de ninguna clase y a la que sería fiel a ultranza —hasta el punto de tener que renunciar a la carrera diplomática, en el momento en que alcanzaba su máximo reconocimiento. También es importante el hecho de que Carner, autor de poemas generalmente breves, se enfrente, a la vez, con el poema largo. La esposa de Carner, Emilie Noulet —la gran especialista en la poesía simbolista francesa—, nos hacía notar la diferencia entre el poema breve y el largo. El primero, «puede nacer en el espíritu y del espíritu, y no parecerse a su autor momentáneo. El poema largo, nacido en el múltiple misterio de la personalidad, se parece, en cambio, a su autor e incluso lo desborda, definiéndolo, glorificándolo». El «*tempo*» de *Nabí* será un *tempo* distinto al que nos tiene Carner habituados. El poeta acostumbraba a darnos el poema en una rápida pincelada —o pinceladas—, conduciéndonos a su inmediata solución, extremando, pues, la gracia, el donaire por el que el poeta era, tan justamente, conocido. Ahora, en cambio, desde su inicio, parece que Carner se complace en retrasar la acción, reduciéndose el Primer Canto a presentar la exhortación de Jehová a Jonás para que anuncie su desagrado a los habitantes de Nínive y la larga meditación del profeta, que se resiste a cumplir el mandamiento divino.

Sabemos que el poema fue empezado en Hendaya, en 1932, pero no deja de maravillarnos la intuición del poeta, que por medio de la historia de Jonás nos explicará su propia época —turbia y conturbada—, que sólo el vate, de algún modo, podía anticipar. Por ello, aunque la alusión concreta a la guerra civil no vendrá sino más tarde —en el Quinto Canto—, al leer ahora el poema como un todo no deja de estremecernos la oportunidad de Carner, al proporcionarnos, desde el principio, la anticipación angustiosa que sólo podía darnos el tema bíblico elegido.

Pero es en el Canto Segundo en el que el comienzo nos presenta al hombre contemporáneo, al que simboliza Jonás, perdido, vagando al azar, habiendo olvidado hasta lo que quería:

> *Home perdut entre un manyoc de vies,*
> *oh malaventurat;*
> *A mig camí no tens esment de què volies.*
> *Car travessem la fosquedat*
> *dels nostres dies*
> *com la sageta, dreta vers el destí ignorat.*[4]

[Hombre perdido entre un grupo de vías,
¡oh, malaventurado!
Al mediar el camino no sabes qué querías.
Ya que lo oscuro atravesamos
de nuestros días
como la flecha busca el destino ignorado.]

El lírico Carner, pasa de la tercera persona a la primera
—es decir, de la épica a la lírica, según la definición de Ja-
cobson— porque siente la necesidad de fundirse y confundirse con su personaje. A partir de este Canto, podemos observar cómo los avatares de Jonás son asumidos por el
poeta, que parece indeleble en el monólogo.

Quizá debiéramos recordar ahora que antes de que el
profeta fuera considerado un intérprete de Dios, los poetas
—como nos advierte Sócrates en el *Ion* platónico— son in-
térpretes de los dioses —«hermenes eisin ton theon»—. El
poeta, pues, antes que el profeta fue considerado el intérprete de los designios divinos y la irrupción del autor en el
monólogo de Jonás nos parece justificar ampliamente esta
aseveración. A partir de ahora, Carner se asomará indele-
blemente y se subsumirá en la voz de su *Nabí*, continuando
su lamentación en el Canto Tercero, en el que sigue el relato bíblico y vemos a Jonás camino de Tartesos y lanzado
al mar por sus compañeros de viaje. El Canto Cuarto nos
sorprende con unas estrofas regulares. Aunque no haya
verso libre para quien quiere hacer un buen trabajo
—como gustaba de decir Eliot— en *Nabí* el verso libre anterior corresponde —con exactitud— a la angustia inicial de
Jonás, en tanto que ahora, en el interior del pez le llega con
la paz el metro regular, correspondiendo exactamente a su
estado de ánimo... Camino de Tartesos, huyendo de la Voz,
las aguas violentas —para usar la expresión bachelar-
diana— simbolizaba la cólera desatada del Dios traicio-
nado. Ahora llega el momento de la serenidad, de la reflexión. El caos circundante se ordena, el metro poético
también:

*Ni el pèlag que s'abissa ni el vent ja no em fa nosa
Mon seny en la fosca reneix.*

ja só dins una gola més negra, millor closa;
i crec, dins el ventre d'un peix.[5]

[Ni el piélago abismándose ni el viento me molestan
    Mi juicio, en lo oscuro, renace.
ya estoy en la garganta más negra, bien cerrada;
    y creo, dentro del vientre de un pez.]

Es, naturalmente, el momento de la reflexión, el de asumir el pasado. Sabemos el de Jonás porque el poema reproduce la historia bíblica: le hemos visto en su pueblecillo, soñando con una vida tranquila, hasta que tres años malseguros lo deshicieron todo... Es suficiente para entender al personaje. ¿Y el poeta? ¿El poeta que ha ido asumiendo la voz profética, que ha ido identificándose con Jonás? Acudamos al propio Carner, que tan bien le conoce y repitamos sus palabras:

> Me parece, *él*, más bien una suerte de perezoso que ha buscado un pretexto para no ganar una fama demasiado clara. Más que enamorado de las mujeres parece enamoriscado de las palabras. No sé cómo, hasta al describir algún momento amedrentador de la Naturaleza, os da la impresión de que él, particularmente, hasta entonces se sentía confortable. También tiene algo de goloso. Cuando quiere decir las cosas con sus trazos más fuertes, se me antoja aquellas criadas que confían sus crisis espirituales al memorialista...[6]

La identificación entre Jonás y él es cada vez mayor. Ambos han aprendido a rebelarse —cosa que no es fácil para un catalán, como nos explica Carner en el artículo «No som pas tan rebels com això»—, ambos aprenden a medir ahora las consecuencias de la rebelión.

La rebelión requiere, por antonomasia, lo abismal: la caída de los ángeles, la de Jonás a las aguas enfurecidas y al interior del pez... Al desoír la Voz, Jonás se hace acreedor al castigo. Pero no será un castigo definitivo. Al tercer día, purgada la culpa, el pez lo devuelve a la tierra seca y aprendida la lección emprende ahora el camino de Nínive para anunciar a sus moradores la cólera de Dios.

En estricta correspondencia con el espíritu de Jonás, el verso libre del poema se ha aligerado, decantándose hacia el arte menor, como si la decisión de obedecer al dictado de la Voz hubiera removido de su ánimo —y del poema— la angustia, que había impregnado los cantos anteriores.

> *Bell era de veure*
> *altre cop el batre exaltat,*
> *la pressa*
> *del petit en l'il·limitat,*
> *l'ocell en els aires,*
> *el peix en el ròdol marí,*
> *la gran vastedat que com la del cel no podríeu*
> *saber, mesurar ni tenir.*[7]

> [Bello era ver
> otra vez, exaltada, la trilla
> la prisa
> de lo pequeño en lo ilimitado,
> el ave en los aires,
> el pez en el ruedo marino,
> la gran vastedad que como la del cielo no podríais
> saber, medir ni tener.]

El descenso a la tumba, al vientre del pez, le permite a Jonás —y al poeta— un nuevo nacimiento tras la resurrección —recordemos que la hermenéutica bíblica considera la historia de Jonás como anticipatoria de la muerte y resurrección de Cristo.

Este segundo nacimiento obliga a Jonás a atender la Voz, que había clamado en vano —y al poeta le da una nueva comprensión de su entorno—. No es extraño que al ponerse ambos en camino con el ánimo —y el verso que lo describe— aligerados, estén preparados para las máximas revelaciones que nos ofrece el poema. Que se dan, significativamente, cuando Jonás mantiene un diálogo con la Sacerdotisa del Alba, es decir con el Otro, con la otra si queréis —que encarna doblemente al Otro—, y que le ofrece la clave para interpretar su situación:

Tot es follia,
córrer i estar, vetllar i dormir,
tot és engany de vides condemnades:
donar-se i escometre i resistir.[8]

[Todo es locura,
correr y estar, velar y dormir,
todo, engaño de vidas condenadas:
darse y acometer y resistir.]

Comentando estos versos, Gabriel Ferrater nos recuerda que «La fibra central de la obra de Carner, el motivo al que vuelve siempre, podríamos decir que es la conciencia de las racionalizaciones que el hombre se construye a partir de los datos inmediatos de sus experiencias». El mismo crítico nos recuerda que en el siguiente parlamento de la Sacerdotisa hay una alusión clara a la guerra civil al increparle:

¿O sou el foll que el càstig nou celebra
per a un país poblat de gent i verd
i parla d'un sol déu —i trem de febre,
ple del tuf miserable del desert?[9]

[¿O el loco sois que el nuevo castigo celebra
para un país poblado de gentío y de verde
y habla de un solo Dios —tiembla de fiebre,
con olor miserable del desierto?]

La alusión directa al conflicto que ha venido amenazando al escritor a lo largo de los últimos años —los años en los que concibiera y se pusiera a la realización de *Nabí*— no se puede soslayar más. Es significativo que la revelación haya sobrevenido en el diálogo con Otro, con el Otro. Sin él, sin ella, Jonás —o el poeta— no alcanzaba a comprender la magnitud de la circunstancia en la que se veía envuelto. A partir de ahora el poema se precipitará hacia su final. Ahora —y sólo ahora— está Jonás preparado para escuchar la Voz que habla desde dentro de sí mismo, como reconoce al final del Canto Octavo.

Ahora —y sólo ahora— puede volver a la soledad y al silencio, porque la Voz ha sido oída en su total dimensión y se acepta la nueva condición del hombre entregado a Dios:

(Quan Déu sospesa
un cor i diu: —Serà mon confident—,
a poc a poc el desavesa
d'enraonies amb la gent.
Qui Déu escolta de tot es destria,
qui Déu escolta l'alè té nuat,
qui Déu contempla, l'herbei damunt seu creixeria,
qui Déu contempla fa cara d'orat;
i si caigués, d'Ell encara encisat,
entraria en la mort per la porta del dia.)[10]

[(Cuando Dios sopesa
un corazón y dice: —Será mi confidente—,
va desacostumbrándolo
de habladurías con la gente.
Quien a Dios oye de todo se separa,
quien a Dios oye se le anuda el aliento
quien a Dios mira crece el césped sobre él
quien a Dios mira tiene cara de orate;
y si cayera, por él embrujado
entraría en la muerte por la puerta del día.)]

Como en el caso de Juan Ramón Jiménez —a quien vemos cambiar decisivamente en el ámbito de esta Universidad de Maryland—, en Carner vemos también como el exilio le impone el dictado de una nueva voz, inaugurando *Nabí* una segunda época carneriana, como «En el otro costado» se iniciaba otra época juanramoniana...

El gran poeta es el que está siempre dispuesto a cambiar... para mejorar. Así en el caso de William Butler Yeats, cuando el joven Ezra Pound le advierte el peligro de seguir por una senda trillada.

Carner acepta la experiencia amarga que ha acompañado el tiempo en el que en su espíritu se va gestando, como una respuesta, *Nabí*. A partir de ahora su poesía alcanzará una nueva dimensión, más honda, más profunda que quizá expresen los «árboles» —así se llamará su primera colección de poemas después de la contienda—, que crecerán en su obra con voluntad de nuevo arraigo, de nuevo florecer. No es extraño que Manuel Durán le recuerde en México como «una inmediata presencia llena de alegría, de esperanza, de optimismo».[11] la prueba había sido superada, el exilio asumido. La voz de Carner, desde aquel momento, no dejaría de crecer hasta el día en que en su Bruselas —después de una última, única visita a Cataluña— podría morir en paz, fiel a la patria recordada a la que había sido siempre fiel.

NOTAS

1. Myron I. Lichtblau (ed.), *La emigración y el exilio en la literatura hispánica del siglo veinte*, Miami, Universal, 1988, p. 67.

2. Josep Carner, *Nabí*, Barcelona, Edicions 62, 1983, 4.ª ed., p. 5.

3. *Ibíd.*, p. 26.

4. *Ibíd.*, p. 34.

5. *Ibíd.*, p. 42.

6. Jaime Ferrán, Traducción del prefacio de *La inútil ofrena*, en *Antología de Josep Carner*, Barcelona, Plaza y Janés, 1977, p. 18.

7. *Ibíd.*, p. 44.

8. Josep Carner, *Nabí*, *op. cit.*, p. 49.

9. *Ibíd.*, p. 50.

10. *Ibíd.*, p. 66.

11. Manuel Durán, «Josep Carner. Clasicismo, vitalismo, intimismo (y algo más)», *Cuadernos Hispanoamericanos*», 412, p. 6.

LAS REVISTAS DEL EXILIO GALLEGO EN MÉXICO

Luis Martul Tobío

Las revistas gallegas en México en el período posbélico son documentos valiosos para conocer las actitudes y reacciones de los escritores exiliados respecto a la cuestión de la nación y la cultura nacional. Revistió esta experiencia rasgos particulares y de especial dificultad por el hecho de que no fue un contingente tan nutrido de intelectuales, como en el caso español, y por las inevitables consecuencias de defender una cultura y un idioma diferentes y amenazados, en un país hispanohablante, y en una atmósfera ideológica fuertemente unificadora. Circunstancias que causaron desinterés y distanciamiento inevitables en aquellos que no estaban comprometidos directamente con las cuestiones de Galicia. La realidad de unas diferencias objetivas fue probablemente la causa de la ausencia casi absoluta en sus páginas de autores españoles e hispanoamericanos.

Estas revistas van a recoger los efectos de las posturas ideológicas de unos círculos en los que la dinámica política y cultural no estaba unificada ni era armónica. La heterogeneidad de sus miembros fue el origen de la diversidad de criterios y aportaciones de variada índole, cosa que se va a plasmar en sus números sucesivos. Con todo, la orientación aglutinadora permitió un nivel muy elevado de participación, dado que sólo había que cumplir con unos postulados básicos del ideario nacionalista.

Por todo ello no debe olvidarse la existencia de asociaciones, como Fogar galego, la Alianza Nazonal Galega (1941-42) o el Padroado da Cultura Galega (1953). En realidad los gallegos más activos irán dejando una estela de publicaciones como el *Boletín Galego de Información, Saudade, Galicia* (1941-46), *Loita, Vieiros* (1958-68), *Compostela. Revista de Galicia* (1962), además de folletos, libros colectivos como *Presencia de Galicia en México* (1954), antologías: *Poesía de Galicia* (1962), etc.

Dentro del terreno más exclusivamente literario y cultural, las dos revistas más descollantes, y a las que nos ceñiremos, fueron *Saudade*, que nace en la inmediata posguerra y cuenta con dos etapas, la primera iniciada en 1942 y la segunda en 1952 y, sobre todo, *Vieiros*, que se sitúa principalmente dentro del tardo franquismo.

Es preciso recordar, aun a costa de parecer redundante, que el exilio es de la patria o de la nación, no simplemente de la residencia pasada o de un lugar cualquiera. Por ello el exilio de Galicia, o de países en su misma situación, provoca una intensa y particular preocupación por la nación, por el futuro de la cultura nacional. La situación de amenaza de desaparición desencadena inmediatamente como respuestas inmediatas el establecimiento de una continuidad o la demostración de los vínculos que todavía existen. Así ocurrió con los desterrados gallegos; fue la suya una reacción esperable y comprensible que tuvo algo de voluntarista lo que ocasionó la negación de otras parcelas de la creación literaria y artística o del pensamiento, por temor a que éstas supusieran una desviación o no ayudaran a los objetivos más importantes. En este sentido, *Saudade* fue más limitada que *Vieiros* por razones obvias y que se precisarán más adelante. Por tanto, innovar, estar más atentos a ciertos aspectos de lo particular de su momento histórico, debió parecer arriesgado, y se prefirió mantenerse o, en todo caso, equilibrar con la continuidad, y dado que había un cauce temático e ideológico originado por el hecho histórico de la emigración, se siguió por él. De esta manera se unía la *Galicia fistérrica* y la de *Alén mar*.

Se produce, entonces, una literatura de emigrados similar a la que se podía encontrar en las revistas gallegas de América anteriores a la guerra civil. Las ventajas eran evidentes —sobre todo teniendo en cuenta los objetivos de captación que tenían estas dos revistas—: había ya un público acostumbrado a ese tipo de lectura y el escritor, por su parte, cuenta con un modelo ya construido al que sólo tiene que amoldarse. La imagen de Galicia bien conocida para el que está lejos de ella, modelo constituido por las nostalgias, visiones o evocaciones emocionantes/das del paisaje o de las costumbres, alabanzas de la personalidad gallega o revivificación de cuentos de la aldea, de lugares y épocas infantiles. Hay una concreta y definitoria presencia de un espacio y un tiempo perdidos, lo que define al exilio y a la emigración, pero una escasa investigación sobre el tiempo y el espacio del exilio, de la tierra y momento no propios.

Parece como si entre los gallegos se quisiera no mencionarnos, darlos por asumidos, e indirectamente neutralizarlos. Por esta práctica hay una *presencia* de Galicia que pretende contrarrestar la ausencia; no se quiere traer abiertamente la cuestión de la condición concreta de alejado o desterrado, siendo, sin embargo, ésta lo que mueve toda la actividad cultural. Es, por tanto, una literatura llena que parece obligarse a no admitir explícitamente, de manera concreta, el tiempo particular de elaboración de los textos. La realidad de una pérdida o carencia se recubre con la reproducción omnipresente de Galicia. Por el estilo o estilos dominantes, por los temas, por el conjunto ideológico se impone una idea de unificación, de conexión, de armonización en la que la ruptura, la pérdida, la destrucción, la discontinuidad queden suavizados. En el instante de mayor intensidad de la separación y pérdida, la revista *Saudade* produce un proyecto de sustentación de la identidad gallega, apoyándose en el nexo, cubriendo, en lo posible, la fractura y la destrucción, el daño, casi irreparable, que significó la derrota en la guerra civil. Cuando efectivamente se trata la condición de exilio, ahí está el estilo de la prosa, el conjunto de imágenes, adjetivación, motivos, para neutralizar la amenaza de desaparición. Por otra parte, la idea dominante era la de una pronta vuelta a España con la caída del franquismo y, en consecuencia, una recuperación de la sociedad republicana como si el régimen dictatorial fuera un lapso, una simple interrupción, una vez pasada todo volvería a ser como antes. Esta, sin duda, fue una creencia que debió incidir sobre la concepción de actividad literaria e ideológica de los colaboradores de la revista.

Por ello, la humildad de las soluciones literarias, el no haber desarrollado un pensamiento estricto de exilio, la dependencia a un pensamiento fragmentado sobre cuestiones nacionales, la aceptación del modelo de artículos y literatura «emigrante», llevó, como ya se ha dicho, a no realizar una reflexión más abstracta que recogiera o se centrara en lo que era *vivir* el exilio. La respuesta fue, en realidad, insistir en el programa nacional gallego. Puesto que había que reforzar los lazos de identificación, era preciso adoptar y reproducir las formas establecidas del pasado. Lo curioso es que en la obra personal, en los poemarios incluidos en libros —y en este instante hay que referirse más bien al exilio de Buenos Aires— se plantea el problema histórico contemporáneo de manera franca, pero en las revistas mexicanas parece que el proyecto general o colectivo se impone sobre los escritores. O mejor, éstos aceptan cumplir con un compromiso, definido de una manera muy precisa, que no les permitía poner otros aspectos de su trabajo de creación. Tendríamos en esto la comprobación de la finalidad y concepción que tuvieron estas revistas.

En resumen, en la producción literaria, artística o ensayística no hay un *pensamiento de exilio* abstracto, enganchado directamente a la circunstancia vivida. Las palabras de Luis Soto pueden orientarnos respecto a las causas de esta actitud: «Entón os refuxiados galegos constituimos o *Fogar Galego* [...] e adicábamos a soñar, añorar e sufrir pola patria envolta no loito, nas bágoas e na miseria». A esta primera actitud se responde con una decisión de actividad: es la hora de la unidad y de la acción. Como apunta de nuevo

L. Soto, el objetivo era cambiar las «modalidades» que regían la vida de las comunidades gallegas. En otras palabras, posiblemente se vino a identificar cierto pensamiento especulativo sobre el exilio como una actividad descomprometida, escapista o en exceso intelectualista, cuando lo que se precisaba era una «cultura politizada». La práctica literaria del exilio gallego —todo él en general— quedará marcada por esta idea de proyección social.

Por otra parte, esta postura se ciñe a lo gallego de tal manera que prácticamente no hay referencias a la sociedad americana, mexicana, en la que vivían. Probablemente, la única excepción sea el poeta Delgado Gurriarán, quien al expresar sus reacciones ante una realidad natural y social e incluso literaria se convierte en el primer poeta gallego que descubre una tradición poética y la tierra y el pueblo mexicanos. Este autor, en sus poemas de *Saudade* y de *Vieiros*, expresa su atracción por lo popular y por cierta poesía autóctona, encuentro que se produce por la mediación vanguardista (Nicolás Guillén sobre todo, sin olvidar al gallego Blanco Torres), pero no hay una puesta en contacto entre situación de exilio y tema-formas americanas. Es decir, hay una relación y una intención del autor pero no sobre la base del exilio, sino de una muestra de admiración por la realidad mexicana, con un sesgo popular, y es también una prueba y afirmación de las capacidades literarias del gallego para poder reflejar formas de una literatura diferente, aspecto programático de las reivindicaciones nacionalistas. La idea de solidaridad entre ambos países queda reflejada en la impresión en la misma página de un poema dedicado a la rumba veracruzana y otro a la pandeirada. Son dos composiciones que ofrecen la idea de la semejanza de lo popular gallego y americano por el nexo del ritmo y del tema amoroso. También en ello hay una afirmación del país de asilo, aceptación de la nueva tierra, con la intención de inaugurar un vivir más efectivo que el de la nostalgia o el aislamiento. Y es, por lo demás, importante que haya elegido ese tipo de composición para establecer un nexo con lo galaico y no se haya dirigido a la poesía culta de *Los Contemporáneos*, por ejemplo. Esa elección es una vez más la comprobación de cómo concebían la literatura en esos años en la diáspora.

Sin embargo, la postura más frecuente en las aportaciones poéticas siguió aquella línea de conexión con la herencia poética —en *Saudade* especialmente—, de ahí que haya el recuerdo de los trovadores medievales, acompañadas de cantigas nuevas, escritas por Roxelio R. de Bretaña o Ch. Lamas de Illa Couto, con la intención de una refundición de fórmulas antiguas y situaciones recientes: la temática de la «angunía orfa», «as arelas sen espranza», «a arela deserta», etc.

Parte decisiva de estas revistas fueron las distintas estrategias que se emplearon, en su tarea de captación o de generación de una conciencia definida en el emigrante gallego. En este sentido los argumentos históricos van a ser particularmente relevantes por el peso teórico proveniente tanto de la tradición galleguista como del marxismo (en el caso de *Vieiros*). Aunque en este sentido no se pueda hablar de una directriz oficial respecto al sistema utilizado para interpretar la historia, de hecho el que quizá se aprecia más extendido o, al menos, el que parece tener más consistencia, es el de que el exilio viene a ser el punto final de un proceso de *asoballamento* que es preciso cerrar definitivamente. Esta es la razón de que se busque una constante relación entre emigración y exilio y de que ciertos acontecimientos del pasado emigrante adquieran un valor de anticipación o revelen la existencia de una constante. La selección de hechos articulan unos paralelismos sobre los que se apoya el esquema interpretativo que se promueve. De este modo se logra el objetivo de que el instante presente no sea juzgado como único en la historia de Galicia. En siglos anteriores se han repetido situaciones de peligro semejantes, y la conclusión que se extrae de ello es que, a pesar de todas las amenazas, Galicia como nación nunca muere. En consecuencia, se acaba por expresar la confianza en que la Historia cumplirá sus inevitables designios y realizará la justicia de una Galicia liberada. En este modelo los escritores más representativos tienen una función destacada (Curros, Pondal y otros) porque se convierten en unos visionarios o profetas de un futuro anhelado y próximo. En otras palabras, el destierro se ve como el eslabón de una cadena histórica signada por el sufrimiento, pero para que este destino doloroso concluya se tiene que cumplir el término de que todos vuelvan a la Tierra. Y esta concepción de la historia está integrada a la «teoría» de la condición gallega que contiene el mito del hombre en la búsqueda de nuevos horizontes, impulsado por un afán de acción y realización de vagas ilusiones, pero que lleva a Galicia perennemente en el alma, y cuyo peregrinar se ha de cerrar con el definitivo retorno a su tierra. De este modo, esta heredada interpretación ideológica y mítica del ser viajero del gallego —relacionado íntimamente con la teoría de la saudade— encuentra ahora su complemento en una interpretación histórica, o mejor, parece confirmarse con un proyecto histórico-político. Por eso el que los emigrantes se unan ahora en esta lucha que se les ofrece desde las revistas es no sólo acabar con una situación de dolor personal, también es la de hacer que Galicia realice su destino de ser una «nación de seu». Por esta integración en un esquema histórico es que se puede argüir inmediatamente que la lucha por Galicia no es algo particular o una pequeñez, sino que forma parte de un proceso de grandes consecuencias en que también está implicada la humanidad. Lo particular y lo general del proyecto nacionalista se encuentra aquí sustentado. El único camino es el del compromiso en la lucha presente contra el régimen dictatorial franquista. A partir de esta visión de la historia se concluye en una incorporación de los emigrantes a la lucha y se contrarresta, por añadidura, la posibilidad de un exilio contemplativo o especulativo.

El proyecto cultural e ideológico de *Saudade* parte de posturas más apegadas al pasado y refleja la crítica situación de los primeros años de exilio. Dirigida por un comité de redacción de ideas avanzadas, sin embargo posee una visión inclinada hacia formas más convencionales del nacionalismo. Su pensamiento se asienta en el corpus de la tradición, especialmente los grandes temas iniciales del galleguismo, definibles por el sesgo idealista e historicista. Las referencias al celtismo, al atlantismo, a la saudade, al ser gallego y a la emigración constituyen los motivos constantes que se articulan con los de la pérdida y la separación. Lo curioso es que esta experiencia de destierro no llega a constituir un pensar organizado sobre un conjunto conceptual renovado y actual, sino que se quiere llevar por el discurso conocido del *saudosismo* y de la *señardá* o del signo migratorio de los gallegos. Es decir, la saudade, por el prestigio que tiene en la tradición cultural, ofrece el molde en el que interpretar el exilio presente. Y esto se encuentra tanto en las secciones de creación literaria —valgan los poemas del malogrado Xohan García Gómez o los cuentos de Roxelio de Bretaña— como en los trabajos más ensayísticos. *Saudade* es, pues, una revista que considera su actividad nacionalista como continuidad de formulaciones teóricas del pasado y de respeto a los conceptos heredados. Sin embargo, las aportaciones sobre el pensamiento del exilio, desde esta óptica soedosa, no constituyen específicamente ninguna aportación de valor, en parte, quizá, por la orientación global de la revista, definible por su practicidad. *Saudade* no estuvo dirigida primordialmente a un medio culto o exclusivamente intelectual de clase media, sino que buscaba un público lector más amplio, pues su objetivo primordial era incorporar la colonia gallega emigrante a una actividad y a un compromiso cultural nacionalista. En consecuencia, en sus páginas no se plantean cuestiones especializadas de literatura o pensamiento, sino que se siguen los temas básicos mencionados para promover la conciencia subjetiva gallega, para precisar su identidad nacional. Y si quiere alcanzar estos objetivos es como parte de un esquema interpretativo más amplio del momento histórico y del papel que le debía corresponder a los gallegos de América, según ya había manifestado e iba a dejar escrito Castelao en su *Sempre en Galiza*. Es decir, la significación de la *Galiza de alén*, el exilio como tiempo de actividad y preparación para el posfranquismo.

De ahí que los temas básicos de *galeguidade* se distancien de los temas eruditos, estéticos y de los intereses más generales de las publicaciones españolas del exilio, y aunque no se arroguen más que de una manera humilde pero firme las aspiraciones de éstas, también pretende ser *Saudade* (como más tarde *Vieiros*) una contribución al nuevo humanismo y a las grandes cuestiones del mundo; con una expresión acendrada y retórica, sólo quieren «o triunfo do esprito galego, enxebre e universal». Efectivamente, lo particular y lo general siempre formaron parte de las ideas galleguistas, pero desde su simbología y naturaleza cultural propia.

En realidad, el objetivo de captación y organización refleja el hecho de una situación difícil de estos exiliados que no contaban con una amplia masa de seguidores y necesariamente tenían que encontrarla, circunstancia que se observa claramente en las intenciones de los colaboradores. En los artículos se intenta infundir el orgullo nacional, dar a conocer el origen de la propia tradición poética, usar la literatura oral y popular, suscitar la nostalgia de Galicia por medio de evocaciones de la geografía y las costumbres rurales, especular laudatoriamente con el espíritu gallego, etc. Con todo, como se apuntó fugazmente, *Saudade* fue una revista vacilante y no muy homogénea porque junto a defensas radicales de lo nacional, aparecen trabajos grávidos de un cierto costumbrismo trasnochado y se toman resoluciones inconsecuentes como la de ceder en la cuestión idiomática, permitiendo artículos en castellano —es cierto que muy escasos— de algún colaborador español (Rafael Cardona) que argumenta, con toda su buena voluntad, sobre el deber de incluir a Galicia en el concepto imperial español o de hacerla partícipe de la actividad civilizadora de España en Hispanoamérica. A este hecho pudo haber contribuido cierto moderantismo ideológico galleguista de aquellos años, o la idea generalizada de aunar esfuerzos y crear coaliciones, o quizá el temor a aislarse demasiado de la colonia exiliada no gallega.

A este respecto es interesante precisar las diferencias que se dan entre las dos épocas de *Saudade*. La primera se inicia bajo el signo de un componente fuertemente representativo de lo gallego respecto al cual define toda su actividad. Por su carácter idiosincrásico, el concepto de saudade se acepta como el fundamento del proyecto, ahora bien despojándolo de un exceso de connotaciones pasivas y queriéndolo transformar en un principio de acción hacia el futuro:

> Arela do infindo. Inquedanza do esprito, de cote a coidar no alén ou no pretérito. Chamada da Terra aos que están lonxe. Debecer que nos obriga a alonxarnos dela en procura dunha mítica Atlántida que presentimos. Intuizón ou lembranza inefabel. Desexo de *outra cousa*: eis a SAUDADE.
>
> A concencia galega aparece, dende o seu abrente histórico, avencellada á inquedanza da saudade. A cultura galega, a máis europea e occidental das da peninsua, atopou naquel sentimento a súa nota máis orixinal, a derradeira diferenza que a distingue das outras culturas hespañolas.

La saudade permite situarse plena y exclusivamente en la tradición nacionalista, con el objetivo de reunir a los compatriotas en los ideales más puros, en la defensa de la lengua y de la patria y de que participen del espíritu que da forma a Galicia: «as arelas da Terra». Este editorial que encabeza el primer número emplaza la revista en un exclusivo marco de referencialidad gallega. Se proclama la naturaleza diferencial de lo gallego como país. Se utilizan argumentos sobre los orígenes o sobre la evolución histórica, extraídos del historicismo decimonónico, y se utilizan expresiones —provenientes de la Generación Nós— sobre la radical europeidad gallega. La condición contradictoria de la fórmula saudosista queda evidenciada en el hecho de que quería generar una dinámica desde un espíritu de la nostalgia, desde una conciencia de la pérdida y la distancia. No obstante, la llamada a la participación se refuerza con la urgencia de un compromiso valeroso, invocando a Pondal.

Años después, en la segunda época, algo ha cambiado. Se afirma la filiación galleguista pero ya no hay el exclusivismo programático en las esencias nacionales, aunque sean lo más importante. Lo significativo es el cambio de actitud respecto a una integración en un futuro Estado español nuevamente republicano, por más que siga la formulación de los discursos nacionalistas del primer tercio de siglo, con sus sistema de referencias y su retoricismo. El concepto de saudade ya no es el principio integrador exclusivo y la fuerza motriz. Ahora, esta actitud nueva parte de una fórmula de conciencia de Galicia como sentimiento de la Tierra y de un sentido histórico del presente. Con una expresión menos mesiánica, se intenta establecer una relación abierta entre Galicia y España. Es decir, se ha pasado a apoyar abiertamente la articulación de Galicia en un futuro Estado, sin duda de perfil federalista, cosa que la dirección de la primera época no había planteado, al ceñirse a un ámbito ideológico y cultural propio. De ahí que, aunque sigan pretendiendo atraer a los gallegos, se afirme que es preciso redefinir los vínculos de solidaridad histórica. Sin embargo, lo que resulta más sorprendente todavía es el juicio tan favorable a la actuación del Estado español en siglos anteriores —postura que contradice las ideas expresadas por Castelao en *Sempre en Galiza*— hasta el punto de llamar a España Atenas, Roma, origen de civilización y cultura, e inmediatamente, después de recoger el tópico bien conocido de Galicia como representante por excelencia de los valores españoles en el mundo, se reconoce rotundamente la pertenencia de Galicia a España, no sin matizar de manera cuidadosa el perfil de este espíritu de colaboración que no olvida la condición nacional: «Estar en Hespaña, non é somentes pra Galiza unha posizón xeográfica; é tamén un *drama* de consciencia hestórica e nazonal». La revisión del concepto de España se manifiesta también en el reconocimiento del común sufrimiento y en la aceptación de un mismo destino: «Amamos a Hespaña, con ela sofrimos física e moralmente, e sabemos, que acontezca o que aconteza, partillaremos do seu Destino. Dende sempre o temos partillado». Tal postura no concluye ahí sino que —y aquí tenemos la clave posiblemente— se realiza una estimación idealizada de la Segunda República, que desde la óptica nacionalista, al menos, resulta un tanto inexacta al afirmar que el período republicano se caracterizó por un «sistema respetuoso da convivenza dos homes e das nazonalidades [...] República que estaba a crear o verdadeiro orde armónico de Hespaña». Basta hojear *Sempre en Galiza* para comprobar que tal armonía se veía bastante improbable. Por lo menos, Castelao, participante y testigo directo del proceso de Estatuto de Autonomía del 36, se muestra muy escéptico del resultado final.

A lo largo de todos los años de la posguerra un sector importante de exiliados había seguido una política cultural de eliminación de lo más folklórico y superficial, como las supuestas raíces míticas, la determinación geográfica, la condición de Finisterre, etc., y había promovido, por el contrario, un compromiso con los problemas del presente histórico desde bases más materialistas. Pretendían obtener nuevas interpretaciones y análisis más científicos y ajustados.

Esta postura va a cristalizar en la revista *Vieiros* que vino a ser la última experiencia de proyecto colectivo de distintas posturas ideológicas. Viene a cumplir un ideal de todo el exilio gallego, el de la unión de las dos Galicias, porque no está hecha desde un lado del océano solamente cuenta ya con abundante participación de la Galicia finistérrica pero, sobre todo, el factor que ha de comunicar un carácter innovador a a publicación es el hecho de que existe una dinámica política y cultural en el país. De este modo, se corporeíza la idea de que no hay dos Galicias sino una sola dividida, apoyada en la comprobación histórica de la ayuda que las comunidades emigrantes prestaron en diversas ocasiones a los del interior, como ocurrió con Curros Enríquez, con Rosalía o R. Cabanillas.

Vieiros expresa, entonces, una directriz mucho más sistemática y una concepción mucho más rica y amplia de lo que debía ser una revista, por lo que contrasta con la humildad de *Saudade*. Los títulos de ambas ya son de por sí significativos: una confiaba en la supuesta fuerza de la saudade; en la otra es la confianza en la capacidad efectiva y concreta de trazar y realizar proyectos, caminos nacionales. Implica una visión de apertura y también de posibilidades reales.

Vieiros aparece, además, como revista que quiere reunir

a todo el mundo luso-galaico, lo que ya no es un simple deseo. Insiste en la reunión de todos los gallegos en una nación, en el seno de una República federal, por lo que enlaza con la segunda etapa de *Saudade*, pero mantiene lo que fue signo de los tiempos, la coalición de fuerzas, y por esta causa tendrá un aire ecléctico, sin perder las exigencias fundamentales: no se podía ser antinacionalista ni antipopular. Tampoco hay concesión alguna respecto a la lengua: se impone un estricto monolingüismo. Pero principalmente *Vieiros* se destaca por el cambio en la manera de afrontar teórica y prácticamente los problemas seculares. Si bien se mantiene una graduada aceptación de los mitos tradicionales, es ya con una evidente cautela. Lo más frecuente es el rechazo rotundo de componentes de la ideología tradicional —«del celtismo pois, nin falar», dice uno de los colaboradores—, sustituidos por planteamientos más directamente conectados con la estructura económica, de clases o institucional. No es infrecuente la exposición de proyectos de reforma del régimen jurídico, de la propiedad de la tierra, de la industrialización, programas de educación, confrontación de costumbres tradicionales con lo moderno, etc. Incluso los análisis históricos se vacían de la retórica, imaginería y tópicos, ante la necesidad de acabar con falsas interpretciones y con el confusionismo.

En *Saudade* todavía se podía exigir y confiar en que se devolviera al país una situación de democracia burguesa, en la que a Galicia se le reconocería su condición de nación. La base de este argumento estaba en el recuerdo y en el peso legal del Estatuto gallego. En *Vieiros* ya han pasado muchas cosas para que los nacionalistas puedan creer que la ley vaya a tener fuerza. Aunque no se renuncie a los derechos históricos, el enfoque de la lucha ideológica y las tareas a cumplir ya pasan por otros meridianos. En concreto, en un artículo sobre las autonomías aparecido en esta revista, significativo e incluso de plena actualidad hoy, escrito por Bieito Cupeiro, se argumenta, dentro de la línea del nacionalismo de Castelao, que no había por qué idealizar las resoluciones autonómicas de la República por sus evidentes limitaciones y por las consecuencias negativas y paradójicas situaciones a que darían lugar. Cosa que, años después, con la remodelación del Estado franquista, ha quedado comprobada claramente.

Es, por tanto, muy corriente en *Vieiros* los trabajos que buscan ofrecer un esquema interpretativo que sirva como organización del campo nacionalista. No es infrecuente observar la aparición en sus páginas de inventarios, catastros, programas, planes, etc. Sus autores son conscientes de la necesidad de contar con proyectos de actuación política e ideológica para clasificar, ordenar, definir, calificar la realidad cultural-política gallega. Ésta se estudia en sus componentes como fruto de un trabajo analítico sistemático, con pretensión teórica, y siempre con la idea de que es preciso en aquel momento ofrecer modelos de conocimiento y actuación. La creencia de que es necesario contar previamente con una *planificación intelectual* se realiza desde distintos criterios pero siempre con la misma convicción. Estos proyectos podían inclinarse más hacia lo económico o más hacia lo social y político, siendo frecuente la utilización de la antropología del hombre gallego como sustentación de una visión política o como marco en el que ésta podría trazar sus directrices. Es corriente encontrarse con artículos donde la cuestión está en discutir la función y naturaleza correcta de conceptos como individualismo, tradición, nación. Es casi una constante la preocupación por neutralizar la desmembración, la crítica del individualismo que origina posturas desligadas o actos aislados. Lo individual, en lo negativo, es tanto una postura ética equivocada como una deficiencia social, comprobada en la dispersión de los que trabajan por la cultura gallega. De ahí la razón de elaborar inventarios, «árboles genealógicos» culturales. Se comprueba cómo veían urgente deslindar la significación de los términos y proporcionar una teoría que incluyese contradictoria y novedosamente sus componentes, al tiempo que se señalaba qué sector social debía asumir su realización. Por ello *Vieiros* era mucho más definida en cuanto a las exigencias del presente y de lo que era preciso suministrar a sus lectores. Es, en definitiva, la revista propia de un grupo de intelectuales que ven la urgencia de su participación en la construcción de una nueva realidad nacional. Dado que Galicia cuenta ya con un proceso objetivo que genera nuevas situaciones, las ideas tienen una sólida base de apoyo. De ahí la naturaleza mucho más precisa de los programas, directamente integrados al presente histórico.

Este impulso por trazar respuestas concretas a problemas concretos, va a suponer la práctica desaparición de las nostalgias y angustias del destierro. En uno de los artículos se dice que hay que «virar as angurias do desterro en pensamentos que leven a acciós venturosas». En otra ocasión se apunta que los recuerdos tienen que servir para juzgar errores, si no, no sirven para nada. Es una revista desde el exilio pero escasamente del exilio; hay un desinterés evidente por todo existencialismo, sincero o no. El motivo de la saudade se comenta sólo en dos o tres ocasiones y curiosamente por gallegos de Galicia. Se confirma así la tendencia entre las revistas gallegas a concebir la actuación en el destierro más como un instante combativo, exterior y colectivo que contemplativo o intimista. Lo cierto es que el único libro que se hizo en los años de exilio sobre la saudade fue publicado por la Editorial Galaxia, de Vigo. Es cierto que contando con colaboraciones de exiliados.

Lo mismo ocurre respecto al tema de la emigración que deja de ser visto como fruto de la huella celta, o de determinaciones biológicas o de vagas apreciaciones sobre el alma gallega para encauzar su significado por los esquemas socioeconómicos. Y esto se hace con la conciencia de que fue un tema muy comentado o estudiado en el pasado, pero que ya es hora de acabar con las especulaciones. Lo mismo se exige para todos los temas de la tradición: «E necesario espir estas cousas e outras mais». Se proclama, en resumen, el análisis de la estructura material e ideológica de la sociedad con procedimientos socioeconómicos, materialistas y científicos, y en *Vieiros* lo científico es un concepto clave como antes lo fue sentimiento. Por añadidura, todo esto debe partir de un enfoque interior a Galicia y no desde Madrid.

Pero además, *Vieiros* fue una publicación de una gran

calidad literaria y plástica. El cambio de enfoques ya consignado va a afectar a los aspectos literarios. Se mantiene como norma la convicción de que la literatura y el arte deben estar al servicio de Galicia, pero se especifica mucho más esta estética de compromiso socialnacional. Puesto que Galicia es ante todo el pueblo —el campesinado, principalmente—, ya que la burguesía por españolista no tiene legitimidad, escribir en gallego es hacer literatura comprometida, y aquí la revista conecta con la narrativa y la poesía social de los años sesenta. Por ello en *Vieiros* se sale del espontaneísmo hacia una conciencia exigente de la cuestión de la literatura nacional y de la función del escritor en la sociedad, o del artista y la cultura. De este modo, la revista gana en importancia porque dejando a un lado las suspicacias sobre una práctica literaria estetizante, elitista o de especialistas, se incluyen estudios y reflexiones sobre cuestiones específicas de pintura o de literatura y se teoriza sobre qué debe ser el intelectual gallego, cuál es su misión, cómo se integra a las clases populares, etc. Asimismo la crítica literaria comienza a despuntar y va adquiriendo mayor continuidad, actualidad y consistencia. Es verdad que sigue habiendo el comentario apasionado y poco riguroso —sobre los valores nacionales de la poesía de Ramón Cabanillas, por ejemplo—, pero ya se encuentran análisis sobre obras concretas o sobre la literatura gallega como problema de conjunto, de acuerdo con postulados de crítica sociológica.

Anteriormente la postura nacionalista a la hora de promover modelos estéticos, ponía como ejemplos las figuras fundacionales por su especial participación en las luchas emancipadoras. *Vieiros* también tiene necesidad de contar con esta genealogía, o álbum familiar, pero al estar tan vinculada a los problemas presentes y su pensar fundado en ellos, va a contar con los nuevos escritores, aunque reconociendo siempre el papel tan especial y decisivo que cumplieron todos por haber asumido un papel político desmesurado en relación a la realidad nacional.

Por todo esto se aprecia un predominio significativo de nuevos escritores como Méndez Ferrín, C. Emilio Ferreiro,

X. Neira Vilas, Manuel María, Fernández Ferreiro, que colaboran asiduamente, armonizados con las directrices e ideas de personas tan influyentes en la dirección de la revista como Carlos Velo o Luis Soto.

En resumen, *Vieiros* es el reflejo ajustado de la renovación del nacionalismo gallego. En sus artículos más innovadores se configura ya lo que será la práctica y el pensar nacionalista en los años del tardo franquismo y del neofranquismo.

EL EXILIO GALLEGO
DE LORENZO VARELA
Y LUIS SEOANE

Kathleen N. March

CANTAR ES SEMBRAR
Miguel de Unamuno

¡Qué inútil esperar desesperante!
¿Esperar qué? Si la esperanza es vana.
Hoy es ayer y ayer será mañana.
Volver atrás es ir hacia adelante.
[...]
Y en tan veloz como mortal carrera
morir es desvivir lo no vivido;
vivir desesperar lo que se espera.

José Bergamín, «A Lorenzo Varela,
poeta galaico, inolvidable amigo»

En su estudio sobre los diversos tipos de exilio, Paul Ilie traza puntos comunes entre *desterrado, refugiado* y *emigrado*, a la vez que recuerda el término que utilizó José Bergamín para referirse a los que se marcharon a raíz de la guerra civil: «La España peregrina». La relación de los tres primeros términos será de interés para el caso de Galicia dentro del marco bélico, pero lo que no figura en la conceptualización de Ilie ni de casi ningún crítico es la posibilidad de que España como patria no fuera el punto de referencia primordial de todos los transterrados. El siguiente estudio intenta demostrar algunos de los factores que condujeron a una perspectiva distinta y la forma que cobraron las manifestaciones artísticas de esa perspectiva.

Barbara Harlow, aunque sin referirse a la situación de

318

España, hace una observación muy apropiada para la poesía política en general, pero también para la poesía gallega del exilio. Dice Harlow:

> Poetry is capable not only of serving as a means for the expression of personal identity or even nationalist sentiment. Poetry, as a part of the cultural institutions and historical existence of a people, is itself an arena of struggle.[...] The poets, like the guerrilla leaders of the resistance movements, consider it necessary to wrest that expropiated historicity back, reappropriate it for themselves in order to reconstruct a new worldhistorical order [p. 33].

Los conceptos de resistencia, nacionalismo y recuperación de la historia propia señalan rasgos de la experiencia gallega tal como se percibe en la obra de Lorenzo Varela y Luis Seoane. La diferencia en el grado o en las coordenadas de su nacionalismo podrá verse como muestra de cómo, aun dentro de un mismo grupo, las semejanzas no significaban una homogeneidad total ni tenían por qué hacerlo. No obstante, sería difícil hablar de la obra poética de Lorenzo Varela sin referirse a Luis Seoane, y sería igualmente difícil hablar de ambos sin mencionar a otros gallegos que pasaron el exilio en Buenos Aires. Como observó Ramón Martínez López, la situación del exilio gallego era única: ya generaciones antes de la diáspora provocada por la guerra civil habían emigrado miles de personas de Galicia, estableciéndose en colonias numerosas como las de La Habana, Buenos Aires, Montevideo y México. En estas colonias existía en cierta medida toda una estructura social trasladada desde la tierra gallega, con su lengua, costumbres, y el sentimiento (literaturizado y homenajeado en Rosalía) de la saudade. Es decir, el exiliado gallego de la guerra civil tenía ya una larga tradición en la cual se expresaba un sentimiento de pérdida o ausencia desde la tierra americana. Allí se fundaban editoriales y revistas de gallegos y en gallego que unían no sólo a los de América sino también a los que se quedaron. Por añadidura, entre los desterrados del 36 había algunos nacidos allí de padres emigrantes (el caso precisamente de Lorenzo Varela y Luis Seoane), o que allí habían pasado años de su infancia (Castelao y Suárez Picallo).

Aparte de esta condición histórica, que fusiona en gran medida emigración y exilio, hay que resaltar la existencia de una identidad nacional para muchos gallegos. Galicia, reino en la Edad Media, había presentado y aprobado su estatuto de autonomía en el 36 (Castelao). Estos factores bien pudieron influir en un posterior intento de evaluar la realidad de una España regida por el fascismo. Al menos, pudo proporcionarles un doble enfoque: el del Estado español, en que las cuatro provincias del noroeste formarían una nacionalidad federada al todo; o el de una Galicia ya netamente autónoma.

Porque gran parte de su obra está en castellano, Lorenzo Varela puede considerarse poeta bilingüe. Como se verá, la selección del idioma está relacionada con el contenido y, probablemente, con el contexto inmediato. El poema titular de su primer libro de posguerra, *Torres de amor* (1942), inicia la lucha contra el olvido y la falta de confianza en los ideales que llevaron a la guerra civil:

> *No me digáis, amigos, que eran sueño*
> *amores y batallas ya pasados;*
> *y que es sólo ilusión desamparada*
> *la fe que vive sólo por sus huellas* [p. 17].

Frente a la aparente fragilidad y carácter efímero de los sentimientos e ideas, Varela erige las torres que, desde su propia rima asonante/consonante (t*orr*es de am*or*) vienen a ser concretización acústica de una experiencia vital. Es decir, son ellas mismas resonancia de la plenitud (la vocal o) y de la energía vibrante ([R]), que a su vez se prolonga en lexemas a lo largo del poema: *memoria, mortaja, varones, vosotras, toro.* Incluso el término *mortaja,* que parecería señalar lo negativo, se ve contrarrestado en ese proceso de identificación semántica al experimentar una disminución de su potencial:

> *Torres en la memoria sustentadas:*
> *aquel amanecer tan pronto fusilado*
> *poca mortaja fue para velaros* [p. 17].

Ayudada por el tono épico, la exaltación y afirmación de las hazañas de un pueblo, se afirman también las torres pétreas sobre el suelo, desde el que suben hacia el firmamento de los ideales; aunque pertenezcan como monumentos a la derrota, en su misma permanencia desafían la destrucción, simbolizando la fuerza y la solidez. El recuerdo, que necesariamente es propiedad de los supervivientes, es lo que más fácilmente los acompaña a cualquier parte y señala al futuro anhelado. Su forma no es rígida, sino que se metamorfosea, y ese propio proceso de metamorfosis le concede vida:

> *Paloma o toro, novia o guerrero; torres.*
> *¡Torres de amor del recuerdo,*
> *castillos de la esperanza!* [p. 17].

El poema termina entroncando las torres de Varela, representantes en sí de una visión optimista, con una imagen poética ya codificada: la de los castillos que, como se sabe, en España con frecuencia se construyen en el aire. Los elementos de solidez que se manifiestan en contraste y fusión con los de lo intangible, volverán a aparecer en el poema «Dolmen», como se verá más adelante, aunque en esta segunda instancia su focalización ha de variar.

En *Torres de amor* (1942) se van dibujando diversos motivos —hombres, mujeres, accidentes topológicos, aves— que simultáneamente se van fusionando, o uno de ellos va transformándose en otro, tal como lo ilustran los dibujos de Seoane de la obra poética completa de Varela. O bien este metamorfosearse se mantiene a lo largo del poemario o las imágenes se superponen, ciñéndose de tal manera que crean un campo conceptual en el que el aislamiento no puede ser norma. El deseo del poeta de acercarse al suelo que le es propio debe motivar este proceso, visto muy claramente en «Destierro»:

> *¿Y cómo van a desterrarme entero,*
> *si es mi cuerpo figura de tu polvo,*
> *si mis huesos son barro de tus eras*
> *y la sal de tu mar está en mi piel?*
> *¡Sólo mi voz desterrada, ¡ay!, y mis ojos!* [p. 27].

En principio, el último renglón citado parecería expresar la fragmentación y desgajamiento del poeta del tronco natural en lo más fundamental de su ser: su voz. Sin embargo, mediante la poesía esa voz se mantiene viva al mismo tiempo que la tierra que le ha nutrido se sostiene siempre vinculada a él:

> *quede en tu eternidad lo que declaro:*
> *«la palabra que digo es tu palabra»*
> *y sea yo tu tierra como tú lo eres mía* [p. 27].

El poeta emplea rasgos dialógicos para crear un público (como en «No me digáis, amigos...» de *Torres de amor*) que lo acompaña y le solidifica la perspectiva. Son interlocutores, además, que proceden tanto del pasado como del presente; el potencial dialógico que poseen sus voces sirve para combatir el vacío del exiliado. Las voces en unión señalan y fijan los recuerdos del pasado, cuyas fechas recorren siglos en los poemas de Varela.

Algunas de las composiciones de *Torres de amor* incluso ostentan rasgos de estilos anteriores muy conocidos, como las de la serie «Desagravios del vino tinto y poemas carnales» o los «Sonetos de la paloma, del cuervo y del ruiseñor». Los poemas de «Espada de amor y canciones del novio y del soldado» comienzan como formas poéticas populares parecidas a las preferidas por los colaboradores de *El mono azul* y, luego, de *Romance*, entre los cuales figuró Varela. Son narraciones en verso de un amor a lo antiguo en que la joven espera mientras el novio se va a la guerra. Pero en la sexta y última parte de estas *canciones* hay un enlace directo con el tiempo del poeta, los deícticos ya no apuntan hacia una época anterior sino a una despedida no del todo ausente de su recuerdo. El yo se vuelve único, aunque des-

doblado por el tiempo. Así, perdida toda referencia al co-
queteo de novios, de la novia que espera en romántica.
inmovilidad, el yo revela su estado de exiliado y su contraparte femenina se transforma en símbolo gigantesco de la
separación:

> *¡Ay!, Catedral de Lugo,*
> *Puerta de Santiago,*
> *¿Qué haré yo sin veros,*
> *lejos, desterrado?*
> *[...]*
> *¡Cómo amanecía,*
> *aquella Alameda de Lugo, sombría!*
>
> *¡Ay!, Catedral de Lugo,*
> *¡cómo amanecía!*
> *Por ella tengo, amigos, dolor,*
> *y por ella tengo espada de amor* [pp. 39-40].

Por medio de la yuxtaposición, la niña del «reír de vera-
mar» (p. 37) se asimila al lugar de los encuentros del novio
con ella, se va alejando y esfumando a medida que el yo
poemático se va convirtiendo primero en soldado, y luego
en combatiente desterrado, uno de los muchos de la guerra
civil española.

En su respuesta al exilio, el poeta recurre a la historia
como apoyo objetivo y fuente de categorías interpretativas.
El pasado proviene de momentos más cercanos (la guerra
civil), pero también de la época medieval. La fluidez
lingüística y semántica se combina con la insistencia repe-
titiva en algunos motivos. Los de *vuelo, desvelo, volver* y *venir, vida* y *viento* contrastan, por ejemplo, con *sed, calor, cenizas, muerte, silencio, soledad* y *destierro*. En los poemas en
español ya se ha notado que hay también varias referencias
a España pues fue la guerra de España la que provocó la
diáspora de tantos.

Pero aunque el contexto geográfico-político más amplio
está abrasado por la contienda, surge también de las cenizas el concepto de otro país, éste asediado por aún más
tiempo: Galicia. Tal vez por el contacto con otros gallegos

323

en lugares como Buenos Aires, donde por un lado había gran número de ellos, muchos de los cuales eran galleguistas, como Seoane, Castelao, Arturo Cuadrado, Prieto Marcos y Núñez Búa; por otro, porque a la vez que se estaba construyendo un contexto gallego en América, ya no había que combatir el control de un Estado centralista sobre las actividades culturales y lingüísticas de la zona en cuestión. A estos dos factores es preciso añadir que los intelectuales gallegos del ámbito bonaerense no sólo participaron con su variedad de enfoques (político-filosófico, literario, artístico) a forjar una nueva y renovada identidad para sus compatriotas, sino que estas mismas circunstancias eran económicamente mucho más favorables a la publicación de obras en gallego que en la propia Galicia del siglo xx. Esta Galicia era rural, venía padeciendo de un empobrecimiento desde hacía generaciones debido a la distribución desigual de sus riquezas, mientras que Buenos Aires era una ciudad de oportunidades financieras, con un nivel bastante alto de preocupación por la cultura.

No es extraño, entonces, que Lorenzo Varela abandonara en gran parte la poesía con la que inicialmente se había integrado en la literatura española, escrita como estaba desde la óptica de Madrid, en la única lengua entonces oficial y desde el frente del Estado español en guerra. Además, la obligada identificación de la España que se quedó con el odiado franquismo pudo ser el ímpetu definitivo hacia una nueva óptica para el poeta, óptica desde la cual intentaría pensar Galicia. Y sería menos una Galicia simbólica (como España estaba representada por un toro por tantos motivos) que una Galicia compuesta de seres reales, de una historia de luchas y éxodos, de una larga experiencia de explotación. Sería la Galicia apenas contemplada anteriormente, pero una que, desde el exilio, había que construir, reconstruir, para luego integrarse y enraizarse en ella, como un suelo fértil y rejuvenecido.

Los «Catro poemas para catro grabados» de Varela, que están basados en cuatro obras de Luis Seoane, se refieren a tres figuras históricas —María Pita, María Balteria, Rui

Xordo— y un toro. Los tres fueron líderes de luchas populares, mientras el toro obviamente simboliza una nación ingenua, feliz, vigorosa y heroica. Ya se atestiguaba en la tradición gallega el partir del mundo medieval, como en los historiadores románticos Benito Vicetto y Manuel Murguía, para llegar a un concepto de nación. El toro, en cambio, pertenece a una simbología ya convencional que adopta el autor de sus compañeros españoles, e indica que Varela no era reacio a ver a Galicia como constituyente de un Estado federal español, como uno de los «pobos de España» que menciona en un poema. Al mismo tiempo, el suyo es un toro contradictorio, fuerte pero sufriente, castigado por la conflagración civil. Cuando el poeta traslada la vista desde España hasta Galicia, la angustia amaina y se encuentran composiciones sorprendentemente distendidas, basadas en ritmos gallegos o coplas populares. No falta la actitud entristecida, pero como autores anteriores a la guerra civil, Varela aprovecha la nostalgia para comunicar un mensaje aleccionador, para tomar fuerza y continuar luchando contra la derrota. En cambio, el toro, indisociable de la violencia reciente, sostiene un tono épico y elegíaco, cercano a la tragedia.

En las composiciones primeras predomina el optimismo, pero posteriormente no se enmascara la experiencia de desplazamiento, silencio, fragmentación y búsqueda de una cosmovisión que dé sentido a las huellas o recuerdos que Varela percibe. La esperanza y la desesperación así se suceden, la mirada poética no consigue captar tanta imagen concreta, la voz por fin se vuelve más hacia dentro y se hace solitaria. El último poema de *Torres de amor* es «A Perpetua, mi madre», culminación del contrapunto ausencia/presencia, o muerte/inmortalidad. Pero no hay que olvidar que ya antes se había construido un campo semántico más preciso de referentes a la tierra, el cuerpo, el polvo, el exilio y la muerte. A todos ellos los traspasan los semas de la sed y el calor abrasante, condición de las batallas del frente, pero que simultáneamente se desdobla en metáfora del deseo de triunfar en la contienda (de alcanzar lo ya imposible) y el deseo de volver al mundo conocido (deseo que se convierte en *espacio* para el libre intercambio de imágenes evocadoras de la reintegración) (Badiou).

Lonxe, de 1954, vendrá a ser la confesión plena del sentimiento de distancia y destierro, aunque todavía se busque el diálogo con los de Galicia. De este libro escribió Seoane que era: «uno de los más hermosos libros de poesías entre los publicados en nuestro idioma desde aquellos de los precursores, y también de los más bellos libros políticos contemporáneos gallegos» (Seoane, 1954, p. 21). El alejamiento en el tiempo provoca ahora una escritura más nostálgica que paradójicamente solicita estar lejos de los demás a fin de permitir la reconstrucción sin estorbos del mundo ausente:

> *Eu vou, lonxe de vós, inda mais lonxe,*
> *pra vos lembrar millor* [p. 166].

Los poemas de este libro vuelven a la aldea gallega, incluso en cuanto a la lengua, para evocar figuras representativas, de resonancia lorquiana: Manuel Ponte, o emigrante, Manuela Sánchez, o galo. La recreación se apoya en un transfondo doloroso que a ratos aflora en referencias a la muerte, como «¡Pola túa morte a loitar, a loitar!», o «ise loiro rapaz que non vai ó traballo/porque di que o mencer ten veneno de serpe». Los ritmos populares gallegos se contraponen al contenido:

> *Vai na morte o gando,*
> *o rapaz vai na morte.*
> *Pola morte arriba, pola morte abaixo*
> *o canto do galo.*

La mayor penetración en el pasado del suelo galaico se encuentra en «Dolmen», poema que se entronca con la tradición de Cabanillas, Castelao y otros y en la cual la piedra es símbolo y motivo de indagación de la realidad gallega. Con el dolmen en el punto de mira, Lorenzo Varela fusiona otra vez pasado y presente, historia real e historia anhelada o idealizada, victoria potencial:

Si voaras, si tiveras
estrelados aguiares.
Si te romperas, penedo,
e deras a luz que sabes [p. 189].

El dolmen en su firmeza y permanencia lo reúne todo, incluso la experiencia del gallego desterrado de su suelo granítico. Por tanto es el dolmen arcaico la forma primitiva de las torres de amor del comienzo de la poesía escrita por Varela en la posguerra: ancla y bandera, raíz e ideales, necesidad del exiliado de entender y avanzar, de no perderse en la lejanía. La solidez del dolmen en el poeta gallego hace que sus torres de amor tengan más peso que las piedras que describió Gerardo Diego en sus *Ángeles de Compostela*, libro de mística contemplación erudita y juguetona. La piedra del exiliado de la guerra civil es más bien la que conforma los moldes culturales de una nacionalidad, presentes en los comienzos y supervivientes de las mayores rupturas. El intento de buscar en esta historia nacional particular una periodización de la realidad, revela una ideología idealista y esperanzada.

Desafortunadamente, la estructura eregida se desplomará cuando Varela vuelva del exilio para encontrar que la memoria, tan cultivada por los de Buenos Aires y otras partes de América, era de escasa fuerza entre muchos gallegos de dentro. Se dará cuenta de que la dolorosa historia reconstruida y conservada como lección para los futuros gallegos no los atrae. Se ha perdido la memoria, base de toda una obra, de la obra de muchos exiliados. Sin entrar en dramatismos, el testimonio final de Varela indica que ya no tenía voluntad para sostener la lucha y sobrevivió poco tiempo la vuelta a una España posfranquista. La estancia en el extranjero ha dado como resultado un profundo desconocimiento de su obra, como ha sido el caso de muchos otros exiliados: aparte de unos comentarios dispersos, de tipo periodístico, se puede lamentar la falta de estudios sobre este importante escritor y promotor de Galicia (Alonso Montero).

Luis Seoane, aunque principalmente conocido como

pintor, no sólo fundó o codirigió editoriales y revistas en el exilio como *Botella al Mar, Nova, El Correo Literario* y *Galicia Emigrante*, sino que se encargó de un programa radiofónico de larga duración, *Galicia Emigrante*, hizo ilustraciones para los libros de sus compañeros y fue autor de cuatro libros de poesía: *Fardel de esiliado* (1952), *N-a brétema, Santiago* (1956), *As cicatrices* (1959) y *A maior abondamento* (1972), todos en gallego. En la dedicatoria al primero, Seoane expresa su interés por la historia de Galicia desde tiempos remotos y su visión integradora en un todo de sucesos, guerras y diásporas. Afirma que el enfoque de su retrato de Galicia ha sido siempre «o pobo galego»; de ahí que «As grandes acciós históricas galegas foron de carácter coletivo, cecáis [...] perduración das formas elementales da vida do medioevo» (p. 32). Como consecuencia, Seoane se inserta a sí mismo en ese largo proceso, resultado de unas condiciones económicas, y su obra creativa es una contribución al renacimiento de la cultura gallega. Es por este sentido de colectividad, junto con la múltiple labor de difusión del arte, literatura y lengua de los gallegos, que la obra de Seoane no da expresión primordial a la problemática del exilio. Al unir el destierro de la guerra civil con las emigraciones del siglo anterior, ya se define el estado económico de Galicia como resultado de una agresión política por parte del estado centralista. Es decir, más que ver a la España de la guerra civil escindida en dos bandos, Seoane afirma que ya había grietas e injusticias que las antiguas nacionalidades históricas conocían íntimamente. Así, cuando en «O pintor esiliado» observa el poeta que...

Na súa testa reméxense as formas, as lembranzas
da luz e das cores, da terra lonxana,

se vuelve esa tierra doblemente alejada: en el espacio y en el tiempo. Recuperarla no sólo requiere una actitud de autoafirmación personal, expresada en los versos:

un día voltarei, derrubado e a vez afirmado
pol-o tempo

sino que hay también un esfuerzo consciente por insertarse
en el contexto nuevo, integrarse en una nueva comunidad
que para el poeta está compuesta de...

> *todol-os erráneos coma eu que andan esparexidos pol-o*
> *mundo* [p. 38].

La representación de la historia revela el enfoque de
pintor en los poemas de Seoane sobre Ramón Cernadas.
Mediante distintos «retratos poéticos» se trata la experiencia de este poblador gallego en la Argentina del siglo xviii,
víctima de la explotación y olvido. Otros emigrantes dejaron la vida en el puente de Brooklyn; una vieja que se cree
loca y bruja es en realidad víctima de la pérdida del marido
en la emigración. De ahí que Seoane haya pincelado al pueblo gallego en una constante dispersión o desplazamiento,
desarraigado aunque superviviente gracias a su aferra-
miento a una identidad propia. En estos poemas el marco
de referencia no puede ser España, que se opone diametralmente a la realidad de Galicia, su diáspora en que el
baile y su música sirven para «¡conxurar! a tristeira da América» (p. 57). En el territorio americano, los transplantados
siguen siendo gallegos, de vida y economía aldeanas, pro-
longaciones de una nación que «pol-os emigrantes engran-
deceuse e alongouse no mundo (p. 61). El mapa así se convierte en un enorme lienzo que Seoane va poblando de
motivos y personajes, ampliando el espacio perteneciente a
Galicia y de esta manera añadiendo su propio espacio bonaerense a esa totalidad. Otra de las constantes de la poesía
de Seoane es la de no concederle mucho espacio al yo en el
nivel discursivo: o prefiere sumar su voz, emplearla para
contar las historias silenciadas y repetidas de tantos otros,
o bien mediatiza su situación personal por medio de otras
figuras.

Recordar es volver a la Galicia de aguas, fuentes, piedras; es, como en *N-a brétema, Sant-iago,* de 1956, fijar esce-

nas guardadas en la memoria, su misma atemporalidad volviéndose desafío al paso del tiempo del exiliado. En este año, Seoane poetiza su ideal político como la sirena o pájaro que hechizó a San Ero de Armenteira (provincia de Pontevedra), volviendo a escribir el mito del canto seductor como positivo y gallego, porque es responsable de que no cese la esperanza de volver. Afirma que «nos non estamos vencidos. O paxaro canta ceibe no noso peito», y reitera la creencia en la vuelta en poemas siguientes. Reproducir imágenes compostelanas también equivale a *probar* la capacidad de recordar, que al lograrse deviene afirmación de una supervivencia frente al olvido amenazante. Es asimismo una muestra de la fertilidad de lo gallego, su acervo cultural que tiene una magia ingenua y un porvenir todavía presentes en el mundo medieval en que Galicia aparecía dueña de sí, reino y no región explotada por Castilla (como ya lo era para una Rosalía autora de los *Cantares Gallegos*) y en la que dominaba fuertemente lo popular. Compostela simboliza el centro de actividad, de contacto con muchos viajeros en peregrinación, como puerta abierta al resto de Europa. Se cerró el camino jacobeo en tiempos de Fernando e Isabel, pero en Galicia permanece el motivo del camino rural (o *camiño*) que conecta los espacios campesinos y por lo tanto está relacionado con el movimiento hacia los demás. Ese movimiento puede interpretarse en el sentido existencial (la experiencia diaria de la vecindad aldeana) a la vez que histórico, reforzado por la salida obligatoria de tantos. El poema «Cabo» retrata las calles santiaguesas de 1936 por las que pasan jóvenes torturados por los franquistas.

A filla do zapateiro, ou do ferreiro, ou do xastre,
era levada en camisa pol-as rúas,
marcadas a fogo tres letras na fronte,
a cabeza enfeitada, escarnecida,
despoxada dos longos rizos loiros.
Berrábanle as letras da fronte.
Eran soio ceibes a mar e os paxáros [p. 115].

Es, como lo indica su subtítulo, «a derradeira imaxe»: en ella se percibe un fuerte contraste temporal y conceptual con las composiciones anteriores y una indicación del profundo compromiso con el presente que en realidad significa *N-a brétema, Sant-iago*.

Curiosamente, no hay en los versos del pintor una abundancia de imágenes visuales: quizá sea esto lo que quiso indicar cuando se refirió a ellos, diciendo que «en ningún intre se agacha o pintor». Más bien hay una impresión de profundidad, de un esfuerzo por pasar de la superficie del lienzo hacia una representación casi falta de valor pictórico aunque repleta de conceptos. De los cuadros de Seoane los críticos destacan su colorido, las formas y armonía; sus poemas son de tono menor, más narraciones breves que versificación, libres de su estructura pero muy ceñidos a la meta de captar los sentimientos del aquí de América frente al allá de Galicia. Al mismo tiempo, las escenas de esta poesía funcionan como la pintura: el artista no puede dedicarse a hacer autorretratos, sino que se expresa en otras caras y espacios, se proyecta en las imágenes de lo otro. Cuando Seoane hace «Autorretrato en 1255» (fecha exactamente siete siglos anterior al poema), no obstante se representa a sí mismo doblemente alejado en el tiempo (de la Edad Media y de la guerra civil) y en el espacio (el poeta de Galicia, pero también el artista gallego medieval de Buenos Aires). O sea, paradójicamente la doble lejanía permite una fusión del yo con lo contemplado, sin dejar de eludir a la causa histórica de la separación (la guerra civil), como en el verso «maxino ao Caín fratricida e ao Abel morto» (p. 97). Es significativo también que ambos, Seoane y el artista de 1255, dependan del pueblo para su obra:

> *Véndoo todo.*
> *Cavilando en reproducir,*
> *no nouturnio terceiro,*
> *na hora do canto segundo do galo,*
> *con carbón sobor do papel,*
> *estas novas facianas nas que sobresairá sempre,*

emparellando un dibuxo a outro dibuixo,
a imáxen campesiña que me xurde do corazón [p. 98].

Los otros personajes del medioevo con frecuencia poseen rasgos extraordinarios, como Bernardo o físico, el alquimista Castro d'Ouro, la *meiga belida*: rasgos que permiten superar el presente, mejorarlo o salvarlo. Los escenarios santiagueses tienen varias directrices ideológicas: aluden a lo histórico-social, a lo legendario-cultural y a lo mítico-mágico-ensoñado, a la vez que a lo plástico o visual. En su totalidad efectivamente evitan ser una simple anécdota pictórica o idealizadora, creando un espacio propio, potenciador de la galleguidad.

Indagar en el pasado más remoto, enfoque mantenido también en el tercer libro, *As cicatrices*, es entender el presente, entroncándolo con los *guerreiros* celtas, no con los nobles (p. 125). Esta tendencia se prolongó desde tiempos de los románticos gallegos hasta formar un punto de la teoría nacionalista en intelectuales como Castelao con *Sempre en Galiza*. Al concentrarse en las huellas o «cicatrices» de la experiencia, Seoane representa la ausencia, no las causas, del exilio o de la emigración. Mientras que Lorenzo Varela afirma que los ideales nacen de nuevo de las cenizas de las batallas, en este libro Seoane afirma la presencia y permanencia de lo ausente y lo convierte en fuente de fuerza para los venideros. En el poema «O pasado», la memoria imperecedora será su inmortalidad, porque:

> *Alguén, sen arrepiarse,*
> *coidadoso de honrar ós mortos,*
> *non sabemos quen,*
> *con seguranza aínda non nacido,*
> *fará memoria.*
> *Herdará no seu sangue o recordo*
> *e ofrecerá*
> *nos petos de ánimas*
> *un novo amor á libertade* [p. 133].

Parte de la afirmación del pasado valiente y aguerrido de los gallegos es la larga opresión por circunstancias de allende las fronteras de Galicia. Es decir, el franquismo se fusiona con las agresiones centralistas desde los Reyes Católicos contra las nacionalidades históricas. Al mismo tiempo, se remonta al más lejano pasado para dar en su mayor plenitud la visión de una Galicia eternamente asediada, incluso por seres míticos, símbolo de lo irracional tal vez, pero también de la creatividad humana. De ahí que haya una doble focalización temporal y lo medieval no sea tanto cuestión estética como momento histórico en que Galicia todavía tuviera la posibilidad de hacerse nación. La labor asumida por Seoane y tantos exiliados gallegos es la de superar las distancias y las nostalgias paralizantes, construyendo un espacio nuevo, o mejor dicho, uno más amplio, en el que situarse para actuar. Ese actuar significa llevar a cabo un proyecto nacionalista, definir y difundir el concepto de Galicia como pueblo entero, autónomo. Es un proyecto que abarca el pasado, pero principalmente como cimiento para alcanzar un futuro libre. Une lo viejo a lo nuevo, en un eterno sembrar y cosechar. Y es un pueblo que no es uniforme —en los poemas de Seoane se encuentran alcahuetes, falsos Caballeros de la Orden de Santiago, ricos explotadores de sus prójimos— pero que en su vasta mayoría es honrado. Sus experiencias colectivas son las que articulan la obra poética y pictórica de este autor.

Aunque no hay que negar la posibilidad de que él admitiera una federación dentro de un Estado español, su obra creativa no lo muestra como marco conceptual. Incluso en 1972, en *A maior abondamento*, el enfoque exclusivo es el largo destierro gallego, todavía desde una perspectiva pictórica de amplitud temporal. En este último poemario se reafirma la relación pintura-poesía-historia popular que ya había señalado Lorenzo Varela en una entrevista:

> Hay una profunda relación entre el cancionero medieval gallego y la pintura gallega actual. [...] ambos movimientos se apoyan en dos bases visibles: el alma colectiva de un país y el impulso imaginativo del artista, tan entrelazados

que es imposible, diría yo, separar lo que pertenece al pueblo [Varela, 1955, p. 23].

La *vella* de «Aquela vella e os corvos» pasa así de ser personaje cuya apariencia es la de una bruja loca, a ser víctima de una violencia social igual que la que se encuentra en la poesía en gallego de Rosalía (*Cantares Gallegos* y *Follas Novas*) y una seguidora suya, Francisca Herrera Garrido (autora de *¡Almas de muller! ¡Volallas n'a luz!*). Semeja la bruja la condición de Galicia entera y representa esa tradición de su país desde un lenguaje ambiguo o subversivo:

> *Esa vella desamañada, afastada, soia*
> *podería ser Galicia,*
> *esquizada, tamén arredada, soio osos,*
> *tola, refugando unha morte prometeica*
> *—os seus mitos son de outra caste—,*
> *negra polos farrapos, pantasmal,*
> *dura,*
> *que Laxeiro que a víu na montaña de Lalín,*
> *díxonos,*
> *nunca se atrevéu a pintar* [p. 154].

Al rechazar una representación mítica (la de Prometeo, salvador de los seres humanos), esta mujer desquiciada hace hincapié en otra realidad, tan cruel, que Laxeiro, artista nacido en la zona rural de Lalín (interior de Pontevedra), a veces residente en Madrid y Sudamérica, no la quiere retratar. De ahí que la caricatura grotesca, reminisciente de los caprichos de Goya, apunte hacia el horror de la guerra, esa su «intrahistoria», en vez de hacia el heroísmo individualista. La verdad de la guerra civil, para creadores gallegos como Seoane, no tiene entonces representación posible: debe permanecer en el nivel de símbolo, sólo sugerencia, nunca equivalente, del desastre.

La *vella* de Lalín se emparenta con los gallegos que no se quedaron, sino que se han marchado a la emigración, mediante otro retrato pictórico. Empieza el poema «O home que marcha» de la siguiente manera:

«¿*Van moi lonxe?*»
preguntábase Goya adebuxando un capricho,
mais endexamáis tan lonxe
como van agora milleiros e milleiros de galegos [p. 158].

Aquí se señala la violencia general que hay en el desterrar a un pueblo, sea por una guerra o por medios menos directos como la explotación económica que impide el desarrollo de los medios necesarios para alcanzar una vida digna. El poema está repleto de referencias a las imágenes visuales: las que perciben los emigrantes en los letreros, carteles y cuadros indescifrables de los países extranjeros donde trabajan, o las que representan estos mismos emigrantes, comparados en el poema a:

O home soio músculos que marcha, de Rodin,
O home soio fame que marcha, de Giacometti [p. 160].

El resultado, más que el cuadro dentro del cuadro, que sería la progresión en un sentido sólo, es una serie de reflejos que se reenvían entre sí, pasando de una ideología representativa a otra, de la supuesta realidad culturalmente codificada (y por eso superficial) a la otra, la verdadera, realidad de los que no contemplan prados ni escenas sentimentales como en la propaganda oficial, sino sótanos, cocinas y minas. Son las suyas las zonas no artísticas, las marginales, las no representadas. El poema termina con una clara indicación de la causa de la explotación, e indirectamente sugiere un plan para el futuro:

Os eisiliados de 1873,
ou os mais cercanos,
os de 1936 ou 1937, 1938...
vindos de Galicia,
ou os de 1939, 1940...
da outra zona de guerra [p. 173].

El carácter colectivo de estos últimos poemas publicados se ve complementado por cuatro composiciones finales que aluden a casos particulares, tal vez leídos en periódicos o contados entre gallegos. Sea la historia de una familia desterrada por no revelar el paradero de un hijo guerrillero, o la de un emigrante que vive en una alcantarilla bonaerense, la de la viuda Celsa, ahorcada en su soledad, todos se unen en una acusación al gobierno actual, asesino responsable de muchas más muertes que las ocasionadas entre 1936 y 1939.

El último poema, incorporado a la *Obra poética* publicada por Edicións do Castro en 1977, funciona como testamento personal. Sin embargo, en «O mestre de Echternach» se mantiene el distanciamiento entre el poeta y el contenido poético, al emplear un personaje residente en Alemania. Por supuesto que la selección de Echternach no es casual, ya que es un sitio conocido por su tradición carnavalesca popular, parecida a la de Galicia. Aquí no se puede analizar detenidamente la amplitud de significado que poseen las fiestas de carnaval en la definición de lo gallego, pero sí se puede señalar su función como celebración no oficial, mantenida durante generaciones en contra de la doctrina religiosa y la política posbélica del franquismo. Es el carnaval un acto que pretende subvertir el orden dominante, invirtiendo los espacios y sus imágenes para revelar lo que hay debajo de la visión enajenante.

Así, en este poema, desde un espacio que en lo popular creativo se congenia con Galicia, un artista contempla su vida. Dos motivos se destacan de inmediato: la equivalencia de ese artista con la función de maestro, y la visión organicista de la historia que este hombre manifiesta por medio de sus obras e ideas. La experiencia lo acerca más que nunca a la naturaleza y su conjunto de actantes, en el que cualquier elemento, por pequeño que sea, remite a todos los demás y conduce al cambio. El término *miudanza* fusiona estos conceptos de lo *miúdo* (menudo) y de la *mudanza*:

> *Agora de vello amo mais a vida.*
> *Aos homes, aos boscos,*
> *ás follas dos arbres,*
> *ás grandes e ás pequenas bestas,*

aos bestigos, ás herbas...
Agachado sobor dun papel
reproduzo calquer miudanza.
Penso:
Dibuxo a vida [p. 183].

Define a la vez su vida y su obra, el significado vital de una actividad comprometida con su contexto social, no aislado por una actitud escapista ni ensimismada. Ni siquiera el tono reflexivo de este poema permite una interpretación particularizada, porque el *eu* se remite a una manifestación cultural antigua: los *Evanxeos*. El paso del tiempo, mayor que la extensión de una vida humana, le ha enseñado que la verdad no está en un texto escrito, consagrado, admitido por organismos oficiales, sino que tiene su origen en lo natural y espontáneo: lo popular. Lo sagrado está en la complejidad de la vida cotidiana, remota y cercana, no en los personajes y mitos confirmados. El verdadero proyecto debería haber sido el de representar las caras en que muchos no se pueden reconocer, los cuerpos que no son suyos sino que tienen otros dueños que los hacen trabajar en exceso. El *eu* final de Luis Seoane es, entonces, uno que vuelve la mirada artística para siempre hacia el pueblo, con el deseo de representarlo para sí mismo, recuperando una identidad que siempre fue suya aunque silenciada y vilipendiada.

Consagra de esta manera su obra, sea pictórica o sea literaria, a la construcción de la realidad gallega en toda su extensión histórica, resistente y heroica. Es una empresa que requiere la reestructuración de lo familiar, incluso la conceptualización del exilio español como no solamente «español» sino escindido en varios. Las afirmaciones de Martínez López a las que me referí al comienzo de este trabajo pocos las han tenido en cuenta. Mas hay que partir de un deseo de ver y comprender la diversidad de circunstancias, como hicieron Varela, Seoane y otros de la periferia del Estado español. Como afirma un crítico:

The desire to see, and the desire to feel obliged to ans-

337

wer, are valuable, perhaps indispensable parts of the poet's feelings about the art. But in themselves they are not enough. In some way, before an artist can see a subject —foreign policy, or any other subject— the artist must transform it: answer the received cultural imagination of the subject with something utterly different. This need to answer by transforming is primary; it comes before everything else [Pinsky, p. 9].

El deseo de transformar está ya presente en la obra poética y artística de los que han logrado ver la guerra civil española y sus resultados como parte de un proceso político más amplio en vez de retratarla como una crisis o catástrofe personal. De ahí el carácter colectivo de su obra en todos los niveles, desde rasgos estilísticos de poemas individuales hasta la forma de producir libros y exposiciones que explicaran esa realidad y enseñaran a mejorarla. En esta visión colaborativa y constructiva yace su fuerza: una gran lección para los gallegos que actualmente se dedican a hacer una gran patria.

Galicia canta y siembra, las dos cosas, pero
además canta para sembrar.

[Luis Seoane]

BIBLIOGRAFÍA

ALONSO MONTERO, Xesús, *Dez poemas* (ed. de Lorenzo Varela), Sada, La Coruña, Ediciós do Castro, 1988.

BADIOU, Alain, *La Théorie du sujet*, París, Seuil, 1982.

CASTELAO, Daniel A. Rodríguez de, *Sempre en Galiza*, Buenos Aires, Centro Orensano de Buenos Aires, 1961, 2.ª ed.

HARLOW, Barbara, *Resistance Literature*, Nueva York/Londres, Methuen, 1987.

ILIE, Paul, *Literatura y exilio interior*, Madrid, Fundamentos, 1981.

MARTÍNEZ LÓPEZ, Ramón, *A literatura galega no exilio*, Trasalba, Orense, Fundación Otero Pedrayo, 1987.

PINSKY, Robert, «Responsabilities of the Poet», en Robert von Hallberg (ed.), *Politics & Poetic Value*, Chicago, University of Chicago Press, 1987.

Seoane, Luis, *Obra poética*, Sada, La Coruña, Ediciós do Castro, 1977.

—, «Sobre "Lonxe" de Lorenzo Varela», *Galicia Emigrante*, 4 septiembre (1954), pp. 20-21.

Varela, Lorenzo, «Reportaje a Lorenzo Varela», *Galicia Emigrante* 10, marzo (1955), pp. 23-24.

—, *Poesía*, Sada, La Coruña, Ediciós do Castro, 1979.

EL EXILIO EN LAS OBRAS
DE DOS NARRADORES GALLEGOS:
GRANELL Y DIESTE

Estelle Irizarry

Dos de los narradores más originales de nuestros tiempos son Eugenio Fernández Granell y Rafael Dieste, autores gallegos que experimentaron los rigores del exilio. No sorprendería, en vista de sus circunstancias vitales, que una experiencia tan traumática como el exilio tuviera repercusiones en sus obras. Veremos a continuación cómo y en qué medida existen en cada uno huellas del alejamiento forzoso de su país y de su patria chica.

La manifestación más evidente en este sentido es la presencia explícita de la figura del emigrante en sus obras. Hace tres años, en un número especial de *Revista Monográfica* sobre la literatura española del exilio, examiné «La figura del emigrante en tres autores gallegos del siglo xx»: Isaac Díaz Pardo, Luis Seoane y Rafael Dieste. Pero ahora quisiera ampliar la perspectiva y ver cómo Granell y Dieste aluden a la experiencia del destierro, no sólo mediante personajes emigrados, sino también en formas menos explícitas, pero sin abordar el tema de la guerra —material para otra ocasión.

Dieste

Los cuentos de Rafael Dieste hablan poco del exilio y mucho sobre el retorno, como fenómeno inminente, anticipado, frustrado o cumplido. El énfasis sobre el regreso del emigrado se nota ya en sus primeros relatos, escritos en el vernáculo gallego una década antes de que sucedieran los acontecimientos que lo llevarían lejos de Galicia. Para aquel entonces sólo se había ausentado de su país en dos ocasiones: para hacer un breve viaje a México y para hacer el servicio militar en Marruecos.

Podría argüirse que los gallegos siempre han sido un pueblo emigrante y por eso es de esperar que el tema aparezca frecuentemente en su literatura. Sin embargo, en los cuentos de *Dos arquivos do trasno*, la temática de ausencia y retorno es tan persistente que parece más bien premonitoria. Según testimonio de su mujer, Carmen, y varios amigos, Dieste fue una persona muy intuitiva y en muchas ocasiones dio muestras de esta facultad. Tal vez Dieste se diera cuenta de la ironía de su propio destino, que lo llevará a una emigración y retorno. Creo que fue por eso que al regresar a su pueblo natal, Rianxo, en 1961, tras 22 años de ausencia, publicó una edición revisada de *Dos arquivos do trasno*, el libro que había escrito en Galicia tantos años antes —en 1926—, el libro que agregó algunos relatos nuevos. Y más tarde, en 1973, volvió de nuevo a *Dos arquivos do trasno* para hacer otra edición, que llamó entonces «definitiva».

De los veinte relatos en la reedición, seis tienen que ver con el tema del retorno. «A volta» se titula uno, que trata de una vuelta que no es más que una alucinación producida por la dilatada espera de una desconsolada madre cuyo hijo desapareció en tierra de moros. En «De cómo se condanou a Ramires» se ven los cambios profundos que obraron 20 años en Catamarca en el viejo protagonista, de vuelta para morir en su tierra. En «Na ponte de ferro», un emigrante que relata sus azarosas aventuras en América guarda el sueño íntimo de volver a su aldea en Galicia y poner un kiosco de periódicos en la placita de sus recuerdos.

«O grandor do mundo» relata la experiencia de un barbero gallego que fue a Buenos Aires estimulado por las historias que había oído sobre la vida en tan gran metrópoli. Al regresar a su villa después de largos años de ausencia, aprecia más «lo grande del mundo» en la forma del pequeño rincón que ahora lo acoge. En «Nova York é noso» un niño reclama como suya la gran capital de donde su padre, al volver a Galicia, le había traído un regalo. Uno de los cuentos agregados a la segunda edición del libro fue «De cóm veu a Rianxo unha balea», escrito en el exilio. Allí Dieste proyecta la nostalgia del emigrante al plano animalesco al contar la historia de una ballena varada en el puerto de Rianxo. El narrador ya adulto rememora el caso y siente aún tristeza por la pobre criatura que se había alejado de su mar. De cierta manera, la experiencia de la ballena es la inversa de la del autor; para quien Rianxo era el ansiado lugar de retorno y no, como lo fue para la ballena, de extravío. «Hestoria dun xoguete» es un poco distinto de los cinco cuentos anteriores ya que no trae el retorno del viajero sino el arribo a la playa del barquito que el navegante Bastián había elaborado para sus hijos. El juguete retorna en lugar del navegante que, en cambio, «jamás volvió».

Las huellas del exilio están en la obra maestra de Dieste, *Historias e invenciones de Félix Muriel*, juzgada por *El País*, como «uno de los libros narrativos más importantes de la historia española del último medio siglo», y seleccionado por Iberia como uno de los diez mejores libros del siglo. Granell la ha llamado la primera gran novela de la emigración. Dieste escribió el *Félix Muriel* en Buenos Aires, en muy poco tiempo, y lo publicó en 1943. Puede que el exilio influyera en la decisión de Dieste de escribir su segundo libro de narraciones no en gallego sino en castellano, respondiendo a la apertura forzada de su mundo geográfico a las Américas.

En el *Félix Muriel*, obra de la madurez vivencial y artística de Dieste, las alusiones a la emigración son más sutiles, oblicuas e implícitas que en *Dos arquivos do trasno*. El tema aparece en forma alusiva y simbólica, como en el «quinqué color guinda» del relato inicial, que presidía el rellano que fue lugar de despedidas y retornos del narrador y sus hermanos. En el interior luminoso del quinqué —tan parecido a la maravillosa bola de cristal de un mago— el niño Félix veía un mundo de ciudades lejanas, «populosas ciudades en que un niño se pierde», sin duda las mismas que el adulto Dieste conocería en el exilio.

En el *Félix Muriel*, como antes en *Dos arquivos do trasno*, el énfasis está sobre la perspectiva o el cumplimiento del retorno. En «El libro en blanco» un campesino viejo que recibe una visita del diablo, a quien no reconoce en seguida como tal, le pregunta si sería quizá un amigo ausente por muchos años y exclama: «¡Los años y esas tierras lejanas cambian tanto el rostro!» (p. 174). «La asegurada» trata el tema del emigrante desde la perspectiva de la persona que espera. La prolongada y frustrada espera de Eloísa, con quien se había casado Juan de Lascavia antes de embarcar para así «asegurar» su amor, causa su demencia y Eloísa se convierte simplemente en «la loca». Aquí también figura un retorno, pero es ilusorio: la pobre Eloísa ve en Félix Muriel la imagen de su esposo ausente, cambiado por los años de exilio. La espera de Eloísa, como la de la vieja madre en «A volta», publicado treinta años antes, conduce a una alucinación que es preludio de la muerte. Es evidente que Dieste se preocupa en sus relatos por el emigrante, cambiado por la experiencia de su ausencia, particularmente cuando se posterga el retorno.

Otra huella, más indirecta, de la experiencia personal del autor es el tema que une todas las narraciones, aun las que no aluden al exilio: el recuerdo. Una y otra vez surge la terrible pregunta de si el recuerdo es una maldición o una bendición. «¿Lo querrás?», pregunta el misterioso ermitaño a Anselmo en «La peña y el pájaro». El recuerdo puede traer dolor y condenación —como en el libro de contabilidad del diablo en «El libro vacío». Pero Dieste se decide por recordar el bien y no el mal; el viejo sabio en su cuento borra las culpas de la gente del pueblo y el libro del diablo queda en blanco. Allá en el exilio en la Argentina Dieste ya sabía que el recuerdo de crímenes sólo ata a uno a su pasado y hace imposible liberarse. El *Félix Muriel*, hermoso libro de un autor de sentimientos generosos, es el libro del perdón.

La isla, libro póstumo, de carácter surrealista, habla específicamente del perdón. El escenario de este extraño relato- *collage* es el mundo del más allá —que de cierto modo puede verse como el último exilio que nos aleja de este mundo—. El señor Rial, que lleva su resentimiento por una ofensa cometida contra él más allá de la muerte, por fin ofrece un «te perdono», pero no es suficiente; guiado por San Pedro, lee dentro de su propio corazón «la palabra olvidada». «No era "Te perdono", sino "Perdóname"».

Curioso es el hecho de que no haya en los relatos de Dieste ni uno solo cuyo lugar principal de acción sea el extranjero. Es evidente que el autor, aún en el exilio, se quedó en Galicia y la llevaba en el corazón.

Granell

La terrible experiencia de la guerra y un largo exilio no fueron suficientes para quitarle a Granell su sentido del humor. «No hay nada más serio que el humor», escribió en el catálogo para una exposición del escultor Compostela en Puerto Rico en 1953. Aun cuando su humor se inclina hacia lo satírico, no es amargo, sino libertador. Y si los estupendos frutos de su imaginación nos llevan a lo absurdo, ha de ser porque el mundo no es menos absurdo.

El primer libro escrito en el destierro es *Arte y artistas en Guatemala,* un *collage* de anécdotas acerca de artistas, no necesariamente *de* Guatemala, sino también los que como él se encontraban allí. Granell cuenta anécdotas, muchas de ellas claramente inventadas, sobre artistas provenientes de muchas partes del mundo, cuya presencia o influencia se dejaban sentir en Guatemala, entre ellos Manuel de Falla, André Bretón, J.B. Kinloch, Carlos Mérida y Eunice Odio. Con ocasión de un homenaje póstumo a Manuel de Falla, Granell recuerda a muchos artistas españoles que sufrieron el destierro: Cervantes, Quevedo, Lope de Vega, Moratín, Martínez de la Rosa, Goya, Casals, Machado, Unamuno, Picasso y Falla (p. 181). Pondera el destino que Moreno Villa expresó en unos hermosos versos: «No vinimos acá, nos trajeron las ondas».

La novela del indio Tupinamba, publicada en México en 1959, trata la guerra civil en varios momentos y contiene alusiones explícitas a la persecución y el exilio. El indio, debido a su indomable espíritu libre, logra escaparse de los barberos que degollaban a los clientes leales y del paredón estalinista. La emigración reviste a la vez humor y pena en su descripción del arribo de los españoles refugiados a la República Occidental del Carajá, obviamente la dominicana. Los exiliados llenan todos los apartados de las solucitudes de entrada al país con la palabra «labriego». La desesperación conduce a lo absurdo: el lugar de nacimiento, los nombres de los padres, la raza y credo político se convierten todos en la contraseña salvadora de «labriego». Granell satiriza las leyes de más de un país al listar todos los tipos de personas a quienes se les negaba la entrada: eunucos, ateos, comunistas, fascistas, monárquicos, dentistas, modistas, estupradores, masajistas, misóginos, astrólogos, taumaturgos, como así también el que era mestizo, criollo mulato, siamés, sirio, ario, judío, vizcaitarra, albino y de cualquier otro color. Los desafueros cometidos por el «Gran Boss» de la República serían absurdos si fueran menos históricos. Finalmente hay un regreso; el indio Tupinamba vuelve a su país, pero el cuadro que nos pinta Granell es desolador y absurdo. Al final de la novela se va de nuevo, esta vez en una ascensión maravillosa.

Las otras novelas tienen alguna que otra alusión al exilio. En *El clavo*, se utilizan «trajes de ausencia» destinados a llevar lejos a los que se rebelan contra el sistema del Territorio Regulado Unido. Es una metáfora muy gráfica del exilio. En *Lo que sucedió*, la historia de la persecución del estudiante Carlos Naveira por su participación en una huelga estudiantil, se presentan unos tristes veteranos repatriados. La novela demuestra que el exilio tampoco ha de realizarse fuera del país; hay una especie de destierro —quizá convenga llamarlo «subtierro»— en el pintor Concheiro, que realiza su inmenso lienzo sobre la historia de España en un estudio subterráneo.

345

En los cuentos de *Federica no era tonta y otros cuentos* se destacan más las alusiones, a veces sutiles. «El hombre verde», por ejemplo, puede interpretarse de muchos modos, pero creo que hay en el extraño ser que aparece ante el narrador mucho que lo vincula con el exiliado. Este cuento, el primero publicado por Granell, en edición de «La Poesía Sorprendida» en 1944, lleva como epígrafe una cita de Dieste, del *Félix Muriel*, publicado el año anterior. El hombre verde titular, que parece «puesto allí por la tempestad, o como hijo del maridaje verde de una ola rota y de un rayo desprendido por algún trueno inexacto», no parece hombre y sin embargo lo era por su llanto y su angustia. Su color nos hace recordar la referencia a la exclusión de personas de «matiz aceitunado» entre las de otros colores de la República de Carajá en *La novela del indio Tupinamba*. El misterioso personaje del cuento es tan extranjero como éstos y como los «hombrecitos verdes», que según la imaginación popular vendrán del planeta Marte. Aparte las posibles nociones simbólicas, este hombre verde parece llovido del cielo, como emigrado pobre, una especie de judío errante, que dice: «Vago mi soledad por el mundo». Al discutir este cuento en mi libro sobre Granell señalo que el «profundo desamparo» del hombre verde llama la atención. Es un ser sin facciones y sin sexo, deshumanizado, como símbolo del exiliado, del emigrante que conoció campos de concentración en Francia y luego se encontró en países desconocidos donde lo verían tan extraño como si fuera el hombre verde del relato. Parece confirmar esta interpretación —que de ninguna manera excluye la posibilidad de otras también— un artículo que Granell publicó en *España Libre*, donde describe al escritor emigrado «como ser marginal a la vida ordinaria del país donde actúa —que lo ignora—, tal como lo está respecto al suyo original, que lo estima extraño».

Otro cuento, «Nostálgico pronóstico», trata de Figueiredo, emigrado gallego en Nueva York, que ha sido cocinero, minero, alfarero, músico, leñador canadiense, lavador de platos, conductor de taxi, escritor, e inventor. ¿No es esta improvisación típica de muchos emigrantes de la España republicana que se encontraron de pronto privados del ejercicio de su profesión? Granell mismo en una semblanza biográfica dice que fue «periodista, soldado, obrero, campesino, comentador de radio, músico, decorador, ilustrador y crítico», entre otras cosas.

Si la clave para Rafael Dieste fue el retorno, la de Granell ha de ser la liberación realizada por medio de la palabra y el humor. Mediante la palabra transforma la realidad en surrealidad tan proteica, fluida y cambiante como los mares de muchos de sus cuadros pictóricos. Sus artistas en Guatemala dominan el tiempo y el espacio y en *La novela del indio Tupinamba*, el dueño de librería se convierte en el indio Tupinamba. Los jóvenes perseguidos en *Lo que sucedió* se salvan o se mueren en lo que Gonzalo Sobejano llama una «caja-barca-ataúd» (p. 85), y el indomable Figueiredo se adapta a su destino de cambiantes oficios.

La imaginación, la creatividad y el humor son portátiles y no dependen del lugar de residencia. Gracias a estos resortes interiores que han producido narraciones de extraordinaria inventiva, ni Granell ni Dieste dejaron que el exilio geográfico fuera también exilio interior.

BIBLIOGRAFÍA

Dieste, Rafael, *Dos arquivos do trasno*, Vigo, Galaxia, 1973.
—, *Historias e invenciones de Félix Muriel* (ed. de Estelle Irizarry), Madrid, Cátedra, 1986.
—, *La isla. Tablas de un naufragio*, Barcelona, Anthropos, 1985.
Granell, Eugenio Fernández, *Arte y artistas en Guatemala*, Ciudad Trujillo (República dominicana), La Poesía Sorprendida, 1964.
—, *El clavo*, Madrid, Alfaguara, 1967.
—, *Federica no era tonta y otros cuentos*, México, Costa-Amic, 1970.
—, *Lo que sucedió*, México, España Errante, 1968.
—, *La novela del indio Tupinamba*, Madrid, Fundamentos, 1982.
—, *La inventiva surrealista de E.F. Granell*, Madrid, Ínsula, 1976.
Irizarry, Estelle, «La figura del emigrante en tres autores gallegos del siglo XIX», *Monographic Review/Revista Monográfica*, 2 (1986), pp. 198-207.

—, *La inventiva surrealista de E.F. Granell*, Madrid, Ínsula, 1976.

Sobejano, Gonzalo, «La narrativa de E.F. Granell», en César Antonio Molina (ed.), *Eugenio F. Granell*, La Coruña, Ayuntamiento de La Coruña, 1987, pp. 85-92.

EUSKADI

Martín de Ugalde

Una de las secuelas del levantamiento militar en España y, por tanto, en el País Vasco, el año 1936 fue el exilio masivo.

Es el destierro.

El destierro de familias dispersadas por las guerras, cuando llega a durar muchos años, se convierte en un dolor amarillo y difuso que va tiñendo los recuerdos de las fotografías de la víspera de una nostalgia que no cura el regreso a la tierra, cuando se produce, porque ya es tarde para los muertos y los nacidos en el destierro. El resultado de ese viaje de la angustia de la guerra en tres tiempos violentos y torvos en que fuimos dejando rastros del abuelo y los padres hasta quedarnos desnudos de lo que pudimos llevarnos en las manos al huir del miedo, nos urgió a cubrirnos con lo que nos fue deparando el azar trabajado de nuevo por nuestros mayores ya fuera de sazón, y lo que hallamos sus hijos improvisando oficios, acumulando acentos y restos de otros restos envueltos en nuevas esperanzas cruzadas de rencores reconocibles en nuestros hijos nacidos en la amargura del exilio.

Cincuenta años parece mucho.

Pero nunca se podía imaginar uno que podría dar tanto dolor.

Para los vascos que en uno u otro tiempo y de las diferentes maneras en que se puede huir entramos en territorio francés durante los tres años que duró la contienda interminable, incluido el paso por Cataluña los que pudieron, los servicios del Gobierno vasco contaron cerca de 150.000; de los 500.000 que sumaron todos los huidos de la victoria franquista, la proporción de la odisea vasca es expresivamente alta.

De éstos, sólo unos pocos pudieron llegar a América antes del estallido de la guerra mundial que provocó la invasión de Polonia por los alemanes el 1 de septiembre de 1939, *a sólo cinco meses* de la rendición de Madrid el 28 de marzo.

El relevo de los centinelas de la Civilización Cristiana de Occidente para el orden nuevo funcionó, pues, como un reloj militar. Y entretanto tuvieron algunos huidos del franquismo oportunidad de trasladarse a América.

He aquí algunas noticias de estas expediciones:

Para *Venezuela* zarparon tres barcos con pasajeros vascos de acuerdo con las gestiones del Gobierno vasco con sede de exilio en París. Fue el Dr. Gonzalo Salas, médico venezolano, quien propuso mediante un informe a su Gobierno, presidido entonces por el general López Contreras, el ingreso de los vascos a su país, y fue él quien, en generosa campaña para conseguir el respaldo de la opinión pública de su pueblo, frente a una especiosa propaganda política que se esforzaba en hacernos aparecer como comunistas, publicó un folleto titulado: *Inmigración vasca para Venezuela,* que tuvo eco impresionante, no sólo en la prensa venezolana de la época sino en la más extensa prensa de los pueblos americanos.

No consiguió trasladar a su generoso país los 80.000 vascos que situaba en Francia entonces todavía, pero de acuerdo con don Jesús María de Leizaola, en representación del presidente del Gobierno vasco, José Antonio de Aguirre, pudo preparar las primeras expediciones.

Consiguieron organizar en plazo tan corto estos tres embarques: el barco *Cuba* salió de Le Havre con 150 pasajeros vascos el 14 de julio, día nacional de Francia de 1939;

el *Flandre*, con unos 200, un mes después, y el *Bretagne*, que salió el 26 de agosto, ¡apenas ocho días antes de la declaración francesa de guerra!, para desembarcar en el puerto venezolano de La Guayra 75 vascos, entre ellos mi padre. Como no sólo interesa aquí la información y las estadísticas, sino también el drama humano, permítaseme dar mi propio testimonio: yo había quedado en un colegio sostenido por el Gobierno vasco en Saint-Jean-de-Luz, entonces en el Departamento de los Bajos Pirineos de Francia. La prensa publicó el hundimiento del *Bretagne* por un submarino alemán a los pocos días de comenzar la guerra; estaba yo sólo, de cuatro que éramos de familia, ahora dispersa, y ahora huérfano, hasta que una semana después me llega una tarjeta postal con la imagen del *Bretagne* remitida por mi padre recién llegado a Venezuela, lo que significaba que *el barco había sido hundido a su regreso.*

Tardaríamos ocho años en reunirnos de nuevo los cuatro en Caracas.

Argentina, siempre tan cerca del recuerdo, el cariño y hasta el sueño americano de los vascos, Argentina, digo, fue el país que recibió a más intelectuales. El barco que zarpó de Marsella en dirección a Buenos Aires, el *Alsina*, tardó quince meses en llegar con forzosas y penosas paradas en puertos africanos para evitar ser hundido por los submarinos alemanes.

Pero no fue el único camino de los vascos de la época para la Argentina.

Hay un decreto (n.º 65.384) por el que el presidente de la República, Dr. Roberto M. Ortiz, dispone: «Artículo 1: Amplíase el decreto n.º 53.448 del 20 de enero de 1940 que autorizó al Departamento de Agricultura a permitir el ingreso al país de inmigrantes vascos residentes en España y Francia en las siguientes formas: *a*) Comprende a los vascos sin distinción de origen y de lugar de residencia en los beneficios que acuerda ese decreto; *b*) el Comité Pro Inmigración Vasca podrá intervenir en la regularización de la situación de pasajeros vascos que ya se encuentran en el País».

La Federación de Entidades Vascas de la Argentina está compuesta por centros vascos con denominaciones diversas: en la Capital Federal tiene 5 sedes, y una en Carmen de Patagones, en Bolívar, en Olavarría, en San Juan, en La Plata, en Necochea, en Santa Fe, en Tandil, en Córdoba, en Mar de Plata, en Chascomús, en Villa María, dos en Rosario de Santa Fe, y una en cada una de las poblaciones: Comodoro Rivadavia, en Coronel Suárez, en Arrecifes y en Bahía Blanca.

Con destino a *Chile* salió de Burdeos el 4 de agosto de 1939 el barco *Winnipeg* con 2.000 personas, entre ellas un buen número de vascos; el presidente de Chile, don Pedro Aguirre Cerdá, nombró a Pablo Neruda, a petición propia, embajador para la Inmigración desde Francia. El barco llegó a Valparaíso el 3 de septiembre, el día de la declaración de guerra de Gran Bretaña y Francia a Alemania ante el ataque de este país a Polonia.

México ocupa un lugar distinguido entre los países que aceptaron recibir combatientes republicanos, porque fue el único que mantuvo en América el reconocimiento de la República española y de todas las instituciones nacionales, como las autonomías políticas de la Generalitat de Catalunya y el Gobierno Vasco, manteniendo válidas las documentaciones emanadas de sus delegaciones en todo el mundo, y tenidas en cuenta en el protocolo internacional de México a todos los efectos hasta después de la muerte del general Franco.

A este país amigo llegó lo más granado de la intelectualidad española, sobre todo de profesores y maestros que influyeron decisivamente en sus instituciones de enseñanza, y adonde viajaron también muchos vascos.

En *Estados Unidos*, en Nueva York, tuvo lugar la primera reunión del Gobierno vasco en exilio después de la invasión alemana. Por azares largos de explicar, el presidente del Gobierno, don José Antonio de Aguirre, pudo escapar de un cerco alemán en sus primeros avances a Suecia y por barco clandestinamente a Brasil en 1941. Los consejeros vascos dispersos y que podían desplazarse se reunieron en Nueva York en 1942. Aguirre fue profesor en la Universidad de Columbia, y cuando llegó definitivamente a Europa en 1945, con la victoria aliada, dejó establecida una delegación de la que fue titular Jesús de Galíndez, a quien nos referiremos enseguida, desde los años cincuenta hasta el momento de su muerte.

La corriente de exilio fue menor para *Bolivia, Colombia, Uruguay, Cuba, Santo Domingo* y *Estados Unidos*, pero también en todos estos países amigos fueron establecidas sedes donde se reunían los vascos, y en todos ellos el Gobierno vasco en el exilio mantuvo sus delegaciones oficiales hasta el establecimiento del nuevo Gobierno de Euskadi, constituido a partir de los cambios políticos producidos a la muerte del general Franco.

En cuanto a estos países, hay uno que ha tenido un protagonismo negativo provocado por el dictador Trujillo.

Entre los vascos exiliados llegados a Santo Domingo había un joven profesor de Derecho, Jesús de Galíndez. Hombre brillante, tuvo una actuación importante en el frente de Madrid y luego en el Ministerio de Justicia de la República, tanto en Madrid como en Barcelona, junto a su ministro don Manuel de Irujo. Llegó Galíndez exiliado a Santo Domingo en noviembre de 1939, y en seis años de trabajo fue profesor de Ciencia Jurídica de la Escuela de Derecho Diplomático y Consular, y fue nombrado secretario del Instituto de Legislación Americana Comparada de la Universidad de Santo Domingo. Aquí escribió varios libros importantes: *La aportación vasca al Derecho Internacional*, publicado en Buenos Aires en 1942; *Programa de elementos de ciencia jurídica*, impreso en Ciudad Trujillo en 1945, *Principales conflictos de leyes en la América actual*, Buenos Aires, 1945, y *Los vascos en el Madrid sitiado*. En 1944 ganó con el trabajo *El Bohoruco* el concurso literario organizado con motivo del Primer Centenario de la República dominicana. Abandonó el país preocupado por el camino que tomaba la despótica dictadura de Trujillo. Fue su primera, y brutal, experiencia con la Dictadura americana. Logró trasladarse en 1946 a Nueva York. Aquí se puso a trabajar en la Delegación Vasca y colaboró con el Gobierno republicano español en el exilio en los trabajos que contribuyeron a que las Naciones Unidas condenaran el régimen franquista. En 1953 aparece su escrito: *Nueva fórmula de autodeterminación política de Puerto Rico*, publicado en México, y un año después, *Iberoamérica, su evolución política, socio-económica, cultural e internacional*, que salió en Nueva York en 1954. Fue presidente aquí del Círculo de Escritores y Poetas Iberoamericanos hasta la Junta de 1956.

En estos años cursó también la carrera de Filosofía, cuya tesis doctoral en Columbia University, donde era profesor de Historia Latinoamericana, versó sobre *La Era de Trujillo: un estudio casuístico de dictadura hispanoamericana*. Tesis que fue aceptada formalmente por la Universidad el 27 de febrero de 1956 y cuya publicación se anunciaba ya. Y días más tarde, el 12 de marzo, menos de un mes después, Jesús de Galíndez desaparece de forma misteriosa como antes había ocurrido con otros que osaron atacar a Trujillo. Había sido raptado en una de las bocas del metro de Nueva York, trasladado en avión a Santo Domingo, donde lo mataron ignominiosamente.

Fue uno de los mártires en el exilio de la Dictadura.

Testimonio Personal acerca de los vascos en Venezuela

A fines del año 1939, cuatro meses después de la llegada de los tres barcos, y ya en plena guerra mundial y con los submarinos alemanes a la caza, llegaron a La Guayra dos pequeñas lanchas de pesca que hicieron la travesía desde Bayona, en Francia, con unas condiciones muy precarias de combustible y abastecimiento: fueron la *Donibane* y la *Bigarrena*, mandadas por el capitán José María de Burgaña. Así, no es de extrañar que una de las primeras empresas colectivas que establecieron los vascos recién llegados a Venezuela fuera el de la pesquería.

354

Se constituyó la empresa con estos dos barquitos, y se llamó Pescaderías Vascas del Caribe, con locales en el centro de Caracas y un servicio de reparto a domicilio del mero, el pargo, los calamares y las langostas que pescaban a la altura de La Orchila y Los Roques. Algunas innovaciones como esta no tuvieron éxito, porque el venezolano no tenía la costumbre de comer pescado como nosotros; sobre todo no probaba el calamar ni la langosta, que se daban en abundancia. No obsante, esta tarea de dar a conocer la diversidad de pescados que, como el atún, son plato corriente en el País Vasco, ha resultado pionera en el abastecimiento y los hábitos alimentarios de Caracas, donde hoy, al cabo de cincuenta años, las pescaderías vascas gozan todavía de prestigio.

Sin embargo, no fue esta la actividad que adquirió mayor importancia. Fue la dedicada a la construcción la que ocupó el mayor número de vascos, y la que probablemente ha obtenido mayor eco de empresa colectiva. Quedan en Caracas muchas huellas de la mano del constructor vasco en la empresa de construir la gran ciudad en que se ha convertido la capital venezolana. Aunque el esfuerzo en la construcción se ha diversificado en todas las zonas, queda muy visible el estilo vasco en los edificios y las quintas de las urbanizaciones de Las Mercedes, Altamira, La Castellana y El Rosal, entre otras.

El primer edificio de apartamentos del «extrarradio» de la Caracas de entonces lo levantó el constructor Miguel Salvador: fue el edificio Eguzki, en Los Caobos, el año 1940, hoy en el centro, y el primer gran edificio de «expansión hacia el Este» de aquel tiempo lo levantó el arquitecto Isidro Monzón en 1947 en Chacaíto.

En cuanto al primer grupo de constructores de *obras públicas* fue el que organizó nada más llegar, a fines de 1939, el ingeniero Manuel Chalbaud, que comprendió obras como el puente de Palenque (Guárico) sobre el río Orituco, y la construcción de los muros de cierre de la cárcel Modelo.

Además de la pesca y la construcción, las dos industrias más importantes que promovieron los vascos a su llegada a Venezuela, su trabajo alcanzó a muchas profesiones, desde la médica, con el ejemplo del Dr. Fernando de Unceta, quien desde Barrancas atendía una parte de la cuenca del Orinoco; el Dr. José María Bengoa, en Sanare, Irapa (Etdo. Sucre) como médico rural, luego fue jefe de nutrición en Venezuela, para terminar en la Organización Mundial de la Salud en representación de Venezuela, y se jubiló en Ginebra hace unos años siendo Jefe del Departamento de Nutrición de la OMS, para regresar a Venezuela; el Dr. Gonzalo Aranguren, quien con su ingente labor de atención médica y sobre todo quirúrgica, en la región de Oriente desde Barcelona (Etdo. Anzoátegui), se ganó el respeto y el cariño de toda la región, estableciendo luego su clínica en Caracas con el mismo espíritu de servicio y generosidad.

También fue importante la actividad de carpintería metálica y de madera, herrerías, talleres mecánicos, fundiciones y tipografías, algunas de las cuales son todavía establecimientos muy prestigiosos en Caracas y en la provincia.

En cuanto a sus sedes sociales: La primera fue inaugurada de Velázquez a Cipreses en 1942; otra más espaciosa poco después, dotada de un pequeño frontón, entre las esquinas de Truco y Balconcito, y, por fin, fue inaugurado el definitivo centro, amplio, que está situado en El Paraíso, mediante la creación de la Sociedad Inmobiliaria Euskalduna compuesta de acciones por valor de 1.150.000 bolívares, de cuando el dólar valía 4,50 bolívares. Los actos inaugurales se celebraron en la primera quincena de marzo del año 1950 con la asistencia del Presidente del Gobierno vasco en el exilio, establecido en París, a quien acompañaban en la ocasión el señor Joseba de Rezola, luego consejero y vicepresidente, y Jesús de Galíndez, entonces delegado del gobierno vasco en Nueva York.

Además de la sede de Caracas, se establecieron en Venezuela Eusko Etxeas, o Casas Vascas, en Maracaibo, La Victoria, Valencia, Puerto La Cruz, Cumaná y El Tigre.

En cuanto a la emigración política y laboral

Este volumen inicial de exilio puramente político, a partir de exilios anteriores a Cataluña y a Francia, no fue grande, como se aprecia por las cifras que hemos mencionado; pero ocurre que en cuanto el franquismo comenzó a abrir sus puertas para su excedente laboral comenzaron a llegar también a Venezuela los familiares de primero y segundo grado, y, pronto, los amigos de los exiliados; y el volumen fue creciendo a partir de los años cincuenta, seguido de los sesenta, ahora se trataba sobre todo de profesionales cuyo acceso a Venezuela resultaba fácil ante la necesidad de especialistas, que determinó el *boom* de la industria petrolera y las obras públicas, la industria siderúrgica y los servicios correspondientes.

La vida de los centros vascos en el país, en Venezuela, se hizo muy activa y poderosa, tanto en el aspecto económico como en el político; tuvo expresión en circunstancias de lucha en Euskadi contra el franquismo que repercutían internacionalmente; caso ejemplar, el del proceso de Burgos.

Los vascos ya contábamos en la opinión venezolana.

La tradición migratoria vasca

Los países de tradición inmigratoria procedente del País Vasco como Argentina, Uruguay y Chile, por ejemplo, respondieron de manera particular de acuerdo con el prestigio que ya tenía su industriosidad y su conducta cívica. Aunque Venezuela no la tenía tan reciente y continuada, guardaba el recuerdo del impulso económico y los apellidos para la Independencia venezolana que dejó la Compañía Guipuzcoana de Caracas durante sus actividades entre 1728 y 1765, cerca de cuarenta años.

Los descendientes de aquellos vascos ofrecieron un apoyo extraordinario al afianzamiento de este exilio y esta inmigración que llegan a confundirse, puesto que la mayoría de los que salían del País Vasco tenían razones políticas que les impulsaban a abandonarlo.

No todos los vascos que llegaban se inscribían en nuestro centro, ciertamente, pero la mayoría venía a formar parte del Centro Vasco, y nutría el Coro Vasco, los grupos de bailes folklóricos, los equipos de fútbol en todas las categorías, el ciclismo venezolano, donde se vivía una dinámica cultural y política con emoción que aún guardo en mi corazón, porque allí me casé con otra exiliada vasca, allí nacieron nuestros hijos y allí han vivido casi estos cincuenta años de la efemérides, o allí están enterrados nuestros padres, mi único hermano, y ya son venezolanos para siempre mis sobrinos.

Yo mismo me siento, además de vasco, venezolano, porque Venezuela no es mi *segunda* patria, sino, mi *otra* Patria. Y mis hijos venezolanos de nacimiento son también afectivamente venezolanos en la misma medida en que me siento yo, y los traje al País Vasco porque mi pueblo de origen vivía el franquismo como una carga pesada, y, además, una crisis de identidad que requería la presencia activa y el trabajo de toda su pequeña población sometida a genocidio.

Esto soy a pesar mío.

Por naturaleza, por deber moral y también por voluntad libre.

El problema cultural vasco y el exilio de América

El exiliado de lengua española no encuentra en América latina ningún problema cultural importante; el hecho de que el idioma sea el mismo constituye ya un «territorio cultural» común.

Pero a los catalanes y a los vascos, y en cierta medida también a los gallegos, se nos deja sin la canción nacional que es la lengua. Y entonces: «¿Adónde se va la canción?».

Por esto me parece indispensable que aquí trate de resumir nuestro problema lingüístico y cultural.

Hay un hecho[1] radical que distingue a la lengua vasca o *euskara* de las demás que se hablan en el Estado español, y que aquí nos interesa en la medida en que esta circunstancia ha influido en el desarrollo de su literatura, y, claro, de la que depende forzosamente la que se ha hecho durante el exilio.

Un poco de historia:

Cuando Roma extendió su imperio sobre todos los países ribereños del Mediterráneo y la Europa meridional, en
España se comenzó a hablar latín. Y latín se habló después
como lengua única, excepto el galo hasta el siglo IV, el cél-
tico en lo que es la Gran Bretaña y el euskara en Vasconia.
Con el tiempo, el latín se fue introduciendo muy lenta-
mente por la ribera de Navarra y Álava, las áreas de contacto; pero tan escasamente, que cuando comienzan con el
tiempo a derivar los distintos romances: el catalán, el
gallego, el castellano y el navarro-aragonés, sólo es bilingüe, vasco y romance más o menos en el siglo IX, el área de
contacto, y reducido, porque en el siglo XVI el área vasco-
parlante tiene por el sur todavía los linderos de Carcastillo,
Arga y más abajo que Treviño. En el siglo XVIII, la época del
gran retroceso en Álava, estos límites están situados más
arriba de Sangüesa, Tafalla, arriba ya de Treviño. En el XIX,
el siglo de las grandes pérdidas del euskara en Navarra, sobre todo a partir de la primera guerra carlista (1832-1839),
están ya en Aoiz, un poco por encima de Pamplona y arriba
de Vitoria-Gasteiz. A pesar de estas pérdidas, en el año 1867
el número de vasco-hablantes de todo el país ascendía a
471.000, el 52 % de la población (Velasco). Durante el siglo XX, la industrialización, la inmigración, y sobre todo el
fenómeno socio-político originado después de la derrota en
la última guerra civil, la de 1936-39, la del exilio que nos
está ocupando, y el castigo brutal a nuestra cultura, sobre
todo la lengua, en 1973 se fijan los límites más o menos en
Alsasua, con pueblos euskaldunes al sur, como Ergoien y
Lizárraga, por ejemplo.
  Además hay que contar con un fenómeno adverso de
enorme importancia: antes, estos límites guardaban al norte,
con la protección del mar, zonas monolingües casi homo-
géneas, pero a partir de las oleadas de inmigración procedente de regiones del Estado español (a la manera que se
produjeron las de ciudadanos rusos en los países bálticos)
de lengua castellana, y sin ninguna protección institucional
que protegiera a la lengua vasca, el euskara (al contrario,
con todas las represiones, los castigos y las imposiciones
contrarias a nuestra lengua), con un 23 % de vasco-hablan-

tes (unos 600.000, casi todos bilingües) vive relegada en zonas más o menos euskaldunes, pero ya inundadas por grandes núcleos castellano-hablantes monolingües.

Si el bilingüismo que se proclama se diera en los dos campos, sería distinto: las cosas no se presentarían como se presentan. Pero es que bilingües somos solo nosotros, con gran desventaja para los vascófonos, que viven en una situación llamada «diglosia».

Los pueblos de habla latina tuvieron al principio el beneficio de hablar la lengua por medio de la cual les llegaba no sólo la información del mundo, que era el imperio de Roma, sino también todo el riquísimo caudal de su pensamiento, de su filosofía, de su ciencia; también les llegaba en su lengua la voz de Dios, que era la de su Iglesia; y también la administración, los asuntos oficiales, la ley. A esta primera correspondencia o armonía del mundo de lengua latina que habitaba la península se enfrenta ya, desde tan antiguo, la discordancia de un mundo vasco-hablante monolingüe casi en su totalidad, que comienza a oír la voz de un Dios nuevo que habla la lengua del extranjero que le rodea, y con él no tiene comunicación; se trata de una comunidad, «Vasconia» en la voz de los romanos, *Euskal Herria* (pueblo que habla euskara) en la de los «indios de Europa», que éramos nosotros, encerrados en nosotros mismos, con muy escasos frentes de influencia cultural.

Empiezan luego a hablarse en los demás pueblos de habla latina que nos rodean *los romances*, en un desarrollo de evolución armoniosa de siglos, y siguen los pueblos que los hablan recibiendo como por ósmosis toda la influencia del mundo que escribe en latín, que es todo el pensamiento europeo, desde el polaco Copérnico (1473-1543) hasta el sueco Linneo (1707-1778), pasando por el danés Brahé (1546-1601), los ingleses Hobbes (1558-1679) y Newton (1642-1727); los romances van adoptando como lengua de su administración el romance respectivo; y es aquí donde se produce el segundo desajuste de lengua de la administración y lengua-hablada con las siguientes dramáticas consecuencias para los vascos: los reyes de Navarra adoptan después del latín el romance navarro; esta es la lengua de su administración en Navarra, y luego, a medida que entran las regiones vascas a girar en la órbita de Castilla, el castellano; de modo que en el caso de los vascos de lengua en las cuatro regiones vascas del Estado español, que es en proporción muy alta aún, sus reyes, la administración y hasta Dios mismo, sigue hablando todavía la lengua que no es la suya, y que no entienden.

Esto se explica. Hay que tener en cuenta que en la coyuntura de desarrollo político de la época, los reyes recurren a la lengua que tiene alguna tradición literaria o escrita para su administración. Esto, en las mismas circunstancias, también ocurre en las demás partes de Europa. Es el latín, la lengua de la Europa culta, la que se impone primero, y luego sus romances. Se valen de esta ventaja para hacer que la dependencia lingüístico-cultural de los pueblos que están dentro de una jurisdicción, por laxa que ésta haya sido hasta entonces, continúe, y en un contexto claramente colonial. Son abundantes los textos oficiales en euskara que se han producido en las regiones vascas del Estado francés, sobre todo a partir de la Revolución, esencialmente de propaganda; hecho que de por sí es muy expresivo, porque ésta busca la eficacia, y lo eficaz entonces era dirigirse al pueblo en euskara. Por el contrario, se exhibe como raro el caso de las ordenanzas municipales para la elección de cargos del Ayuntamiento de Eibar redactadas en euskara en el siglo xviii.

Todo este proceso, que no es consecuencia de una voluntad elitista de nuestro pueblo, sino fruto amargo de la historia, condiciona la evolución cultural del pueblo vasco.

Mediante la lengua se van imponiendo en las distintas épocas el colonialismo político, la dependencia de las lenguas de la administración y su prestigio, el prestigio de la Corte; y con la Corte, los puestos, los honores, ¡América!, las tierras conquistadas a los moros, el imperio de Carlos V, toda esta compleja realidad socio-política que viven los regímenes coloniales, desde el que España impuso a América a partir del xvi, hasta el que Francia impuso en Argelia hasta hace pocos años, que hacen en nuestro caso que el euskara *no sea necesario*, sobre todo para los vascos que se han sumado al Imperio, que son los que hablan por un pueblo que no tiene voz propia ni entiende la que se le impone.

¿Cuál es, entonces, el resultado cultural, sobre todo medible por su rastro literario?

Lo que no se escribe no se puede conservar; lo escrito es para la literatura lo que los documentos escritos son para la historia, y la tradición oral, lo que los restos para la investigación antropológica o arqueológica. No es que nuestro pueblo no haya tenido literatura; lo que ocurre es que por estas circunstancias se ha prolongado más que en los demás pueblos, los que hablan los romances, una literatura oral que no ha podido traducirse en escrita hasta el siglo xvi, cuando el año 1545 se imprime el primer libro en lengua vasca con título en latín: *Linguae Vasconum Primitiae*, de Bernart Dechepare.

Y esta es la circunstancia de retraso en que se hallaba nuestro pueblo cuando se produjo el exilio de la guerra de 1936.

La contribución de América

La contribución más importante de América a la literatura euskérica fueron, además del clima de libertad que permitió la expansión cultural y política de las colonias vascas y su desarrollo económico, dos centros claves: la Editorial Ekin en Buenos Aires y la revista *Euzko-Gogoa* en la capital de Guatemala.

Ekin ha sido la única editorial vasca que ha venido funcionando desde su creación, el año 1940, tan pronto llegó el exilio vasco a Argentina, hasta ahora. Ha sido, creo, la única institución cultural de esta significación durante todos estos largos años de exilio. Ha editado en *euskara* y en castellano; los temas han sido siempre vascos, y de las más diversas disciplinas. Ha sido el faro donde han mirado los vascos que querían saber de la producción literaria vasca en momentos en que no había dónde mirar. Han estado prohibidos por la censura española sus libros durante todos estos años, y a pesar de esto llegaban escasos ejemplares individualmente por correo o mediante los caminos del contrabando a través de la zona vasco-francesa a algunas distribuidoras y librerías que se atrevían a vender sus libros clandestinamente.

Sus fundadores fueron (mediante la inapreciable ayuda de otro vasco exiliado después de la muerte de Sabino de Arana, en 1910, don Sebastián de Amorrortu, y luego la de sus hijos) don Isaac López-Mendizábal y don Andrés María de Irujo. El primero, editor de casta, falleció en Tolosa, Guipúzcoa, su ciudad natal (1879-1977); el segundo, navarrò, de Lizarra/Estella, vive en Buenos Aires, haciendo el valioso *Boletín del Instituto Americano de Estudios Vascos* que ha cumplido cuarenta años. La Editorial Ekin publicó cuatro colecciones: 1) Euskal Idaztiak (Libros en lengua vasca); 2) Biblioteca de Cultura Vasca; 3) Aberri ta Azkatasuna (Patria y Libertad), y 4) Otras publicaciones, que incluyen 150 obras escritas por políticos, la mayoría vascos, como el presidente Aguirre, Manuel de Irujo, Jesús de Galíndez, Dr. Justo Gárate, y otros escritos por don Alberto Onaindía e Isidoro de Fagoaga, entre otros.

Entre los libros que publica esta editorial bonaerense están los clásicos vascos: *Joañixio* y *Bizia garratza da,* novelas de Juan Antonio Irazusta; *Ekaitzpean,* novela de José Eizagirre; la traducción de *Hamlet,* de Vicente de Amézaga; *Enbeita'tar Kepa,* por Aita Onaindia, y *Matxin Burdin,* traducción de *Martín Fierro,* entre otros.

La revista en lengua vasca *Euzko-Gogoa* la creó un jesuita exiliado. Jokin Zaitegi, escritor con obra de creación, ganador de uno de los premios literarios —el del año 1934—, en lengua vasca durante la República, es el hombre que acomete la idea de editar en Guatemala capital la única revista en lengua vasca existente entonces, y con la virtud de reunir a tres figuras importantes, que hacen escuela literaria euskérica: Nicolás Ormaechea *Orixe* (autor de la obra vasca cumbre *Euskaldunak*), Andima Ibiñagabeitia, junto con Zaitegi mismo.

A Zaitegi lo exiliaron los franquistas a América, como a otros miembros de distintas órdenes religiosas, porque se destacó escribiendo, haciendo literatura en lengua vasca.

Y aquí una reflexión.

O sea, que a diferencia de la literatura que se ha hecho en castellano en el exilio, un exilio que comprende sólo a la personalidad de su autor y sus ideas, la lengua vasca, *el euskara, ha estado exiliado también como lengua.* No sé lo que ha ocurrido en el caso de las lenguas no castellanas en España como el caso gallego y el catalán, quizá haya ocurrido algo parecido, pero en el caso del euskara bastó que alguien escribiese en la lengua unos versos de amor para catalogarlo como nacionalista peligroso; algunos escritores fueron fusilados sólo por este pecado.

En el caso de Zaitegi, termina saliendo de la orden religiosa en que profesa, como otros muchos. Ya para entonces habían abandonado la orden Orixe, Andima Ibiñagabeitia, y también el poeta Lauaxeta, que fue fusilado. Su *Euzko-Gogoa,* o *Alma Vasca,* es un negocio ruinoso, claro está, ¡toda cultura es mal negocio!; y de aquí su gran mérito.

Otras obras euskéricas en América

Los primeros libros euskéricos impresos en América durante el exilio fueron el de Telesforo de Monzón en México, *Urrundik* (1945) y dos traducciones de Zaitegi (1946): *Evangeline,* de H. Wadsworth Longfellow, y *Goldaketan* (Arando); Pedro Ormaechea Aldama, *Ipuintxoak,* 1947, y *Bigarren ipuintxoak,* 1948, ambos en Chile. En Argentina, que también tiene tradición de haber sido editora de revistas, libros escritos en euskara, y hablantes, existió mucha actividad. Es fácil deducir por qué: porque los vascos siempre hemos tenido una gran tendencia a buscar en las dificultades el regazo acogedor y entrañable de este gran país; y con la particularidad de que, al igual que Uruguay, ha reunido importantes colonias de vascos de las siete regiones, tanto de un lado como del otro del Pirineo.

En Venezuela se han publicado obras de Toribio Etxeverría, el prestigioso socialista que murió en el exilio en Caracas; además de otras obras en castellano, escribió colaboraciones en *El Socialista, Euskera, Euzko-Gogoa, Egan, Olerti y Eibar,* así como «Ibiltarixanak» (Del caminante), «Flexioncs verbales de Eibar», «Lexicón del euskara dialectal de Eibar», los dos publicados en *Euskara*, Órgano de la Real Academia de la Lengua Vasca (1965-1966). Fue en Caracas donde salió la revista *Argia* (Luz) en 1946-47, dirigida primero por Jon Oñatibia, y luego por Andoni Arozena (*A-Bi*), quien falleció en Caracas a fines de 1989, a los 82 años. El primer libro impreso en la tierra de Bolívar en lengua vasca fue uno de cuentos, *Iltzalleak* (Asesinos), 1961, de Martín de Ugalde, quien publicó luego: *Ama gaxo dago* (La madre está enferma), de teatro, 1965, y *Umeentzako Kontuak* (Cuentos para niños), 1966. Vicente de Amézaga, quien murió en Caracas el año 1969 a los 68 años de edad, tradujo: *The Ballad of Reading gaol*, de O. Wilde; *Prometeo encadenado*, de Esquilo; obras de Plinio, de Goethe; *Lur miña* de Pío Baroja; *La amistad*, de Cicerón, *Discours de la Méthode*, de Descartes, y a Boccacio. Egañatar Gotzon publicó *Muxugorri*; el carmelita Francisco Atucha Bizcarregui, su poema *Mugarra begiraria* (Mugarra, el vigía); Andima Ibiñagabeitia, uno de los tres hombres fundamentales de *Euzko- Gogoa*, escribió gran parte de su libro *Bergili-ren idazlanak osorik* (Las obras completas de Virgilio), que quedó inédita al morir el año 1967, a los 61 años de edad, en Caracas, e hizo la traducción de Ovidio: *Maite bidea* (*Ars Amandi*). Fueron él y Jon Urresti los que escribieron en Caracas *Euskal Meza*.

NOTAS

1. V. Riera Llorca, Albert Mament, Martín de Ugalde y Ramón Martínez López, *El exilio español de 1939*, vol. 6: *Cataluña, Euskadi, Galicia*, Madrid, Taurus, 1978.

LA PROSA EN EL EXILIO
DE LAS AMÉRICAS

LA AUTOBIOGRAFÍA DEL EXILIO: EL SER PREVIAMENTE PREOCUPADO DE RAFAEL ALBERTI Y MARÍA TERESA LEÓN

Randolph D. Pope

El narrador de una autobiografía, a quien identificamos con el autor, cuenta cómo ha llegado a ser el que es. Para que no se trate de un retrato estático, es necesario que haya una crisis, una catástrofe de la personalidad que haga preguntarse al lector y al narrador sobre los motivos y circunstancias de esta transformación. De pecador a obispo, de niña frívola a monja mística, de la calle de los Libreros de Salamanca a la cátedra de la Universidad, de niño modelo a contestatario y homosexual, las autobiografías de san Agustín, santa Teresa, Torres Villarroel y Juan Goytisolo exploran el paso de un ser a otro, una honda crisis personal que todavía sorprende y maravilla al narrador. En todos estos casos, la personalidad alcanzada es más valiosa y auténtica que la descartada, que se deja atrás como una seca crisálida en el camino a la mariposa final que se ostenta. La crisis resulta de una energía interna que busca manifestarse y que encuentra finalmente expresión. Los afeites que recubrían el verdadero ser originario son una hoja de parra que recuerda el paraíso perdido y la autobiografía, en la desnudez de su confesión, celebra el reintegro al jardín originario.

Pero ¿qué ocurre cuando un conflicto de la magnitud

de la guerra civil interrumpe y cambia radicalmente la vida? Se produce una inversión perversa del modelo clásico: la persona que se ha llegado a ser no es necesariamente mejor ni más auténtica que la anterior. Además, la fisura vital viene impuesta desde afuera, reduciendo al héroe de la autobiografía tradicional a víctima de las circunstancias. Esta situación, por lo tanto, es más propia a las memorias que a la autobiografía, como puede fácilmente apreciarse por la inmensa bibliografía de aquellos que dejaron testimonio de su participación en la contienda. Pero encontramos algunos casos importantes en que la autobiografía está soterrada y reprimida en el aparente espejo calmo de las memorias. Ejemplos de esta autobiografía del exilio son *La arboleda perdida* de Rafael Alberti y *Memoria de la melancolía* de María Teresa León.

Alberti recrea con bellísima prosa el cielo azul gaditano y la infancia de un niño cuyas preocupaciones máximas son el celo de sus parientes y los terrores del colegio, mientras que sus sentidos se empapan dionisíacamente de luz y colores. El niño debe irse a Madrid (no por voluntad propia, sino porque su padre es trasladado, lo que con frecuencia resulta en quienes resumen su vida en un «se traslada a Madrid». Pero en su poesía esto deja la huella dolorida del marinero en tierra y es el primer transplante impuesto desde el exterior), y allí se hace adolescente y se dedica por completo a la pintura. ¿Pero no es Alberti «esencialmente» poeta? Esto, de acuerdo a la autobiografía, no lo descubre hasta más tarde, y los lectores estarían justificados si esperaran una minuciosa descripción de esa batalla interior entre el color y la palabra, entre la acuarela y el soneto, entre la tela y la página o, como lo pone Alberti en un poema, entre «el buen poeta y el mal pintor».

De acuerdo a su autobiografía, este místico del sol y la cal tiene apenas tiempo para mirar la calle si no es como manchas de luz. Le llegan a rachas noticias de lo que ocurre en su propio país. Y de súbito se desgarra de esta vida recoleta para lanzarse a la vida pública y su arte se hace comprometido y abierto a la calle, polémico. Otra vez se podría esperar una meditación sobre este rechazo de sus amigos aristócratas y su entrega a la causa del pueblo. ¿No estaba anticipada en sus canciones populares y en su celebración del folklore español y no era parte de un gran proceso de compromiso con el pueblo que abarcaba a numerosos artistas?

Sorprendentemente, ni el paso de pintor a poeta ni de ensimismado poeta a cantor de las multitudes se explora a fondo. Por el contrario, se dan causas externas. La tuberculosis, que afecta uno de sus pulmones y lo obliga a pasar una temporada inactivo en la sierra en San Rafael, lo aparta de los pinceles. La muerte de su padre ocasiona su primer poema. ¿Qué relación puede haber entre la desaparición del padre y la necesidad de encontrar su propia voz? Su padre, una figura lejana y poderosa que no apoya sino resiente las actividades artísticas de su hijo, sofoca —posiblemente sin saberlo— la voz del hijo. El padre, como vendedor viajero de vinos, es locuaz, vive de la lengua y el paladar. El hijo escoge la imagen callada, y elige como instrumentos el ojo y la mano. Desplazado el padre, el hijo inmediatamente acude a llenar el hueco con su primer poema, ejerciendo la voz reprimida.

Externa será tambien la corriente multitudinaria que lo arrastra y confunde con el pueblo, callando los detalles. Pero ¿no hay aquí otra autoridad que viene a reemplazar al padre, a acallarlo, autoridad contra la cual Alberti siempre se ha rebelado? Será expulsado de su nuevo proyecto de paraíso en Madrid, donde comenzaba a ser conocido y admirado, será lanzado primero a París y luego a las orillas del río Paraná en Argentina, en una catástrofe que no acierta a explicar. No sorprende, pero resulta fascinante, que duplique Alberti la imagen de la crisis anterior: así como la tuberculosis lo hizo pasar de pintor a poeta, así la guerra se identifica con una enfermedad —que semeja en todo a la tuberculosis— que lo hace pasar de su tierra al exilio: «todos los gérmenes que en el curso de muy pocos años se desarrollarían hasta cuajar en aquel sangriento estallido que terminó con el derrumbe de la nueva República» (p. 321).

Pero al exponer su vida en palabras deja oír en sordina

un descubrimiento más hondo. Las memorias comienzan a escribirse a fines de la guerra civil y se continúan durante el exilio argentino hasta 1955. Paréntesis con textos en itálica van revelando el presente de la escritura, el contraste entre tiempos más felices y los oscuros tiempos de la derrota, el trabajo en una emisora en París, y el lento progreso en Buenos Aires. La imagen gráfica del texto es aquí muy apropiada, porque se ha descrito con frecuencia la vida de los exiliados, en la que no se acaba de desempacar en la esperanza del regreso, como una «vida entre paréntesis». En el segundo libro, escrito en Buenos Aires, el paréntesis desaparece, pero queda la itálica, que solemos asociar con las acotaciones del teatro, como una voz secundaria. El texto comienza con una evocación de un lugar en el Puerto de Santa María llamado La Arboleda Perdida, lugar donde el niño Alberti encontró sólo una memoria, ya que los árboles habían desaparecido muchos años antes dejando detrás sólo las palabras evocadoras. El origen, el paraíso, apenas se vislumbra, pero no se vive. Además, y esto resulta claro para sus lectores, como lo ha señalado Manuel Durán, desde el comienzo resiente Alberti la decadencia de su casa y el poder de los advenedizos extranjeros, los Osborne y los Domecq. Forma parte de una familia que fue grande y en la cual se recuerdan con frecuencia los tiempos de la opulencia. Pero a él le ha sido negado el esplendor. En el colegio asiste como alumno de las categorías más pobres, que Alberti llama «el proletariado escolar» (p. 42) —al igual que Juan Guilloto, más tarde conocido como Juan Modesto—, y recibe el rechazo de sus parientes más ricos. Otros tienen ahora la opulencia que antaño tuvieron los Alberti.

¡Y qué difícil encuentra Alberti desligarse del pasado y de los demás, es decir, demarcar su propia originalidad, cuando sus primeros poemas son inmediatamente comparados con los de Lorca y se desdibujan por su entronque en la poesía popular! Y cuando él, en busca de su voz propia, complica y alarga el verso, allí llegan desde Nueva York las palabras del Lorca también nuevo. Hay una extraordinaria fotografía que muestra a Lorca y a Alberti juntos. El fotógrafo ha puesto en primer plano un árbol que se divide en dos ramas, como invitándonos a pensar que son dos poetas de un mismo tronco. Alberti toma el brazo de Lorca, que está un poco más adelante, ocupando el espacio, mientras que Alberti está un poco más atrás —con su cuerpo recortado por el de Lorca—, como alguien que se deja retratar, mientras que Lorca parece crecerse para el lente de la cámara.

La iniciación como pintor de Alberti es enormemente significativa. Comienza copiando el anuncio de una compañía naviera, un barco en el cual su abuela con tres tíos se fue a Buenos Aires, premonición ominosa de su viaje al exilio años más tarde. Una tía lo premia con sus primeros óleos, sienas tostados, verde veronés, cadmio, tierra de Sevilla y con ellos lo invita a copiar un paisaje granadino que ella había pintado en su juventud, es decir que copia de un original que ya es copia de un paisaje. Cuando mucho más tarde Alberti construye en Buenos Aires una casa a la que da el nombre de La Arboleda Perdida no deja de ser sintomático que se trata de una casa prefabricada y la más pobre del barrio. Todo, pues, lo que el autor desea, bienestar, pintura, cumbre poética, arquitectura, aparece como previamente ocupado por otros que distancian al personaje de su ser ansiado, pues encuentra cegadas las puertas del pasado por fuerzas que previamente ocupan su geografía imaginativa y lo desplazan a un presente degradado, a un silencio adolescente, a un eco, al exilio. Y el exiliado que asume su condición y se afirma en ella, se hace a partir del *ex*, de lo que se pudo haber sido, de aquello que Unamuno llamó los ex futuros, tachados arbitrariamente por un otro antagónico. Mientras que la autobiografía clásica, como la historia que es de un individuo que se realiza y sabe alcanzar su plenitud, exalta al narrador, en la autobiografía del exilio gira todavía la rueda de la fortuna triturando sueños y dejando al narrador en la curiosa posición de no querer ser quien es.

Se ha repetido con frecuencia en esta última década que no es posible distinguir una autobiografía auténtica de una ficticia, en la misma forma en que toda historia es literatura, pues se trata sólo de palabras que se remiten a más

373

palabras, de un texto de creación como cualquier otro, y no carece esta posición de cierta verdad ingeniosa y más seductora para literatos que para historiadores. Es evidente que Alberti se pinta a sí mismo con materiales cargados de un peso específico cultural, que compone su material en forma ordenada y selectiva, y que sólo podemos saber hoy de Modesto y Lorca por otros documentos o informantes que recurren a su memoria. Sin embargo, lo que los lectores pueden hacer con una autobiografía que cumple con su pacto autobiográfico de ser veraz, es diferente de lo que permite un texto ficticio. Podemos predecir que encontraremos otros documentos, objetos y personas que confirmen o rebatan las afirmaciones del autobiógrafo. Entre los muchos correlatos posibles de *La arboleda perdida*, ninguno más íntimo que las memorias autobiográficas de María Teresa León, escritora y activista política que fue además compañera y esposa de Alberti. Su *Memoria de la melancolía* comienza precisamente insistiendo sobre la escurridiza memoria y los desplazamientos de punto de vista que trae consigo el tiempo: «Todo son palabras y colores dentro de mí que ya no sé muy bien qué representan. Me asusta pensar que invento y no fue así, y lo que descubro, el día de mi muerte lo veré de otro modo, justo en el instante de desvanecerme» (p. 7). En claro contraste, Alberti empezaba su memoria con una fecha, el año 1902, 16 de diciembre, día de su nacimiento (p. 13). Alberti confía en la autoridad del calendario y hace originar la narración a partir de su nacimiento. En *Memoria...*, las palabras y los colores —sin números— ocupan la persona, pero se van volviendo opacos y se les desprenden los significados como a una casa la pintura vieja. Es la muerte lo que preside el texto y no el nacimiento, la vida que se desvanece y no la vanidad de la vida. Y qué difícil le resulta a María Teresa León identificarse con la niña que va de pueblo en pueblo arrastrada por el capricho de su padre, un militar inquieto que solicita el traslado cada vez que parecen estar a punto de echar raíces. La otra es una rubia adorada por los soldados, rebelde ante las monjas, aprendiendo francés con una institutriz autoritaria. Se retrata en tercera persona, como si fuera completamente otra, en una serie de imágenes impresionistas que reproducen la imagen que guarda de sí misma, «Todo sumergido en pequeños fragmentos que a veces no fraguaban bien» (p. 16). La fragua de la escritura no consigue fundir ese ayer con el hoy de Roma, donde escribe: «Estoy como separada, mirándome. No encuentro la fórmula para dialogar ni para unirme. Una muchacha se me aleja» (p. 19). Poco a poco el yo comienza a reclamar su predominio: primero, obviamente, como narrador, pero luego se reconoce en el orden de la narración en la mujer que espera un hijo en Argentina, y parece decir *ésta sí soy yo.* En contraste, el rigor lógico de Alberti se ha aferrado a la cronología, excepto entre paréntesis o en itálica, y el recuerdo de la hija no ha entrado en los dos primeros libros de *La arboleda...* Entiéndase bien: no se trata de que el nacimiento de su hija Aitana no haya sido un gran acontecimiento también para él, de eso simplemente no tenemos constancia en esta parte de su autobiografía, que se ciñe al calendario, el reloj y el orden de lo exterior. María Teresa León, además de ser una personalidad activa en la vida pública, trabaja también en el cuarto de atrás de la memoria, donde se revuelven y mezclan simultáneamente los hilos locuaces de la memoria de acuerdo a la lógica interior del sentimiento. Y mientras que en *La arboleda...* apenas aparece María Teresa León, es en *Memoria...* donde descubrimos que también ella estaba allí y muchas veces en lugar de protagonismo. De hecho, su relativa ingenuidad política la lleva a mostrarnos a Alberti en lugares que él ha querido esconder en una elipsis bajo la cual debe caber la Unión Soviética, y los encuentros con Lenin y los congresos de escritores de los cuales Alberti escribió páginas exaltadas que acaban de ser reeditadas en *Bulletin Hispanique* para sonrojo del poeta. Eran otros tiempos, sin duda, y María Teresa León los reconstruye con candidez y sin *aggiornamento.*

Mientras que para Alberti el ser original era el que el niño había entrevisto en su imaginación luminosa de Cádiz, María Teresa León ve a la niña y la adolescente, el primer matrimonio, con extrañeza y distancia. Lo hemos visto: se retrata en tercera persona, se desconoce. Pero dedica entonces varias páginas a explicar su cambio: una madre que se inclina por el Partido Comunista, las conversaciones con el marido anarquista de la cocinera, un padre conservador —mujeriego y autoritario— a quien quiere pero rechaza, el descubrimiento de la pobreza y la injusticia, la hermandad con una marea creciente de gente generosa dispuesta a cambiar el mundo. La persona con que se identifica plenamente será esa activista política que corre entre las balas de Toledo, que salva cuadros de la casa de Solana, que organiza el transporte de los cuadros de El Prado, que sonríe impávidamente después de un aterrador paseo en un tanque soviético, consciente de que representa a la valiente mujer española. Su vida más plena fue esa época de solidaridad con una causa de cuya justicia ella jamás ha dudado. Y entre ametralladoras y en el frente de Madrid, «una victoria sobre nosotros mismos, sobre nuestro miedo, nuestra angustia diaria. Los días más luminosos de la vida fueron aquellos tres años de ojos brillantes, cuando la palabra camarada sustituyó al señor y la vida generosamente dada sustituyó a la mezquina» (pp. 30-31). ¡Qué distinto es su paraíso perdido! «¿No comprendéis? Nosotros somos aquellos que miraron sus pensamientos uno por uno durante treinta años. Durante treinta años suspiramos por nuestro paraíso perdido, un paraíso nuestro, único, especial. Un paraíso de casas rotas y techos desplomados. Un paraíso de calles deshechas, de muertos sin enterrar» (p. 32). Porque su paraíso está hecho de su solidaridad con los demás, sus memorias van a desgranar intensas y cálidas anécdotas de su amistad con tantos que luego fueron famosos, Picasso, Cernuda, León Felipe, Eisenstein, Brecht y muchos otros, desconocidos pero vivos en su memoria. En Madrid, «ya nuestra casa era la de la amistad, la casa donde todos tenían asiento» (p. 33). Mientras que Alberti describe una carrera, León da una fiesta, una fiesta en que la mayor parte de los invitados han sido segados por la muerte. Porque la última parte de sus memorias autobiográficas se van generando como respuestas a telegramas o noticias que informan de la muerte de sus amigos, dispersos por el mundo. Y no puede sino anticipar un paraíso en que se encuentre no con ángeles, sino con sus viejos amigos, con Miguel, Pablo y Rafael: «Estoy cansada de no saber dónde morirme. Esa es la mayor tristeza del emigrado. ¿Qué tenemos nosotros que ver con los cementerios de los países donde vivimos? Habría que hacer tantas presentaciones de los otros muertos, que no acabaríamos nunca» (p. 31). Pero ella también ha sido arrancada de su historia, de la fiesta movible, y vive enre paréntesis como si el tiempo que vale se hubiera detenido a bordo del *Mendoza*, el barco que los trajo a Argentina. Excepto que hay otra dimensión en su vida, de la que nos cuenta al hablar de su casa de la calle Marqués de Urquijo: «Una terraza que miraba a las montañas y, a sus pies el templete de la música y un puesto de horchata. Aquel paseo era como el de cualquier otra ciudad. Se llamaba Rosales. En aquel paseo se había decidido mi vida» (p. 33). En este lugar cotidiano, que de rosaleda posiblemente tenga tanto como árboles la arboleda de Alberti, se produce el prodigio, el encuentro con el poeta y futuro marido, lo que decide su vida. Hay aquí una concepción distinta de lo que es una vida *escrita*, para Alberti y para León. Lo que ha decidido la vida de Alberti, según su autobiografía, fueron dos enfermedades, la tuberculosis y la guerra, de las cuales se recupera con su impulso creativo. Lo que decide la vida de León es un paseo «bajo la noche dulce, propicia a los amantes» (p. 33). Y en el largo destierro, duro especialmente para ella por los amigos perdidos, encuentra otra manera de ser que no es provisoria y que ha tenido la suerte de llevar consigo: «Aitana iba creciendo como todos los niños del mundo, empeñados en huirnos años arriba. Rafael se iniciaba con ella en el arte de amaestrar alguna foca pequeñita de las que a días se arrastraban por la arena de la playa. A mí me bastaba mirarlos. El efecto del amor es transformar a los amantes y hacerlos parecerse al objeto amado, dice el Petrarca. Si eso fuese así yo sería Rafael Alberti» (p. 304). Y así como no se puede ser la persona amada completamente, así también van quedando atrás en estas autobiografías los seres ideales de Rafael Alberti y María Teresa León, tronchados, cegados, en el jardín cerrado de la arboleda y los rosales inaccesibles.

¿Cuál de estas trayectorias representa mejor la experiencia de la vida? La autobiografía clásica en que el ser humano se encuentra y se realiza, se descubre y llega al hogar, o la autobiografía del exilio, en que el presente es sólo una versión desviada y degradada del que se pudo ser? ¿O son dos espejos complementarios en que podemos reconocernos y encontrarnos?

OBRAS CITADAS

ALBERTI, Rafael, *La arboleda perdida*, Buenos Aires, Compañía General Fabril Editora, 1959.

LEÓN, María Teresa, *Memoria de la melancolía*, Barcelona, Bruguera, 1979; 1.ª ed.: Buenos Aires, Losada, 1970.

CONTRATIEMPOS DE ESPACIO:
EPITALAMIO DEL PRIETO TRINIDAD
DE RAMÓN J. SENDER

Francisco Carrasquer

De toda la obra narrativa de Sender ambientada en América, *Epitalamio del prieto Trinidad* (en adelante *EpT*) es la más importante.[1] Y no sólo por su extensión, naturalmente, sino porque es la más *completa* orquestación de las partituras senderianas de ultramar. Sobre todo, atendiendo a las modulaciones de contrapunto. Porque, por lo que se refiere a temática y problemática, aquí está casi todo como en casi todas las grandes novelas de Sender. Lo que más cambia es el reparto, dado que los personajes los determina el espacio, el lugar, la geografía política y las coordenadas culturales. En el fondo, las variaciones senderianas son siempre espaciales, porque lo temporal se desenvuelve como sobre valores perdurables que abarcan desde lo primigenio a lo supercivilizado, siempre como imantado por la negación del tiempo: lo eterno. Por eso pongo en el título de este comentario «contratiempos de espacio», porque es el espacio el que pone el contratiempo al tiempo, el contrapunto a la melodía perenne del hombre en *su* lugar.

Es tan esencialista Sender que, bajo su talentosa capacidad del detalle individualizador y sobre su consumado «oficio» de contador de historias, circula si parar de arriba abajo y de izquierda a derecha —con sus viceversas— un fluido moral similar a una luz filosófica surgida de una misma corriente con sólo diferencias de intensidad debidas a las distintas tensiones de poesía puestas en incandescencia. Esta circulación ético-metafísica por entre sus novelas es, precisamente, lo que hace a la novelística de Sender más vulnerable a la crítica seria. Porque si ese fluido se afloja o amaina demasiado, si se hace acaparador y devora el relato más de la cuenta o llega a soterrarlo demasiado tiempo, el universo novelesco puede resquebrajarse o agujerearse, con el peligro de que se le haga fácil al lector salirse de él, que es lo más grave. En otra parte he dicho que la novela ha de crear un mundo cerrado, que al lector ha de saberlo encerrar el novelista como en una cabina de astronauta de la que no pueda ni siquiera salir, porque en cuanto se va afuera, al mundo real, se acabó el mundo de ficción, la novela se cae de las manos: el novelista ha fracasado.[2]

Pues bien, abusar del ensayismo o del filosofema, en la novela, puede provocar esa fuga del círculo mágico novelesco. En *EpT* ocurre un par de veces en que el lector está a punto de saltar con paracaídas, pero no acaba de ocurrir, al contrario de otras obras senderianas en que se da ese caso alguna vez, y a veces dando largas (como en los últimos tres libros, de los nueve de *Crónica del alba* y de los *Cinco de Ariadna*, por ejemplo). No obstante, los contratiempos están aquí muy bien llevados para ponerle fondo al espacio-*locus* del relato. Y este fondo en *EpT* es, paradójicamente, la forma de la novela. Toda la acción viene motivada por la circunstancia. Y esta circunstancia es prodigiosamente *natural*. Y digo «prodigiosamente» aun teniendo en cuenta los determinismos que parece habrían de malograr el gran acierto de esta novela. Uno se pregunta, ¿cómo puede haber escrito una novela tan *amerindia* este español que, por serlo, ya lo es, y por aragonés dos veces, esencialista? Con la fama que tiene el aragonés de bloque psíquico, de *gestalt* psicológica enteriza e impermeable («tozudo», ¿no es algo a eso propenso y propincuo?). Sólo con estos atributos se podrá suponer lo español que era Sender; pero es que, además, tenía ya una obra literaria, hecha antes de la guerra, española a más no poder: desde *Imán* (1930), hasta *Contra-ataque* (1938), pasando por *Siete domingos rojos* (1932), la que-vedesca *Noche de las 100 cabezas* (1934), *Viaje a la aldea del cri-men —Casas Viejas—* (1934) y el Premio Nacional *Mr. Witt en el Cantón* (1936). Un último detalle: Sender escribe *EpT* dos años después de haber salido exiliado de España. Y para alarde de adaptación lingüística, culturalista y medioambiental que *EpT* representa, resulta increíble que haya llegado nuestro autor a semejante asimilación con tanta presteza y prestancia. Pero en lo que a recreación literaria del mundo americano por el español Sender se refiere, no me cansaré de recomendar la lectura de la estupenda glosa de Manuel Andújar: «Ramón J. Sender y el Nuevo Mundo».[3]

Tampoco voy a abundar en el aspecto de buceador in-tuitivo de Sender en las culturas precolombinas que no menos intuitivamente transfiere a su obra enriqueciendo su estilo con aportes superrealistas y de realismo mágico.[4] Se ha escrito bastante sobre el tema y yo mismo creo haber sido el primero en definir el estilo senderiano de mágico-realista, así como me he ocupado igualmente de la capaci-dad captativa de los nuevos espacios en la vida de Sender.[5]

Lo que ahora mismo nos interesa es ceñirnos a la no-vela que nos ocupa: *EpT*, que bien se lo merece y con la que me siento un poco en deuda por no haberla tratado con al-guna extensión en ninguna de mis aportaciones escritas so-bre la obra de Ramón J. Sender.

El exilio de todas partes

El simple hecho de que la acción transcurra en una isla podría indicarnos, de buenas a primeras, una intención de aislamiento físico al que se añade la hostilidad del medio humano, tratándose como se trata de una isla penal, de una isla penitenciaria. Pero la situación insular y presidiaria le viene que ni pintada a Sender para armar su tinglado na-rrativo y, sobre todo, su microcosmos novelesco. Porque ya parte entonces, no de un exilio convencional y concreta-mente ubicado en el espacio y cronometrado en el tiempo, sino de una alegoría de exilio universal, de exilio *de* y *en* todas partes, que no es lo mismo que decir ninguno —como podríamos decir del *estar*. Dios, por estar en todas partes, no está en ninguna—, sino todo lo contrario; es lo mismo que decir *todos* los exilios.

Ya sabemos que hay muchas clases de exilio, pero suelen dividirse en dos grandes categorías: el interior y el exterior. Con la salvedad de que este interior hay que entenderlo en clave de geografía política, porque no se toma esta acepción como un exilio sentido en el fuero interno (el ejemplo más brillante de este exilio nos lo daría Albert Camus con su título de colección de cuentos *L'exil et le royaume* (1957), sino como el que se sufre viviendo y trabajando con mordaza en el propio país, a diferencia del exterior que se padece en el destierro. Leída la novela, en *EpT* están todos los exilios, en efecto: el exilio interior (Darío), el religioso (madre Leonor), el racial (los indios), el político (*el Careto*), el exterior (de casi todos, pues los penados viven en puro destierro a la fuerza), el filial (de Huerito Calzón), de marido (*La Bocachula* y demás), etc.

No debió de afectarle demasiado a Sender el hecho de vivir y trabajar fuera de su tierra. Aparte de que ya estaba acostumbrado (largas estancias en Marruecos, Madrid, Barcelona, viajes a Rusia, a Francia, Inglaterra, etc.), no tenía tiempo de darse cuenta del espacio que le albergaba. Tenía por lo demás tantas cosas por decir y contar que no paró de escribirlas ni en el viaje de éxodo. Es decir, no experimentó su obra la menor solución de continuidad. De otro modo, no se explicaría que el mismísimo año en que llegó a México «transterrado» desde Francia, el año 1939, luctuoso para los republicanos españoles, publicase nada menos que dos libros: *Proverbio de la muerte* (la primera versión de lo que habría de llamarse, corregido y aumentado, *La esfera* —1947 y 1969—, que seguramente pergeñó ya en el buque con el que salió y que es, precisamente, el escenario de la novela), y *El lugar del hombre* (que en 1958 se volvía a editar con el acertadísimo cambio de título: *El lugar de un hombre*, ¡qué importancia la de un simple artículo: de «el» a «un» va la distancia de una «humanidad» inasible, vaga y mostrenca, a «un hombre» de carne y hueso, de estampa inconfundible y de derecho inalienable!). Al año siguiente publicaba otras dos obras: *Mexicayotl* (léase el delicioso comentario de Andújar sobre este libro de cuentos mexicanos en *op. cit.*) y *My grandfather was a Mountainer* (Harper's Magazine). Y ya, tres años después, inicia su enealogía *Crónica del alba* y edita la novela que nos ocupa: *EpT...* Y así, hasta los 81 años, hasta alcanzar un número que ronda los cien títulos, según se cuente títulos (80 y pico) o libros (más de cien contándolos por tomos; 102 para CH.L. King).

Es importante no confundir el exilio de los creadores con el de la gente común, porque así como éstos suelen caer en la postración (si no son españoles),[6] o en la angustia de tener que ganarse el pan con grandes apuros, o imaginándose lo cuesta arriba que les va a resultar vivir en un medio extraño, aquéllos en cambio no se dejan influir por el entorno en que les toca vivir y se les depara el crear; y el pintor (Picasso), el músico (Falla), el comediógrafo (Casona), el poeta (J.R. Jiménez), el filósofo (García Bacca) o el novelista (Sender) siguen su curso y la trayectoria de su genio imparable o de su talento exigente de ejercicio. Es más, diríase que el creador gana con el exilio, a juzgar por los ejemplos que tenemos más a mano: una obra tan espaciosa como la de Juan Ramón Jiménez antes de la guerra, cobra en América una profundidad y una originalidad inconcebibles. ¿Quién habría podido barruntar en el *Diario de un poeta recién casado* (1917) que fuese capaz de escribir *Dios deseante y deseado* (1949)? O del Emilio Prados de *Canciones del farero* (1926) la autoría de esos «Tres tiempos de soledad» (en *Jardín cerrado*, 1946), cima de todo lo que se ha escrito sobre este tema en poesía, ¡y hay que ver lo que se ha escrito sobre la soledad, y en español no digamos! Pues igual, o casi, ocurre con Sender. Y digo «casi», porque no hay tanta mejora como en los dos anteriores ejemplos, porque Sender es un caso rarísimo de calidad «isobárica». Porque, ¿quién podría decirme que *Imán, Siete domingos rojos* y *Mr. Witt en el Cantón*, tres novelas de antes de la guerra, tienen menos calidad y presión que *El rey y la reina, El lugar*

de un hombre y *EpT,* de la inmediata posguerra; ni que éstas, a su vez, sean obras menores respecto a las creadas de
diez a veinte años después, como *Bizancio* (1956), *Las criaturas saturnianas* (1967) y *La mirada inmóvil* (1979)? El haber tomado aparte *Imán* en mi tesis sobre Sender, obedece
a mi interés por demostrar que ya en su primera novela estaba prácticamente todo el universo y estilo senderianos
hasta el final.[7] Pero si no estamos demasiado seguros de
que el exilio enriqueciera notablemente la calidad de novela del autor de *Réquiem por un campesino español,* sí que
puede aegurarse que·en América se enriquece la obra de
Sender en categorías tales como temática, problemática y
tipología o caracterología (prosopografía y etopeya, o sea:
descripción de personas y de costumbres, respectivamente).

Personajes

En *EpT* hay muchos personajes, 42 para ser exactos, con
sus nombres y/o apodos, menos «el médico», único anó-
nimo y siempre con minúscula, como hecho adrede para ti-
pificar su nulidad de inane figurón. Aparte comparsas de
grupos de la población abigarrada y extras de relleno en las
escenas multitudinarias como en los filmes de Cecil B. de
Mille: mujeres, chicas, indios y críos... Ya puede figurarse el
lector la elite que forman todas esas gentes triplemente al
margen de la sociedad: por isleños, por presidiarios y por
drogados (marihuana, alcohol), empezando por las autoridades, protagonista-epónimo en cabeza. Frente a una turba
víctima, un puñado de victimarios que no por ir armados
se sienten, en el fondo, menos irredentos. Y formando contraste con la masa grisácea salpicada de negro lucio, tres
notas de color: el cobre solar de la indiada, el escarlata de
Darío y el blanco azucena de Niña Lucha. Tres vértices del
triángulo en que Sender gusta sentirse creador: la sabiduría ancestral, la inteligencia audaz con la moral de par en
par abierta y la virgen como santo grial de belleza y amor.
A los indios los guía Voz del Río de las Estrellas. Nombre

que ya lo dice todo de un hombre tocado por la magia de una secular tradición limpia de ambiciones y que se mantiene en activo como un volcán inspirado por los dioses. Los indios son aquí la verdadera reserva de humanidad tras la inminente catástrofe de las civilizaciones. Darío González es, primero, un pequeño tributo *en passant* al gran poeta nicaragüense y, luego, el imprescindible factor correctivo en potencia de la infrabarbarie dominante. Sin Darío, la novela no podría haber sido otra cosa que un pozo ciego en el que estaba condenada a sumirse, al final, la estrella blanca de Niña Lucha (¿otro homenaje, de paso, de Sender, ahora por la otra Niña de su querido Valle-Inclán?).

Darío no representa sólo la salvación por el amor de la preciosa burguesita *huérfana* (lo que también tiene su busilis), sino la virtualidad de acabar con la bruta violencia usando con valor de la violencia con sentido común y con racional magnanimidad en el triunfo de la justicia: es decir, añadiendo a la justicia, gracia.

La Niña Lucha es una más de esas criaturas que tanto ha cuidado Sender a lo largo de su obra y que la jalonan, a un tiempo como filigranas y como paradigmas de aguda humanidad. No me cansaré de insistir en este hecho que casi todo el mundo pasa por alto: los personajes más bellos de la novelística senderiana —y por extensión de la española— son sus protagonistas o antagonistas femeninos. (Quiero decir, bellos como criaturas literarias, naturalmente, no sólo como beldades pintadas a la pluma.) Como aquí mismo. Niña Lucha queda siempre como un fondo de música en scherzo, como un horizonte luminoso que mantiene la fe y la esperanza en lo humano en todo tiempo, aun cambiando a menudo de intensidad de iris vulnerables, porque, eso sí, la vemos constantemente amenazada, por supuesto, pero no tan inerme como podría temerse. Su pulquérrima belleza es su talismán. Y los choques que esta belleza pura provoca (*la belle et les bêtes*) curten su ánimo hora tras hora y le hacen salir poco a poco su sentir hondo y su nueva lucidez de mujer liberándose de una educación ñoña, cursi y mojigata. El prodigio se va revelando por su secreto entendimiento con los indios, con Rengo y con Darío. El Rengo, con su inocencia bondadosa, hace en cierto modo de enlace. En todo caso, Niña Lucha, que aparece como la criatura más descomprometida del mundo, va entrando por la presión de horrores y querencias en compromisos personales y colectivos, locales y hasta cósmicos, entrando en juego, a ese fin la intuición de verdades tan camufladas como los monstruos de la pasión o la participación animista, invocada por los ritos y ceremonias de los indios, a que ella se presta como una gran médium de excepción. Niña Lucha, desde su blancura virginal, acaba por adivinar de qué abismo la ha librado el mal y qué venturas le depara el futuro encarnado en un desconocido, a cuyo gran valor le ha correspondido con el suyo de confiársele, felizmente guiada por la estrellita vacilante del amor emergiendo entre tanto jadeo incendiario.

No es una mujer, esta Niña Lucha, tan densa como la princesa Maria de *Bizancio*, ni tan soterraña como la Lizaveta de *Las criaturas saturnianas*, ni tan genial artista como la santa de *Tres novelas teresianas*, ni tan espirituosa fémina como la Milagritos de *Mr. Witt en el Cantón*, ni tan aniñadamente nimbada como la Valentina de *Crónica del alba*; pero tiene algo, como hija del mismo padre, de todas ellas: el fresco candor de esta mocita aragonesa, la participatividad de la cartagenera, la espontánea pulsión sin cesar en pos de las más concretas y serviciales verdades para con Dios y el prójimo de la santa avilesa, la mental mano izquierda de la princesa y reina bizantina y el trágico destino, pero remoldeador, de la princesa rusa. Por eso, por tener un poquito de todas puede que se vea menos pronunciada la silueta caracterológica de Niña Lucha. Pero creo que más que nada, porque la mujer paradigmática que nos planta Sender en este *Epitalamio* no es tanto para verla actuar y moverse en la escena como para sentirla de fondo, de pálpito íntimo y último, permanente, detrás de entre tanta miseria, aberración y dolor sórdido, tal un luminar parpadeando intermitentemente que, por más que se deje maniobrar y parezca tan frágil, quebradizo, inestable y extinguible, sigue emitiendo sus rayos blancos de luz como un respirar con sobrealiento.

El estilo y la parábola

Como siempre, tampoco aquí ha querido presumir Sender de innovador formal. Y no porque no le importara la forma ni se desinteresara por la novedad, sino porque detestaba la imitación y si algo podía oler a moda literaria quedaba automáticamente anatemizado. Tal vez cuando más novedoso quiso o consintió ser fuese en *O.P. —Orden Público—* y en *La noche de las cien cabezas*, dos obras en las que echa mano del superrealismo, si bien de un superrealismo más quevedesco que bretoniano.

Queremos decir, pues, que Sender en *EpT* sigue las pautas decimonónicas del novelar: autor omnisciente y omnimodo, línea cronológica, diálogo clásico y juego de clímax y anticlímax según las reglas.

Tampoco su estilo difiere demasiado del de las demás novelas suyas tomadas a bulto. Sigue siendo un cóctel de los que dimos en llamar «realismo mágico», aunque en esta novela, como en *Imán* o en *Las criaturas saturnianas*, podría hablarse más propiamente de «naturalismo mágico», al menos refiriéndonos a ciertos pasajes de enfática crudeza y carga revulsiva con descarga hecha mensaje implícito. Por lo demás, como apuntábamos, se observa cierta dosificación de una acción dramática tirando de la lengua reflexiva del autor a cada dos por tres, cuando no es al revés: reflexiones que preparan y hasta parece que provocan la acción dramática de los personajes en la situación correspondiente a la lógica interior del mundo novelesco. Lo vamos a ver, pero antes un par de muestras poéticas con que, en ésta como en tantas otras obras, Sender se complace en poner su prosa de puntillas:

> Pasó una ráfaga de aire frío. La llama azulina de los candiles temblaba. Comenzaron otra vez, poco a poco, los clamores, primero tímidamente, luego con fuerza. Todos tenían que sobreponerse a aquel frío del muerto que *rizaba el silencio, como la brisa la superficie de un lago* [p. 106; subrayado mío].

Tras esta prosopopeya de «carisma» ambiental, esta animista alegoría:

> Al principio, la Niña se encontraba ligera y animosa, pero después comenzó a quejarse. Llegaron seis u ocho con unas andas que habían improvisado. La Niña protestaba, pero acabó por aceptar y con el rumor acompasado de los pies fue durmiéndose y acabó por abandonarse completamente al sueño. En cuanto se durmió, un indio puso sobre ella un sarape. El Rengo preguntaba cómo habían sabido que estaba dormida.
> —Cuando una persona pasa de estar despierta al sueño —le contestaron— su cuerpo aumenta de peso. *Es el pensamiento que antes volaba y ahora se cuaja en el corazón.* [pp. 163-164].

A continuación tres fragmentos del naturalismo mágico de Sender; el primero con un popularismo que igual podría ser aragonesismo que mexicanismo (simbiosis senderiana); el segundo es uno de tantos episodios naturalistas de esta y otras obras senderianas; y el tercero, ejemplo de la intervención alternativa de reflexión/acción y viceversa:

> Voz del Río de las Estrellas volvió a mirar al cielo:
> —Una vez —dijo el viejo con un acento lejano— el torrente bajó lleno de agua de color de oro, y el maíz y el frijol crecieron más que ningún año, y las mujeres parieron bien y *al respective* [subrayado mío] los cerdos y las cabras.
> Un indio hablaba:
> —Hay personas que han muerto y siguen viviendo. Entonces los malos espíritus van allí y las habitan.
> Y cuando lo dijo, el Rengo pensó en el Careto. Pensó tan profundamente que tuvo que hablar de él. La Niña quería recordarle el día del duelo y no lo conseguía.
> —No, señora —dijo el Rengo—. Ese hombre no va nunca a los entierros ni a los bautizos. Ni a las bodas.

> El cesto estaba vacío y dentro no había serpiente ninguna. Aquello le dio al Cinturita una gran confianza. El Careto sacaba del cesto un trapo sucio y una cuerda. En el rostro del Careto no se movía un músculo. Sus ojos miraban detrás del idiota, hacia el mar. Quizá el mar tenía ojos también y les miraba.
> —Aquí está el dinero. Todo el dinero.

Al mismo tiempo, con la mano izquierda, arrollaba el trapo sucio hasta hacer de él una pelota. Pero el Cinturita miraba la mancha de la frente del Careto y después su boca severa. No reía el Careto. Si hubiera reído, que era lo que correspondía a aquel juego, le hubiera creído.

—Cierra los ojos y abre la boca.

El Careto sonrió. El juego iba en serio. Se acercó el idiota, cerró los ojos y, echando la cabeza atrás, le ofreció la boca abierta. El careto veía dentro, en el fondo, la glotis. Y metió allí la pelota de trapo sucio. al mismo tiempo dobló al idiota sobre sí mismo y le aplastó la cara contra la roca, sujetándole con las rodillas. Oyó el choque blando de sus narices contra la piedra. Y tomando la cuerda tranquilamente le ató las manos, lo derribó, le ató también los pies y acercó una piedra que había al lado. El otro cabo de la cuerda rodeó en cinco lazadas la piedra, se plegó tres veces sobre sí mismo en un nudo, y Cinturita, piedra y cuerda fueron alzados en el aire. El Careto sintió que su mano derecha se humedecía. El Cinturita, percibiendo en los brazos del Careto la seguridad de «aquello», se orinó. En aquel lugar el mar estaba remansado y calmo, y el cuerpo y la piedra se zambulleron con un ruido hueco. El Careto miraba al agua, secándose la mano en el pantalón. Contenía el aliento calculando el tiempo que el Cinturita podría resistir. Cuando se sintió asfixiarse respiró de nuevo y se encogió de hombros:

—Ya está.

Pero crispó las manos, con los ojos extraviados. «¡Imbécil!» El Cinturita conservaba dos billetes de mil pesos en los bolsillos: —Yo siempre he sido así; siempre se me escapa el lado práctico de las cosas [p. 167-168].

Darío se había levantado antes del amanecer. Quería sentir el alba, salirle al encuentro, recibirla. El Gran Señor del Alba[8] sentía su sangre fresca en las venas, y sus sentimientos, siendo los mismos, eran nuevos también. En la confusión de las primeras luces se decía: «—Nuestra alegría es una alegría de dioses, nuestro dolor un dolor de dioses, nuestros sueños son los sueños mismos de Dios. Y, sin embargo, estamos condenados a vivir como cerdos». No trataba de explicarse aquello. Miraba a su alrededor y dejaba entrar el aire del alba en sus pulmones. Le hubiera gustado ser uno de aquellos animalitos que, según el Rengo, chupaban y rechupaban el aire como un caramelo.

La Niña seguía durmiendo. Sentía Darío otra vez en su sangre la caricia del aire limpio, después de la tormenta. Mientras se vestía comprobó que dentro de la pistola había un cargador lleno. «—¿Habría que seguir usándola?». En todo caso, era fácil la violencia. Era natural y ligera cuando se buscaba con ella una armonía más alta. «—Pero también los otros creen buscarla», se dijo. «En definitiva —pensó aún—, parece que no hay más remedio que recibir la sangre de los otros, o hacer caer sobre ellos la nuestra. Y si no queremos lo uno ni lo otro debemos renunciar a vivir la vida de los hombres.» [p. 290].

Por lo transcrito puede percibirse la movilidad extrema del estilo de Sender. Adelanta, atrasa, anticipa, rememora, se echa a ojos cerrados a la ación y, de pronto, igual pone en *off* como pone una copla en el gramófono. No me extraña que guste tanto a los directores de cine, porque mucho tiene del séptimo arte su novelar.[9]

Este, aparentemente azogado, pero en esencia simplemente espontáneo, modo de novelar, tiene el inconveniente de que no gusta a los críticos «metódicos», los que se maravillan de los monumentos en las novelas o de los novelistas que hacen polvo a sus personajes respetando las arquitecturas de sus novelones, como dicen que harían las bombas de neutrones.

Si alguna novedad formal aportase a la novela Ramón J. Sender, no sería otra que la de escribir espontáneamente, repito, con toda naturalidad e inmediatez. No hay más que verlo empezar. De rondón y al grano. Pero da la casualidad de que, para Sender, es tan importante dar rienda suelta a lo que ve como a lo que intuye, a lo que analiza como a lo que sintetiza, a lo que estudia como a lo que sueña, a la voz de su conciencia, como a los balbuceos o a los retumbos adivinatorios del inconsciente y subconsciente respectivamente. De ahí que a muchos les parezca poco serio, poco académico, como si los académicos nos hubieran dado jamás alguna muestra de genio literario ni de talento artístico, en general; porque si ha habido académicos con talento artístico —¡que los ha habido, qué duda cabe!— lo han hecho valer en la misma medida en que han renegado de su academicismo. Y es natural, puesto que en el arte si algo se impone es la originalidad y esta cualidad está reñida, por definición, con lo académico, que es igual a lo consagrado, a lo consabido, a lo conservador y a lo convencional.

De acuerdo con todos los cánones, la primera condición que ha de cumplir toda buena novela es la de interesar al lector y, a ser posible, fascinarlo, *l'envoûter*. Y esta primera condición la cumple con creces *EpT*, novela que se lee sin respiro y proporciona placeres estéticos, imaginativos e intelectuales. Y la segunda condición de una buena novela es que, en el universo que crea y en el que hace vivir al lector, haya lección, no importa que sea a contrario o *ad absurdum*, pero que haya una verdad ofrecida a partir de una realidad. Y por lo que ya dijimos más arriba, no hay duda de que Sender dice aquí *su* verdad, si no ya sus verdades, amasadas con realidades transcendidas por obra y gracia de su arte novelador. Una vez más, pues, Sender hace buena nuestra tesis de autor parabólico, como lo calificábamos junto a sus paisanos y coetáneos, los también oscenses, Alaiz y Samblancat, en nuestro breve tríptico «Tres compromisos en uno».[10]

El tiempo de un hombre

Parodiando el título entre neohumanista y existencialista de la quinta novela de Sender, hacemos intervenir aquí el tiempo en vez del espacio —el «lugar»—, porque ya hemos dicho que en Sender el espacio es intercambiable y sólo el tiempo está en la palabra. Lo que no es exactamente lo mismo que lo de la famosa frase de Antonio Machado: «poesía es la palabra esencial en el tiempo». Por lo de «esencial» sí sería lo mismo, porque entre esencialistas anda el juego. Pero lo decisivo para diferenciar estas dos sentencias es el verbo, primero, y luego la inversión de los términos de la identidad. Yo no digo, por Sender, que «el tiempo *es* la palabra», sino que *está en*. Pero además lo decimos con la intención de oponer tiempo a espacio. La palabra = música + literatura = poesía, puede ser tiempo, opuesto también aquí a espacio, pero no es eso lo que nos interesa apotegmizar, sino marcar la ley senderiana de escoger *un* tiempo para *un* hombre, sin que importe el espacio que ese hombre ocupe con ese tiempo suyo. Antropológica, social y políticamente hablando, nos parece genial que Sender le haya dado a aquella novea de 1955 ese título ligeramente cambiado de *El lugar de* un *hombre*, porque aquí «lugar» es más que espacio: es una cruz de las coordenadas de identidad, una categoría de derecho inalienable, soberanía absoluta del individuo por miserable que parezca o arrastrado que esté por sus semejantes o por insignificantes que (des)pinte en su comunidad. Tan interesante para la intrahistoria es un mequetrefe como un prócer; tan importante para las crónicas familiares o tribales, aunque no se escriban y sólo se transmitan al amor de la lumbre las veladas de invierno oralmente, un tonto del pueblo como uno de sus ilustres hijos predilectos que dan nombre a una plaza o a una calle. Pero aquí no están en el foco de nuestra atención los efectos de apariencia, o los aspectos de relieve social ni de personal importancia; sino, simplemente, el estar del tiempo que en literatura no puede darse más que en la palabra. Claro, aquí tiempo significa, no sólo año o época histórica, sino circunstancia, medio cultural, nivel de civilización y encrucijada de corrientes étnicas e influencias ético-sociales que configuran la mentalidad básica de una comunidad cuando decimos el lugar común de «a la altura de los tiempos». En la isla del Faro —espacio— confluyen: una mala bestia encubierta de lo *oficial* (sin cuya conjuradora capa, en vez de guardián de guardianes habría sido otro más penado por el crimen); unos segundos que por ser primeros eran capaces de toda iniquidad; una colonia de desgraciados dejados de la mano de Dios por haberlos atenazado la mano del hombre; un personaje misteriosamente *louche* (como el Hornytoad de *La esfera* y otros merodeando por otras novelas senderianas) y que, como un asqueroso fleco histórico, viene a recordar el nazismo supercínico y *poseur* de la más abyecta posdecadencia; un enternecedor payaso y servil buen corazón, llamado Rengo o Renguito; el horizonte alternativamente humano de los indios; la velazqueña diosa del espejo Niña Lucha; y Darío, el personaje asertivo por excelencia. Haber situado este personaje en la piel de un maestro de escuela me revela un acierto que ni el mismo Sender seguramente imaginó. Es muy curioso, porque Sender no ha demostrado tener debilidad por la enseñanza,[11] ni creo que se haya interesado especialmente por la pedagogía. Pero el caso es que aquí da en el clavo de todas todas.

A la hora del «movimiento» contrarrevolucionario más feroz de la historia española, el magisterio español constituía, en 1936, la más firme e higiénica esperanza de salud y salvación de la República y de la democracia del pueblo español. Nunca se dirá bastante lo bien preparados que estaban *muchos* jóvenes maestros en la España republicana de los años treinta, que habrían sido capaces con tiempo de hacer de la nación una nueva Hélade *toute proportion gardée*. Eran centenares los maestros de escuela que practicaban los más avanzados métodos pedagógicos y ensayaban por su cuenta nuevas fórmulas de educación siempre más y más abierta y más y más libre. Por algo fue la profesión más acribillada por las balas franquistas: ¡el 50 % de los maestros españoles fueron asesinados, 16.000 en total!

Pues bien; también aquí, Darío encarna la esperanza de redención democrática, la abertura hacia la razón tras la barbarie hecha cuajo (como diría Baroja), en fin, la marcha joven y alegre hacia el amor.

Por si fuera poco, el cañonero que viene a hacerse cargo de la situación en la isla del Faro es el *Libertad.* Tras él enfilan el timón Lucha y Darío, dando la vuelta ya, de espaldas al continente que parecía la tierra de promisión de la pareja, y se apresuran a ayudar a aquella gente congregada en el puerto por una trágica perplejidad, para cuando llegue el cañonero *Libertad* salvar todo lo que pueda salvarse del castigo, las represalias y la fría venganza de la ley.

Desde aquel Viance que se cuelga de una bombilla al final de *Imán*, a este Darío que acude a dar la cara por la «leperada» penal, en vez de volver a tierra firme, a la vida civilizada con su amorosa compañía, han pasado una docena de años en los que el hombre Sender ha vivido *su* tiempo.

Es, por cierto, el tiempo más negro de su vida, pero también el más aleccionador. La primera lección aprendida es la de Spinoza: hacer, ocuparse de algo para todos y no sólo para uno es vivir con esperanzas de vivir feliz. Y la segunda es haber sentido la honda frustración de su pacifismo humanista al constatar lo fácil que es la violencia y, por lo mismo, cuán inútil y cuánto hay que estar sobre aviso para no caer en esa facilidad ni aun so pretexto de poder justificarla con razones (con *la razón* es imposible). Se infiere que su deber con los chicos va a proseguirla y puede ampliarla con los mayores. Afortunadamente, maestro, en español, no es equivalente ni tiene otras acepciones, como en otras lenguas europeas, significando dueño, amo, jefe, etc. En fin, no se sabe lo que hará, Darío, ni falta que hace. De lo que estamos seguros es de que tratará de ajustar su tiempo y el de Lucha al de los pobres prisioneros. Porque, como dice: «—Prepárese, que vamos a ir a tierra firme.— La Niña advirtió que no sabía los horarios del avión ni de los autobuses, ni del tren. Ni tenía dinero para el viaje. Ni sabía qué hacer en tierra firme. Parecía como si no tuviera interés en marcharse, y esta hipótesis dejaba confuso a Darío: "Igual que en la noche de la fiesta en el bosque, igual que ayer entre las llamas". No quería ir a *otro sitio*. Siempre estaba mejor *donde estaba* que *donde iba a estar*» (p. 291). Es este un rasgo de la filosofía profunda del autor. Y es la explicación de que la pareja se quedará en la isla para provecho y gozo de los tristes penados y para librar su espacio de los atroces contratiempos que pesan sobre él: comunicando la isla con el continente una vez puestos los isleños en fecunda comunicación entre sí, presidiarios con indios, jubilosos todos por la razón directa del maestro y la radiante belleza de Niña Lucha, razón y amor, suprema fórmula de la Verdad.

NOTAS

1. Ramón J. Sender, *Epitalamio del prieto Trinidad*, 1.ª ed.: México, DF, Quetzal, 1942, 315 pp.; Barcelona, Destino, 1966, 302 pp. A esta última edición nos remitimos en este trabajo por ser más asequible.

2. «No es lo único que distingue a la novela su comportamiento analítico, que también el ensayo literario analiza, sino su forma esférica que puede ir de la bomba a la bola de cristal, pasando por el espectroscopio y el diorama. En esa esfera cabe todo, siempre que todo esté encerrado y se cree un ámbito *envoûtant*. Toda buena novela ha de hipnotizar (no "fascinar", como dice Jean Baudrillard que hace la televisión), pero a partir de datos reales, como el gusano de seda segrega su capullo de hojas de morera bien reales; o sea, la novela ha de hacernos vivir una metaposición de la realidad como contestación, réplica, contraimagen, utopía o sueño —eso tan real, pero que aún está por descubrir su cliché negativo infinito—. Porque el sueño no se inventa nada, ya se sabe, no se fantasea al soñar. Todo tiene, en cambio, una presencia absoluta hiperrealista. Y eso es lo que ha de darnos también la novela. Pero, a diferencia del sueño, nos lo ha de decir de forma herméticamente cerrada y acabada, en forma esférica, en suma: que ruede, que siga una órbita desde la primera hasta la última palabra [...] El novelista coge el molde que se ha fabricado de la realidad y vierte en él su mundo de verdad y lo echa a rodar. El éxito consiste en que el pasajero —el lector— no tenga que mirar afuera ni una sola vez» (Francisco Carrasquer, «La necesidad de novelar. Dos ejemplos a distancia. A propósito de la publicación de *Caronte aguarda* de Fernando Savater y *Fortuny* de Pere Gimferrer», *Anthropos-Suplementos* (Barcelona), 10 (1989), pp. 54-58.

3. Manuel Andújar, «Narrativa del exilio español y literatura latinoamericana: Recuerdos y textos», *Cuadernos Hispanoamericanos*, 295, enero (1975), pp. 63-86; sobre *Epitalamio...* pp. 66-68. Además: «Ramón J. Sender y el Nuevo Mundo», en *Grandes escritores aragoneses en la narrativa española del siglo XX*, Zaragoza, Heraldo de Aragón, 1981, pp. 95-155; reimpreso en *Ramón J. Sender. In memoriam. Antología crítica*, Zaragoza, 1983, pp. 189-240.

4. Cf. mi tesis doctoral «*Imán» y la novela histórica de Sender* (prólogo de Sender), Londres, Tamesis Books, 1970, 2.ª ed., 300 pp., en que trato de demostrar este calificativo de «realismo mágico» para caracterizar el estilo senderiano. Empleé el término el mismo año en que apareció *Cien años de soledad*, sobre cuya prodigiosa obra maestra tanto se ha hablado respecto a este tema. Creo que la expresión por mí acuñada no corresponde tanto como la de «realismo maravilloso» a la genial novela de G. García Márquez, mientras que el adjetivo «mágico», o a lo más el de «neorrealismo», se ajustan al estilo del autor aragonés. Pienso que ahora le añadiría algún nuevo elemento definitorio: por abajo, el de «naturalismo», y por arriba el de superrealismo. Y aprovecho la ocasión para decir dos cosas: 1.ª que me parece aberrante escribir «surrealismo», como casi todo el mundo hace, porque «sur» en francés quiere decir «sobre», mientras que «su» en español quiere decir lo contrario: bajo, abajo, como supuesto, sustento, sucursal, sucedáneo, súcubo y tantas palabras que empiezan con el prefijo *sub*; 2.ª que vuelvo a protestar contra la nota 14 (p. 10) del artículo del profesor of Spanish at the State University of New York, Albany, Ra-

fael Bosch, quien afirma que tomo *Imán* como novela histórica, cuando está clarísimo que la separo de las 7 novelas históricas ya desde el título: *«Imán»* y *la novela histórica de Sender*, más otros detalles que demuestran que mi crítico ¡no ha leído mi libro!, todo lo cual está pormenorizado en mi artículo publicado por *El Día de Aragón*, 19 de julio (1987), p. 13.

5. Mary S. Vásquez (ed.), «El sinfónico Sender», *Letras Peninsulares* (Dpt. of Romance & Classical Languages, Michigan, State University, East Lansing), 4 (1989).

6. En efecto, tratándose de españoles, la cosa puede cambiar. Mi experiencia de campo de concentración en Francia podría servir de ejemplo para ilustrar esta diferencia. Estábamos en el campo de Vernet d'Ariège, por el año 1939, unos 15.000 refugiados españoles. Los gendarmes se hacían cruces, porque no parábamos de organizar actos públicos: conferencias, recitales, concursos de canto, de ajedrez, y nos decían: «Vosotros, que venís derrotados y maltrechos de un país en la ruina, estáis tan animosos y emprendedores; en cambio, no hace mucho que en estas mismas barracas estaban los prisioneros alemanes y se arrastraban por aquí como almas en pena, tristes, ociosos y aburridos». Por cierto, aquellos mismos gendarmes nos quisieron obligar a cortarnos el pelo al rape; organizamos nuestro tumulto de protesta y la compañía en peso vino arma en ristre a cargar sobre nosotros. Alguien dijo: «¡A cercarlos!». Y así lo hicimos; en unos segundos se vieron los 40 o 50 gendarmes rodeados de miles de soldados recién venidos del frente y dispuestos a aniquilarlos con las manos, aunque muriéramos los primeros más próximos a sus armas. No hubo corte de pelo. Vinieron a vigilarnos los senegaleses, pero ya no hubo el menor intento de vejarnos.

7. Como le echo en cara en el art. antes citado a Rafael Bosch: si hubiese leído mi tesis se había enterado de que tomo la primera novela *Iman* como ejemplo de análisis literario de toda la obra, seguro de que con la primera ya tenía todo el universo novelístico de Sender. Y así sigo creyendo: que su filosofía y su concepción de intelectual español no han dejado, ni en una sola obra, de apoyar su oficio de novelista y de darle base sólida, tan sólida que le ha durado toda la vida.

8. Es el título que le da Voz del Río de las Estrellas, como queriendo personalizar con él un nuevo ciclo de vida en la isla que empieza con día nuevo y en grande, tanta es la fe puesta por el patriarca indio en Darío, a quien asocia ya Niña Lucha, su complemento futuro.

9. No son pocas las películas adaptadas o inspiradas en novelas de Sender: *Crónica del alba (Valentina), Aventura equinoccial de Lope de Aguirre (El azote de Dios, Eldorado), El lugar de un hombre (El crimen de Cuenca), Las gallinas de Cervantes*, y tengo entendido que se está preparando la filmación de *Imán*.

10. «Samblancat, Alaiz y Sender: tres compromisos en uno», en *La verdad de Sender*, Leiden/Tárrega, 1982, pp. 13-42. Una primera versión más corta apareció en *Andalán* (Zaragoza), 53, 15 de noviembre (1974), p. 16. Y más tarde, ampliado, en *Papeles de Son Armadans*, XX, 228, marzo (1975), pp. 211-246.

11. En mi visita a Albuquerque (Nuevo México), tuve ocasión de charlar con algunas alumnas suyas (Sender fue profesor de español en la Universidad albuquerqueña unos 16 años, desde 1947 hasta 1963) y me contaron, muy divertidas, la manera de dar sus clases: ni programa ni siquiera atenerse a una disciplina académica, en su caso literatura española, porque igual se ponía a hablar de los cultivos de su tierra como de la actualidad política, o de arte azteca y a continuación de Picasso y de su propia pintura. Si hubiera tenido fe en la enseñanza o esperanza en la pedagogía, habría tenido la caridad de enseñar con más rigor y educar con más eficiencia.

LUIS BUÑUEL EN EL EXILIO DE HOLLYWOOD

EL EXILIO CREADOR DE BUÑUEL: SU PERIPLO NORTEAMERICANO

Víctor Fuentes

El período norteamericano del exilio buñueliano encierra una dramática paradoja: en más de siete años vividos en el país de la Meca del cine, el genial cineasta estuvo a punto de ver malograda su vocación. La etapa norteamericana es la menos conocida de su vida y obra y, sin embargo, es la que supuso la más dura prueba para él: no logró, en Estados Unidos, hacer ninguna película, pero no sucumbió. Al contrario, aunque su voluntad de hacer cine se estrelló contra el muro comercialista, de intolerancia moral e ideológica, de la industria cinematográfica norteamericana, en la brega Buñuel templó y acrisoló esa exigencia moral que resplandece en sus grandes películas y hace de él un caso excepcional en la cinematografía mundial. En este sentido, su experiencia norteamericana, que él y los críticos suelen despachar en unas líneas, constituye un hito de gran importancia; y no sólo en su trayectoria creadora, sino también dentro de esa continua lucha universal —tan enconada en nuestro siglo— de la libertad de expresión frente a la coerción política e ideológica. El rastreo de esto es el hilo conductor de las siguientes páginas dedicadas al exilio norteamericano de Buñuel.

El fin de nuestra guerra le sorprendió en Estados Unidos y en paro. Unas lacónicas palabras revelan su estado.

Después de decir que se encontró en este país y sin trabajo, añade: «Tampoco tenía yo un estado de ánimo que [...]. En fin, después de cómo había acabado nuestra guerra, pocas cosas me importaban», y concluye diciendo: «Y allí estaba yo, sitiado en una mala situación» (*Luis Buñuel. Prohibido asomarse al interior*, p. 45). Irónicamente, por estas mismas fechas en que se encontró en la calle, Henry Miller, en su *Cosmogonical eye* publicado en 1939, le ponía por las nubes, confiando —nos dice— en que su tributo sirviera para despertar la curiosidad de quienes nunca antes hubieran oído el nombre de Buñuel (p. 61). Desafortunadamente, su elogio de nada le valió a éste; cayó en oídos sordos.

En tres ocasiones distintas vivió en Hollywood y en ninguna pudo romper el sitio de la mala situación. La primera vez, en 1930, al final de los *Happy twenties* y como representante del surrealismo. Su entrada y salida de los estudios de la Metro Goldwyn Mayer emulan las de Modot, el héroe surrealista de *La edad de oro*, causando escándalo en el salón de la fiesta burguesa. La segunda fue en 1938, en plena guerra civil, representando, esta vez, al Gobierno republicano español, como «consejero técnico» de las películas que se iban a hacer y no se hicieron sobre nuestra guerra. Por segunda vez fue rechazado por el baluarte de Hollywood, con el agravante de que ahora el repudio abarcaba a toda la causa republicana española.

Se imponía en la pantalla la misma vergonzosa neutralidad que el gobierno de Roosevelt implantara en su política respecto a España. Colaboró Buñuel en el guión de una proyectada película, *Cargo of Inocents*, que trataba de la llegada en barco de unos niños españoles de Bilbao a Nueva York, pero la película quedó suspendida y muy pocos niños españoles refugiados llegaron a Estados Unidos.[1]

Ceplair y Englund, en su libro *The Inquisition in Hollywood*, dedican un apartado, «Hollywood's Homage to Catalonia (1937-39)», al tema de Hollywood y la guerra española. Sus seis páginas refrendan y amplían la información dada por Buñuel en sus *Memorias* y conversaciones. La suerte de la República galvanizó a Hollywood como ninguna otra causa, nos dicen en 1979.[2] Pero la solidaridad chocó con el muro de la intervencionista política de la «no intervención» y se vio atrapada en la red de coerción ideológica y moral conservadora que empezaba a envolver al cine norteamericano; de Hollywood sólo salieron (aparte de algunas ambulancias y un filme puramente comercial, *Last train from Madrid*) los documentales, *Sapin in Flames* y *The Spanish Earth*, de Hemingway y Joris Ivens, que no encontró distribución, y la película, *Blockade*. A pesar de que este filme iba autocensurado hasta el punto de que no se mencionaba el bando en el cual luchaba el héroe (Henry Fonda), se levantó contra él una fuerte campaña de protestas y el tal *Bloqueo* fue, a su vez bloqueado (*The Inquisition*, pp. 308-310).

El autor del guión, John Howard Lawson, quien fuera años después uno de los perseguidos diez de Hollywood, ha declarado que el filme fue «salvajemente atacado por la jerarquía católica y diversos grupos reaccionarios». Y añade que el caso de *Blockade* marca el comienzo de la campaña en contra de un cine de contenidos significantes que culminaría con las audiencias del Comité de Un-American Activities en 1947 y la inclusión en las listas negras de cientos de cineastas (*Comments on Blacklisting*).[3]

En este sentido, el caso de Buñuel enlaza con el *Blockade*. Él mismo nos dice que al terminar la guerra española no podía trabajar en el cine de Hollywood porque tenía «mala nota» de su anterior experiencia. Aunque se refiere a los desplantes surrealistas de su primera visita como autor de *La edad de oro*, podemos deducir que su presencia en Hollywood representando a la República también contó en el suspenso que le dio la industria cinematográfica. En el currículum que escribió para encontrar trabajo, fechado en julio de 1939 en Los Ángeles, se autocensura tal actividad: evita decir que vino a Hollywood como asesor técnico en pro de la República, limitándose a escribir que llegó a Estados Unidos en «misión diplomática».

Posteriormente, en 1943, hay ya mucho del infamante *blacklisting* del macartismo en el despido de su cargo de *Chief editor* en la sección de documentales de la filmoteca del Museo de Arte Moderno de Nueva York, puesto que desempeñó desde los primeros meses de 1941 hasta el 30 de junio de 1943.[4] Por Gubern, quien se documentó en los archivos del MOA, sabemos que su despido fue parte de una campaña bien orquestada en la que llevó la batuta un tal monseñor John McClafferty, secretario ejecutivo de la National Legion of Decency, y junto a él —hay que añadir— al editor del influyente semanario de la industria cinematográfica, *Motion Picture Herald*, Martin Quigley, quien fuera autor del Production Code y de un librito, *Decency in Motion Pictures*, que tiene mucho de indecente manual de censura.[5]

La tal Legion, con hilos en el Vaticano, se empezó a formar en 1930, el año de *La edad de oro*,[6] y en 1934 fue el grupo de presión más activo en el establecimiento de la censura cinematográfica con la adopción del Production Code. En 1938, la Legion dirigió la campaña contra *Blocao*, pasando de censores morales a políticos con la contraseña de: «"Communism" is no longer to be ignored but openly combated» (*America at the Movies*, p. 213). Y en el combate cayó, pocos años después, nuestro Buñuel víctima de unos confabulados intereses reaccionarios, los cuales, como sabemos por estudios como el de *The Inquisition in Hollywood*, se fueron imponiendo en Estados Unidos durante los años cuarenta y cincuenta para reprimir los avances radicales conseguidos en los treinta.

Una imagen emblemática de aquel entramado sería una escena de 1954, que parece salida de una de las últimas películas de Buñuel: la rama policial de la Holy Name Society dio un homenaje al siniestro senador Joseph McCarthy. Su homilía estuvo a cargo del citado monseñor McClafferty y allí, ante seis mil policías, el cardenal Spellman dio un efusivo apretón de manos al senador y se sentó a su vera (*God, Church and Flag*, p. 159). Buñuel, en una ocasión, declaró su profunda aversión por el cardenal Spellman, figura muy parecida a los jerarcas eclesiásticos españoles que saludaron a Franco con el brazo en alto.

Por medio del conservador *Motion Picture Herald* podemos seguir, con pocas simpatías, la historia de la sección de documentales del Museo en el tiempo en que trabajó Buñuel. La iniciativa de su fundación nació de un discurso del propio presidente Roosevelt el 27 de febrero de 1941, hablando a la Academia de Hollywood sobre la importancia de cimentar las relaciones de solidaridad interamericana, mediante el cine, y tratando, con ello, de cortar el paso a la propaganda nazi que penetraba en Argentina, Brasil y México.[7] Con gran ilusión —como se desprende de algunas de sus declaraciones— Buñuel se aprestó a volver a trabajar en el género del documental, donde se había excedido con *Las Hurdes*, y bajo unas directrices políticas, solidaridad interamericana y combate al nazismo, que estaban dentro de sus convicciones. Sin embargo, tal entusiasmo se le entibiaría pronto; le bastaría con leer el modo, paternalista y despectivo, con que el semanario de Martin Quigley anunciaba tal proyecto: «southward ho! films on the way to latin america from Hollywood y U.S. Goodwill», leemos en sus titulares y uno de estos artículos destaca que la película *Aquella noche en Río*, con Carmen Miranda, es la primera embajadora de la política del «buen vecino». Reflejando su desencanto, el propio Buñuel nos dice: «Pensé que haríamos grandes cosas, pero, finalmente, fue un trabajo de burócrata» (*Luis Buñuel. Biografía crítica*, pp. 160-161).

Él mismo se ha burlado de algunos de los documentales que tuvo que editar (*Conversaciones*, p. 94); sin embargo, con esa profesionalidad y entrega con que se dedicó a los menesteres del trabajo cinematográfico alimenticio, se dio de lleno a su tarea: al menos parece haber sacado de ella esa pasmosa facilidad en la labor del montaje que le llevaría a editar sus grandes películas entre 24 y 48 horas. A pesar de lo productivo que fue aquel programa del Museo, para la primavera de 1943 (con el endurecimiento del clima en Estados Unidos tras la entrada en la guerra mundial y, en unas fechas, en que el combate contra Alemania se va a librar en el mismo suelo europeo), la propaganda fílmica en América latina ya había perdido la prioridad que se le diera en 1941. Lo que iba a ganar en ascendencia serían los programas de inquisiciones y controles ,o pretexto de la *seguridad interna*.

En las páginas del *Motion Picture Herald* empiezan a aparecer ominosos titulares que nos dan cuenta del escrutinio —dirigido en Washington por el archiconservador senador Taft de Ohio— a que se someten los programas de propaganda fílmica asociados con el Gobierno.[8] El 26 de junio se nos anuncia que el pacto entre el Coordinador Interamericano y el Museo está pendiente de revisión. En el mismo artículo, donde se habla de los recortes en el presupuesto, se anuncia el posible despido del *Chief Traslator* del programa, Luis Buñuel, a quien se presenta como blanco de la cacería inquisitorial: «He has been a storm center of submerged inquiries and discussions for more than a year, growing out of his left wing and surrealistic film activities in France some years ago». El censor Martin Quigley se ensañaba con Buñuel, el autor de *La edad de oro* y emisario de la República española en Hollywood, y Buñuel cesaba en el *payroll* del Museo el 30 de junio de 1943.

A la luz de los siguientes ataques y persecuciones que padecieron los diez de Hollywood cuatro años después, es bastante obvio que el caso de Buñuel —el cual se repetiría con Thomas Mann, Bertold Brecht y el propio Charles Chaplin— era ya parte de un dispositivo de represión que se desataría en Hollywood en 1947, y que iba a liquidar toda la creatividad de los artistas izquierdistas o «progresistas» norteamericanos de la pantalla. El mismo Buñuel, según Max Aub, relacionaba su despido con la persecución macartista (*Conversaciones*, p. 366). Podríamos decir que fue una baja del macartismo *avant la lettre*.

Tras su cese, vivió casi tres años más en Estados Unidos, en el desempleo o trabajando, en Nueva York y en Hollywood, como oscuro técnico cinematográfico. «Luis Buñuel: consejero y montador» es la patética ficha con que aparece enterrado en el Motion Picture Almanac. Poco sabemos de su vida privada en sus años norteamericanos, muy confinada, como en las posteriores etapas, a la vida familiar y al núcleo de amigos; un doble grupo. Por un lado, el de los españoles exiliados;[9] por otro, el de los surrealistas y vanguardistas franceses acogidos al exilio norteamericano, Breton, Duchamp, Max Ernst, Ray Man, Leger, Tanguy... Totalmente desplazada por la historia su revolución surrealista, en sus veladas de Nueva York se dedicaban a sus juegos, uno de ellos el de la verdad, tan malparada en aquel momento histórico.[10]

En vano trató Buñuel por entonces de hacer un cine de expresión artística y personal. Nos dice que pensó crear documentales psicológicos y que, junto a Leger y a Duchamp, proyectó una película pornográfica que pensaba filmar en una terraza de Nueva York (*Luis Buñuel. Prohibido asomarse al interior*, p. 45). Pero en el Nueva York de los años cuarenta se vivía un clima poco propicio para la experimentación, y menos para la «pornografía», a no ser que incluyéramos en ésta las películas de guerra y las musicales, como la citada *La noche en Río*, tan en boga en aquellos años. El propio Duchamp nos dice que la América de los años cuarenta era muy distante de la América de «la vida fácil» que concluyó con el *crack* en 1929 o 1930 (*Entretiens*, p. 157). Los recuerdos de Buñuel de su primer viaje a Norteamérica recogen vislumbres de aquella «vida fácil», ausentes totalmente en las evocaciones de su exilio norteamericano.[11]

En su tercer período hollywoodense, Buñuel fue contratado en 1944 por la Warner para producir versiones de sus películas en español y se quedó de productor de la sección de doblaje al frustrarse aquel proyecto, para, finalmente, volverse a ver en la calle. Aunque siguió imaginando proyectos creadores,[12] en esta última etapa en Hollywood vivió casi en el total anonimato: el olvidado autor incipiente de una época que aparecía —tras las dos guerras y en el período de inicio de la guerra fría— como lejanísima. Las palabras de su amigo Pittaluga, tomadas en un sentido simbólico, son un expresivo colofón de los motivos de su partida de Estados Unidos: «Y de Hollywood también tuvo que salir porque también allí le hicieron la vida imposible» (*Conversaciones*, p. 367).

Aquí podría acabar el capítulo de Buñuel en los Estados Unidos y este trabajo. Sin embargo, como Mircea Eliade nos dice, todo exiliado es un Ulises en su viaje hacia Ítaca, que para volver al buen puerto de su destino (su hogar, su centro) tiene que penetrar el sentido de sus errabundeos, comprendiéndoles como una serie de pruebas iniciáticas. Es decir, viendo signos, sentidos ocultos y símbolos en los sufrimientos y depresiones, en los períodos de sequedad de su vida diaria (*No souvenirs*, pp. 84-85). Podríamos aplicar esto a Buñuel: aun su más dura prueba iniciática, los siete años baldíos en Estados Unidos, tendrá esa redención mítico-simbólica en las dos películas norteamericanas que hizo en México, *Robinson Crusoe*, 1952 y *La joven*, 1959.

Ya he tratado de éstas en otra ocasión; como parte final

Luis Buñuel, *La joven* (1959)

del presente ensayo destacaré lo que ambas tienen de contestación buñueliana al enrarecido clima político e ideológico de los Estados Unidos de la «guerra fría» que le obligó a su segundo exilio, y al moralismo archiconservador de Hollywood que le cerró sus puertas.

Muy significativamente ambas coproducciones méxico-norteamericanas, filmadas en inglés y pensadas primordialmente para el público norteamericano, están hechas con gente exiliada en México a causa del macartismo y que figuraban en la infamante lista negra de Hollywood, hombres de cine con quienes Buñuel tuvo lazos de solidaridad y amistad quizá ya desde sus tiempos de Hollywood. El coguionista de las dos películas fue Hugo Buttler, quien tuvo que ocultarse bajo seudónimos, Philip Roll y H.B. Addis, en las respectivas películas. Y el productor (bajo el seudónimo de Henry F. Erlich, en la primera y George P. Werker, en la segunda) fue George Pepper, el cual, en 1945, era secretario ejecutivo del Hollywood Democratic Committee y la HIC-CASP (Hollywood Independent Citizens Committee of the Arts, Sciences and Professions), la más fuerte coalición de radicales y liberales en el Hollywood de la posguerra.

Las dos producciones cinematográficas tienen mucho de películas del «mercado negro»; es decir, de aquella práctica de trabajar bajo seudónimos o bajo un nombre de otro autor conocido, método por el cual, y poco a poco, los artistas de las listas negras reventaron el *blacklisting*. Asimismo, son ejemplos casi únicos en aquellas fechas del movimiento de un cine social surgido en los años treinta y que volvía a rebrotar, en los Estados Unidos, a mediados de la década de los cuarenta para ser cortado en su raíz por la persecución de MacCarthy.

Como en tantas otras películas de Buñuel, hay en éstas guiños y alusiones a peripecias personales o del grupo de sus amigos. Encontramos alusiones escondidas a la historia de la persecución desencadenada en Hollywood y, en última instancia, una burla y superación de ella. En *Robinson*, el tema del exilio aparece alegóricamente en la figura del naufragio y el confinamiento en la isla, con todo lo que tiene la isla de figura simbólica de aislamiento e incomunicacion. En *La joven*, donde también encontramos el marco de la isla, la persecución del protagonista negro nos trae ecos de «la caza de brujas» de Hollywood: el tema de las falsas acusaciones y de los informantes aparecen encarnados en la historia de la cacería de Travers. Estas dos películas vienen a ser un antídoto buñueliano contra el cine de ideología furibundamente xenofobista y anticomunista tan corriente en Hollywood al comienzo de la década de los cincuenta. De ellas se desprende toda una crítica del colonialismo y del racismo, imperantes en la vida americana y el cine de la época y, en contraposición, un llamado a la relación dialógica con el otro.[13]

Dentro del juego surrealista de lo uno en lo otro, Buñuel logra dar, en estos dos filmes hechos al modo americano, una muestra de su cine norteamericano que no pudo realizar en este país y, al mismo tiempo, subvirtiendo el modelo de Hollywood, apunta hacia el nuevo cine norteamericano, independiente, de expresión personal y libre, que raramente se ha podido hacer en Estados Unidos sin verse condenado a los circuitos de la marginalidad. Trae a sus dos películas aspectos del cine que quiso hacer, y no pudo, durante su exilio norteamericano. Toda la primera parte de *Robinson*, con el protagonista en una total soledad, bregando con la naturaleza y en conflicto consigo mismo, tiene mucho de los documentales de naturaleza psicológica que le hubiera gustado hacer en su época del Museo de Arte Contemporáneo. Las visiones y alusiones sexuales de la película trasgreden sutilmente las prohibiciones al tratamiento del sexo del código moral de Hollywood.

Si la primera parte del filme trata de la revelación del «otro» dentro del uno. La segunda parte se centra en el descubrimiento del otro fuera de sí. Aquí Buñuel da un vuelco completo a la relación amo-criado, civilizado-salvaje que ha dominado la visión y el trato del hombre occidental con los hombres de otros continentes. En las peripecias de la relación Robinson-Viernes vemos lo irrisorio de la pretendida superioridad del colonizador y de su intento de asimilar al otro como objeto. Por el contrario, en una escena en que Viernes fuma en pipa como Robinson, nos encontramos a los dos en un diálogo, de claro cuño buñueliano, en que se potencia la posibilidad de la relación de hombre a hombre, de sujeto a sujeto.

411

El mismo tema se apunta en *La joven*. Aquí encontramos otra escena que nos remite a la de *Robinson*: vemos al personaje blanco, perseguidor, y al negro, perseguido, los dos encuadrados en un mismo plano, a la misma altura y con idéntica camisa, blanca y limpia, dispuesto a compartir la cena y equidistantes ambos de «la joven».

No escandalizó Buñuel con la proyectada película pornográfica que no pudo hacer en Nueva York, pero en *La joven*, filme hecho con el modo impersonal americano y distribuido en los circuitos comerciales, trató otro tema tabú del sistema moral americano: el lolitismo, adelantándose en dos años a la filmación de la *Lolita* de Kubrick. Con su capacidad de sugerir más que de mostrar, filmó Buñuel la escena de la posesión —¿violación?, ¿entrega?— de la niña-mujer, Evvie (Evita) por su enamorado Miller. ¿Hay en este nombre una broma de Buñuel alusiva a su admirador, el gran erotómano Henry Miller? Escenas escabrosas que, como todas las que tratan de la relación sexual entre el hombre maduro y la adolescente, se eliminaron en la versión fílmica de *Lolita* debido a la presión de la «Legión de la decencia», todavía coleante a principio de los sesenta, y ante la cual claudicó el productor. Por el contrario, Buñuel, al incluir tal escena en su filme, daba una resonante bofetada *a posteriori* a sus inquisidores: monseñor McClafferty y Martin Quigley y sus legiones y códigos de decencia.

La película, un ataque a aquel sistema moral-inmoral codificado del cine de Hollywood, fue, a su vez, atacada «desde todas partes», dice el propio Buñuel (*Mi último suspiro*, p. 188). Una muestra de esto es la reseña de Louise Corbin en *Films in review*, la publicación del National Board of Review of Motion Pictures; leemos allí: «After espousing practically every form of degeneracy in his films for thirty years, Luis Buñuel espouses the Negro in this one».[14] Y esto se escribe en 1961; en el polo opuesto, Buñuel dirá que a pesar de las reacciones violentas él hizo esta película con amor (*Mi último suspiro*, p. 188). Con amor pagaba Buñuel el desamor que tuvo hacia él la institución cinematográfica norteamericana.

Luis Buñuel, *Robinson Crusoe* (1952)

A finales de los sesenta y a principios de los setenta, en gran parte gracias al movimiento contestatario de los jóvenes en contra de la guerra de Vietnam y en pro de los de rechos civiles, los 10 de Hollywood fueron, uno por uno, rehabilitados. En este contexto podríamos situar la concesión del Óscar a Buñuel, en 1972, por su *El discreto encanto de la burguesía.* Su último viaje, por fin triunfal, a la Meca del cine, lo podemos ver en términos cinematográficos como el retorno a Ítaca. La foto conmemorativa donde posa en el lugar central, flanqueado por los «grandes» de Hollywood, Hitchcock, Billy Wilder, George Cukor, William Wyler, John Ford (ausente en la foto, pero presente en el banquete en honor de Buñuel) tiene mucho de instantánea de su arribo —tras todas las duras pruebas— al buen puerto.

NOTAS

1. Laura de los Ríos me contó cuando enseñábamos en Barnard que Eleanor Roosevelt le dijo a su padre, embajador en Washington durante la guerra que, a pesar de las simpatías de ella y de su esposo, el Congreso norteamericano no aceptaba la entrada de niños refugiados españoles, que sí fueron admitidos en México y en la Unión soviética.

2. Se formó un Comité de Ayuda a la República y de lucha contra el fascismo, que recaudó fondos y envió ambulancias. Entre sus fundadores s encontraban escritores tan notables como Lillian Hellman, Dorothy Parker y Dashiell Hammet, directores como John Ford y actores de la talla de Melvyn Douglas, Paul Muni y Frederic March.

3. En aquel sórdido período inquisitorial el solo hecho de haberse solidarizado con la causa de la República española fue motivo para que muchas personas se vieran incluidas en aquellas listas y sin trabajo. Nunca olvidaré el derrotado gesto de un ex profesor de alemán de la Universidad de Nueva York contándome cómo fue echado de su puesto por dicha solidaridad. Para mayor agravante uno de quienes informaron contra él, según me dijo, fue nuestro Premio Nobel, Severo Ochoa. ¿Serían fiables sus palabras? No las traigo a colación por injuriar al ilustre científico, sino como indicio de los retorcimientos kafkianos de aquellos procesos.

4. Un tanto injustamente, ha responsabilizado Buñuel a Dalí como el causante de su despido, aunque sí es más que probable que los comentarios que le dedicara éste en su *Autobiografía,* publicada en 1942, y en donde le moteja de «sacrílego» y de «rojo», levantaran la liebre.

5. Gubern en su artículo atribuye al monseñor, erróneamente, el

cargo de editor del *Motion Picture Herald,* dirigido por Martin Quigley. La verdad es que por su celo censor los dos individuos podrían ser la misma persona.

6. Y hasta podría ser que como reacción a la película de Buñuel. Recordemos que, como nos dice éste, el Papa estuvo a punto de excomulgar al vizconde de Noailles, quien financió la producción del filme. El código de censura del cine norteamericano fue elaborado en 1930. *La edad de oro,* de este año, y en general todo el cine de Buñuel, podría ser considerado como su anti-código: todo lo que se prohíbe en aquél se sanciona en éste.

7. Con tal fin, el Coordinador de Asuntos Interamericanos de Washington, dirigido por Nelson Rockefeller, estableció un pacto con la filmoteca del Museo de Arte Moderno de Nueva York para producir, editar, distribuir e intercambiar documentales con los países latinoamericanos. Buñuel fue contratado por la directora de la Filmoteca del Museo, su amiga y admiradora Iris Barry, con el cargo de consejero y montador jefe de películas.

8. «Senators, look, listen», anuncia el titular del 24 de abril, y en el del primero de mayo leemos: «senate unit to weed out meddlers in U.S. films».

9. Uno de sus amigos y colaboradores, el músico Gustavo Pittaluga, evocando aquel trato declara: «En Nueva York en ese período vivíamos una vida familiar casi todos los refugiados europeos, ¿verdad? Pero los españoles especialmente vivíamos una vida, por así decir, superpuesta en Nueva York. Y nos veíamos constantemente» (*Conversaciones,* p. 365).

10. Por otra parte, la barrera lingüística les contuvo mucho. No obstante, Duchamp, Breton y otros artistas del grupo —entre quienes hay que contar, y en cine, al Buñuel de *Un perro andaluz* y *La edad de oro*— sembrarían las semillas de los posteriores movimientos neovanguardistas norteamericanos de finales de los cincuenta y de los sesenta.

11. Hay que lamentar el que Buñuel no pudiera hacer su película con Duchamp, quien da al erotismo en la creación artística el mismo lugar central que le confiere Buñuel. Su colaboración, así como el proyecto fallido con Larrea en México, hubieran sido extraordinarios jalones en la creación artística del siglo veinte como lo fue su colaboración con Dalí en *Un perro andaluz.*

12. Planeó una película con May Ray que se iba a titular, *Las cloacas de Los Ángeles.* Con su amigo y colaborador José Rubia Barcia, escribió un guión, *La mujer de los ojos deslumbrados,* que inútilmente trataron de colocar en la industria cinematográfica; escribió una secuencia para la película *The Beast of Five Fingers,* la de la mano cortada que tenía vida propia, que no le pagaron e intentó vender, en vano, unos *gags* a Chaplin.

Rubia Barcia, uno de los benjamines del exilio español, que llegó a ser destacado hispanista, está a punto de publicar el mencionado guión con una introducción que iluminará aspectos de aquella etapa de la vida y creación buñueliana.

13. *La joven,* 1960, se hizo inmediatamente después de *The Defiant*

ones, 1958, que trata del entendimiento interracial. Esta obra, galardonada con el Óscar, viene a ser el intertexto de Buñuel, aunque éste da su giro buñueliano al moralismo y sensacionalismo de Hollywood. El guión fue escrito por Nedrick Young, bajo seudónimo, ya que era otro de los diez de Hollywood. Ambas películas expresan ya la sensibilidad de la década del movimiento en pro de los derechos civiles.

14. En contraposición los críticos norteamericanos de prestigio sí lo han reconocido. Sarris lo incluye en su libro *The American Cinema*, diciendo que sus dos películas en inglés indican que «he could have been on of Us if he had not hated everything Hollywood stands for» (p. 147). Jonas Mekas también lo incluye en su *Movie Journal*, destacando en la última imagen de *La joven* más valor que él de todos los críticos del Festival de Nueva York y sus periódicos juntos (p. 24).

OBRAS CITADAS

ARANDA, J. Francisco, *Luis Buñuel. Biografía crítica*, Barcelona, Lumen, 1969.

AUB, Max, *Conversaciones con Buñuel*, Madrid, Aguilar, 1984.

BUÑUEL, Luis, *Mi último suspiro*, Barcelona, Plaza y Janés, 1982.

CABANNE, Pierre, *Entretiens avec Marcel Duchamp*, París, Pierre Belfond, 1967.

CEPLAIR, Larry y ENGLUND, Steve, *The Inquisition in Hollywood. Politics in the Film Community 1930-1960*, Berkeley, University of California Press, 1979.

COLINA, José de la y PÉREZ TURRENT, Tomás, *Luis Buñuel. Prohibido asomarse al interior*, México, Joaquín Mortiz, 1986.

CROSBY, F. Donald, *God, Church and Flag. Senator Joseph R. McCarthy and the Catholic Church 1950-57*, The University of North Carolina Press, 1978.

ELIADE, Mircea, *No Souvenirs. Journals 1957-1969*, Nueva York, Harper & Row, 1977.

GUBERN, Roman, «L'exil de Buñuel à New York», *Positif*, 146 (1973), pp. 6-12.

HOWARD LAWSON, John, «Comments on Blacklisting and *Blockade*», *Film Culture*, 50-51 (1970), p. 28.

MEKAS, Jonas, *Movie Journal. The rise of the New American Cinema 1959-1971*, Nueva York, The Macmillan Company, 1959.

MILLER, Henry, *The Cosmological Eye*, Nueva York, New Directions, 1939.

SARRIS, Andrew, *The American Cinema. Directors and Directions 1929-1968*, Nueva York, E.P. Dutton, 1968.

THORP, Margaret, *1939*, Nueva York, Arno Press, 1970.

Autores:

Manuel Andújar (La Carolina, Jaén, 1913). Tras sus estudios, vive en Madrid y Barcelona. Al finalizar la guerra civil se exilia a Francia, y posteriormente a México, donde desempeña la gerencia y promoción de la Editorial Fondo de Cultura Económica, y funda la revista *Las Españas*. En la actualidad reside en San Lorenzo de El Escorial, dedicado principalmente al quehacer literario de creación y crítica. Son múltiples sus obras, entre las que destacamos las publicadas en esta misma editorial, así como en la colección Memoria Rota: *Cristal herido* (1985), *Historias de una historia* (texto íntegro, 1986) y *Mágica fecha* (1989), así como en la colección Ámbitos Literarios/ Poesía: *La propia imagen (1977)* y *Fechas de un retorno* (1979). Una amplia documentación sobre la obra del autor ha sido recogida en Revista *Anthropos*, n.º 72 (1987), «Manuel Andújar. La cultura como creación y mestizaje».

Francisco Carrasquer reside en la actualidad en Tárrega (Lérida). Estuvo asociado con la Universidad de Leiden (Holanda) como profesor e investigador en la sección de Estudios Hispánicos de la Facultad de Letras. Fue editor de la revista *Norte* (Amsterdam, 1961-1976), la cual publicó un importante corpus sobre Sender. Además de sus muchos artículos, ha publicado «*Imán*» *y la novela histórica de Sender* (Londres, 1970), y *La verdad de Sender* (Leiden, 1982).

Manuel Durán nació en Barcelona, en 1925. Estudió en España, Francia, México y los Estados Unidos. Obtuvo su licenciatura en Derecho y Maestría en la Universidad Nacional Autónoma de México y un Ph.D. (Doctorado) en Lenguas Romances y Literatura en la Universidad de Princeton, donde estudió con el catedrático Américo Castro. Como crítico ha escrito y editado más de treinta y cinco libros de crítica literaria, historia literaria, poesía y antologías, y más de ciento veinte artículos y ensayos. Ha recibido varios premios y honores de los gobiernos de México y Francia. Recibió también una beca de Guggenheim en 1964. Como crítico y autor es internacionalmente conocido y ha viajado extensamente, dando conferencias en el continente Americano y Europa. Es miembro del consejo editorial de varias revistas importantes y prestigiosas tales como *Hispanic Review, World Literature Today*, etc. Actualmente es catedrático de Literatura Española en la Universidad de Yale. En 1970, organizó el I Congreso Internacional sobre la Novela Española de Posguerra (1939-1979); en 1980, el II Congreso de Estudios Catalanes, patrocinado por la NACS (North American Catalan Society) y el Departamento de Español de la Universidad de Yale; y en 1981, un Simposio para conmemorar el III Centenario de la muerte de Calderón de la Barca, patrocinado por el Consulado General de España en Nueva York y el Dpto. de Español de la Universidad de Yale. En junio de 1981, le fue otorgada la Encomienda de la Orden de Isabel la Católica, en reconocimiento de la labor que viene realizando en favor de la difusión y conocimiento en los Estados Unidos de la cultura española.

Jaime Ferrán, accésit al Premio Adonais por su libro *Desde esta orilla*, Premio Ciudad de Barcelona por *Poemas del Viajero*, Premio Lazarillo por *Ángel en Colombia* y Premio Lope de Vega por su obra docente en Estados Unidos. En la actualidad, es director del Centro de Estudios Hispánicos de la Universidad de Syracuse, en EE.UU. Otros libros de Ferrán son: *Descubrimiento de América, Canciones para Dulcinea, Libro de Ondina, Tarde de circo, Nuevas Cantigas, Memorial* y *Mañana de parque,* entre los poéticos. En prosa: *Ángel en España, Ángel en USA* y *Diálogos de Juan Maragall.* Ha traducido a Ezra Pound —colaborando con Carmen R. de Velasco, con la que tradujo también *El Grupo,* de Mary McCarthy—, a W.B. Yeats, a Pierre Emmanuel, a Joan Maragall y a Josep Carner. Entres sus antologías está *Antología Parcial* de la vertiente catalana de su generación, dedicada a la memoria de Alfonso Costafreda.

VÍCTOR FUENTES. Prófugo de la España franquista en 1954, se doctoró en la New York University en 1964. Enseñó en la Universidad de Columbia, Barnard College, y desde 1965 es profesor de literatura española, siglos XIX y XX, en la Universidad de California, Santa Bárbara. Ha publicado numerosos trabajos en las más renombradas revistas de crítica literaria hispánica en España y Estados Unidos. Es bastante conocido por sus trabajos sobre la Vanguardia y la literatura social española de los años veinte y treinta, así como por sus ensayos sobre Galdós. Ha escrito los siguientes libros: *La marcha al pueblo en las letras españolas (1917-1936); El cántico material y espiritual de César Vallejo; Galdós, demócrata y republicano (escritos y discursos políticos, 1907-1913); Buñuel: cine y literatura* (ganador del premio Letras de Oro, ensayo), y *Benjamín Jarnés: Bio-Grafía y Metaficción.*

ÁNGEL GONZÁLEZ (Oviedo, 1925) se da a conocer como poeta en 1956 con la publicación de *Áspero mundo,* accésit del Premio Adonais. En 1961 le fue concedido a su libro *Grado Elemental* el Premio Antonio Machado, otorgado en Francia por la editorial Ruedo Ibérico. En 1985, se le concedió, por el conjunto de su obra en verso, el Premio Príncipe de Asturias de las Letras. Ángel González ha publicado diez libros de poesía, recogidos en el volumen titulado *Pa-*

labra sobre palabra (1986). Una extensa muestra de su obra ha sido traducida al inglés y publicada bajo el título de *Harsh World and Other Poems* (Princeton University Press). Entre sus trabajos de crítica literaria merecen destacarse los dedicados a Juan Ramón Jiménez y Antonio Machado. Desde 1973, Ángel González enseña literatura española en la Universidad de Nuevo México.

EUGENIO F. GRANELL nació en La Coruña en 1912. Hizo su doctorado en la New School for Social Research, Nueva York, ciudad en la que vivió desde 1957 hasta 1985. Es *professor Emeritus* del Brooklyn College de la City University de Nueva York, y miembro correspondiente de The Hispanic Society of America, Nueva York. Después de la guerra civil se exilió en Francia, de donde viajaría a Hispanoamérica y por fin, en 1957, a EE.UU., donde ha residido hasta 1985, año en que regresa a España definitivamente. En 1942 se incorpora al movimiento surrealista, siendo su principal representante en los lugares en los que vive (República Dominicana, Guatemala, Puerto Rico y Nueva York). Participa en las más importantes exposiciones internacionales del grupo a partir de 1947. Desde 1960 colabora con el grupo *Phases*, de París. Ese mismo año recibió el premio internacional de pintura de la Fundación Copley, de Chicago. El trabajo de E.F. Granell no se ha limitado a la creación plástica. En sus años en Nueva York practicó la docencia como profesor de número del Brooklyn College de la City University de Nueva York. Colaborador de diversas publicaciones europeas y americanas, es asimismo autor de diversos ensayos: *Arte y artistas en Guatemala* (1949) e *Isla cofre mítico* (1951); de los cuentos recogidos en *El hombre verde* (1944), y de las novelas *La novela del Indio Tupinamba* (1959), *El clavo* (1965) y *Lo que sucedió...* (1968; 2.ª ed.: Anthropos, 1989).

ESTELLE IRIZARRY es catedrática de Literatura hispánica en la Universidad de Georgetown en Washington, D.C., desde el año 1970. Recibió su doctorado de la Universidad de George Washington, donde hizo su disertación doctoral bajo la dirección de D. Rafael Supervía. Es autora de 20 libros: sobre Eugenio Fernández Granell, publicó *La inventiva surrealista de E.F. Granell* (1976), e incluye un capítulo sobre él en su libro *Writer-Painters of Contemporary Spain* (1984); sobre Dieste ha publicado *Rafael Dieste*, (1979), *La creación literaria de Rafael Dieste* (1980), *Estudios sobre Rafael Dieste* (Anthropos, en prensa), y una edición de *Historias e invenciones de Félix Muriel* (1985); su libro *La broma literaria en nuestros días* (1979) contiene capítulos sobre Max Aub, Francisco Ayala y Ricardo Gullón; sobre Francisco Ayala ha publicado *Teoría y creación literaria en Francisco Ayala* (1971), *Francisco Ayala* (1977), y una edición de *El rapto, Fragancia de jazmines, Diálogo entre el amor y un viejo* (1974). También ha publicado numerosos libros y ediciones en torno a autores hispanoamericanos.

CLARA E. LIDA (Buenos Aires) es en la actualidad profesora-investigadora en el Centro de Estudios Históricos de El Colegio de México, e investigadora nacional del Sistema Nacional de Investigadores de este país. Es autora de varios artículos, y, entre otros, de los siguientes libros: *La Revolución de 1868. Historia, pensamiento y literatura* (1970), *Anarquismo y revolución en la España del XIX* (1972), *La Mano Negra* (1972), *Antecedentes y desarrollo del movimiento obrero español (1835-1888). Textos y documentos* (1973), *La Casa de España en México* (1988) y *Tres aspectos de la presencia española en México durante el porfiriato. Relaciones económicas, comerciantes y población* (1981).

KATHLEEN MCNERNEY, que obtuvo el doctorado en Lenguas Romances en la Universidad de Nuevo México (1977), es en la actualidad profesora de español en la West Virginia University. Ha publicado: *The Influence of Ausiàs March on Early Golden Age Castilian Poetry* (1982), *Tirant lo Blanc Revisited: a Critical Study* (1983), *Women Writers of Spain: An Annotated Bio-Bibliographical guide* (1986), *On our Own Behalf: Women's Tales from Catalonia* (1988) y *Understanding García Márquez* (1989). Asimismo, es autora de varios artículos sobre diferentes temas, principalmente literatura latinoamericana, catalana, castellana y francesa. En la actualidad prepara, junto con Cristina Enríquez de Salamanca, un trabajo sobre «Minorías dobles de España: mujeres escritoras de Cataluña, Galicia y el País Vasco».

Javier Malagón, historiador, marchó al exilio en 1939, y fue catedrático en las Universidades de Santo Domingo, México, y en varias de EE.UU. Fue funcionario de la Organización de Estados Americanos, y posteriormente, hasta su fallecimiento, consejero honorario de la Embajada de España en Washington. Publicó numerosos trabajos sobre historia del Derecho y sobre historia de España en América.

Kathleen N. March es profesora asociada de español en la Universidad de Maine, y especialista en temas como: literatura latinoamericana contemporánea, mujeres escritoras, indigenismo, literatura testimonial y literatura gallega moderna. Ha escrito artículos sobre Castelao, Rosalía de Castro, Gabriel García Márquez, Cristina Peri Rossi, Amado Nervo, Gerardo Diego, José Bergamín y otros. Ha editado una antología de poetisas gallegas contemporáneas, *Festa da palabra*, y actualmente prepara la publicación de una antología bilingüe (inglés-gallego) de narraciones breves gallegas, *Así vai o conto*.

Luis Martul Tobío. Profesor titular en literatura hispanoamericana de la Universidad de Santiago de Compostela. Ha enseñado en distintas universidades de los EE.UU. También fue co-organizador de las I Jornadas Hispanoamericanas, celebradas en 1983, en Santiago. Ha publicado artículos sobre poesía gauchesca, Manuel Scorza, J. Icaza, Horacio Quiroga, cuestiones actuales de la literatura y la crítica gallega, Castelao, y poetas gallegos emigrados a Latinoamérica.

José María Naharro-Calderón, nacido en España, cursó estudios en el Allegheny College, la Universidad Complutense y la Universidad de Pennsilvania, donde se doctoró.

Además de múltiples comunicaciones, ha publicado textos de creación poética y reseñas, así como artículos en diversos volúmenes colectivos y en revistas españolas y extranjeras, sobre Martínez de la Rosa, Pío Baroja, Benito Pérez Galdós, César Vallejo, Francisco Villaespesa, Mercedes Escolano, Jorge Guillén, Jaime Gil de Biedma, Antonio Machado, Rafael Morales, Ana María Fagundo, Juan Ramón Jiménez, y la literatura del exilio. Ha traducido *Excepto en el cumpleaños de la reina Victoria: historia de las minas de Río Tinto* (1985) y es editor del número 7 de la revista *Anthropos* y del número 11 de Suplementos Anthropos, ambos dedicados a Juan Ramón Jiménez y Zenobia Camprubí. Actualmente prepara el libro *Trazas de la literatura del exilio en la España del interior (1939-1950)*. Ha sido profesor en la Universidad de Nevada-Reno, y en la actualidad es Assistant Professor of Spanish en la Universidad de Maryland en College Park, EE. UU. y Director del Programa de Maryland en el Instituto Internacional de Madrid.

José María Naharro Mora nació en Madrid en 1912. Doctor en Derecho y licenciado en Ciencias Económicas por la Universidad de Madrid, ha sido catedrático de Economía Política en la misma Universidad, funcionario técnico del Ministerio de Agricultura, jefe del Gabinete Técnico del Ministerio de Hacienda, y profesor invitado en las Universidades de Buenos Aires y Mendoza (Argentina) y la Universidad de Santiago de Chile. Es autor de varios libros y numerosos artículos publicados en revistas económicas.

Graciela Palau de Nemes, profesora de Literatura Hispanoamericana en la Universidad de Maryland, y actualmente profesora emérita, es autora de cuatro libros sobre la vida y la obra de Juan Ramón Jiménez y su mujer Zenobia. Su edición del *Diario* de Zenobia se halla en curso de publicación por la editorial Anthropos; su edición y estudio-prólogo de la poesía de la puertorriqueña Haydée Ramírez de Arellano le valió la obtención del primer premio de poesía del Instituto de Cultura Puertorriqueña en 1987. Sus casi setenta artículos sobre literatura española e hispanoamericana han aparecido en libros y revistas publicados en la India, Europa y las dos Américas. Ha sido profesora visitante en otras universidades, entre ellas la de Wisconsin, en Madison, y la Johns Hopkins. Entre otros honores, ha sido distinguida con la Medalla de Juan Ramón Jiménez, de Moguer, pueblo natal del poeta; y, recientemente, la Medalla Presidencial de la Universidad de Maryland.

RANDOLPH D. POPE es profesor de Literatura Española y Comparada y director de estudios graduados en el Departamento de Lenguas Romanes de la Universidad de Washington (Saint Louis, Missouri). Realizó sus primeros estudios universitarios en la Universidad Católica de Valparaíso, en Chile, donde obtuvo el título de profesor de Castellano, y se doctoró en la Universidad de Columbia (Nueva York). Fue fundador y editor de Ediciones del Norte (con Frank Janney), editor de la *Revista de Estudios Hispánicos*, y forma parte del consejo editorial de varias revistas, incluyendo *España Contemporánea* y la *Revista Hispánica Moderna*. Fue director durante cinco años de la Escuela de verano de español del Middlebury College, en Vermont. Ha publicado dos libros: *La autobiografía española hasta Torres Villarroel* (1974), y *Novela de emergencia: España, 1939-1954* (1984). Asimismo, ha publicado más de cincuenta ensayos, en revistas especializadas, sobre literatura española y latinoamericana, incluyendo estudios sobre Cervantes, Cela, Aldecoa, Carmen Martín Gaite y Juan Goytisolo.

JOSÉ PRAT GARCÍA, actualmente senador por Madrid, ha desempeñado diversos cargos políticos durante la Segunda República: subsecretario de la Presidencia del Gobierno, director general de lo Contencioso y diputado a Cortes. Ha cursado la carrera de Derecho, pertenece al Cuerpo Jurídico Militar y es asesor legal del Consejo de Estado. En el exilio, residió en Colombia durante cuarenta años, dedicándose a la enseñanza de la literatura española, sobre la que ha escrito numerosos ensayos, y colaboró en diversos periódicos, tanto de ese país como fuera de él.

Susana Rivera nació en Santa Fe (Nuevo México), en 1958. Ha cursado estudios de literatura española y francesa en la Universidad de Nuevo México y ha tomado cursos también en México, España y Francia. Obtuvo el doctorado en 1989 con una tesis sobre la generación poética hispano-mexicana. Ha publicado varios artículos y pronunciado conferencias en España y los Estados Unidos sobre estos poetas y ha editado y prologado una antología: *Última voz del exilio.*

Javier Rubio nació en Palma de Mallorca, pero vivió en Madrid, donde inició la enseñanza secundaria al comienzo de la guerra civil. Se graduó en la Facultad de Economía de la Universidad Complutense, y obtuvo el grado de doctor en la Politécnica de Madrid. Entró en el servicio diplomático en 1954, y ha sido destinado a diversos países, tanto de Europa como de América. Es autor de varios artículos, publicados en las revistas históricas más importantes, así como de varios libros sobre los movimientos migratorios y la guerra civil española, entre los que destacan: *La emigración española a Francia* (1974), *La emigración española de la Guerra Civil, 1936-1939* (1977) y *Asilos y canjes durante la Guerra Civil española* (1979).

Roberto Ruiz nació en Madrid en 1925, y salió de España en 1939. Ha vivido en Francia, en Estados Unidos y en México, donde se tituló en Filosofía. Actualmente es profesor de Lengua y Literatura Española en Wheaton College (Norton, Massachusetts). Ha publicado un libro de cuentos, *Esquemas,* y las novelas *Plazas sin muros, El último oasis, Los jueces implacables, Paraíso cerrado, cielo abierto* y *Contra la luz que muere,* además de numerosos cuentos, artículos y reseñas en revistas de España y América.

Antonio Sánchez Romeralo es profesor de Literatura española en la Universidad de California (Davis). Ha cultivado la crítica y la historia literarias, y es autor de libros y ensayos sobre temas diversos de literatura. Es conocido por sus estudios sobre la lírica tradicional antigua y el romancero: *El villancico. Estudios sobre la lírica popular de los siglos XV y XVI* (1969), *Romancero rústico* (1978), *El romancero hoy: Nuevas fronteras* (1979), *Bibliografía del Romancero oral* (1980). Profundo conocedor de la obra de Juan Ramón Jiménez, es el crítico que más tiempo y esfuerzo ha dedicado al estudio de la obra última del gran escritor. Destacan sus ediciones de *Poesía, 1923,* (1981), *Belleza, 1923* (1981), *Poesías últimas escojidas, 1918-1958* (1982) y *La realidad invisible, 1917-1924* (1983). Desde 1970 trabaja en la reconstrucción y edición de los siete volúmenes de *Metamórfosis, 1896-1957,* la Obra completa de Juan Ramón tal como él mismo la concibió. De esta obra, que será publicada por la editorial Anthropos, ha aparecido ya el volumen IV: *Ideolojía* (1990), el libro de los aforismos, al que seguirá una nueva edición del volumen I: *Leyenda* (la poesía), que ya había sido publicado en 1978.

Gonzalo Sobejano nació en Murcia en 1928. Doctor en Filología Románica por la Universidad de Madrid, enseñó en las Universidades de Heidelberg, Colonia, Columbia (Nueva York), Pittsburgh y Pennsilvania (Filadelfia). Es catedrático (desde 1986) y doctor *honoris causa* por la Universidad de Murcia. Autor de numerosos artículos, ensayos y ediciones de literatura española de los siglos XVII y XX, entre sus libros figuran: *El epíteto en la lírica española* (1956 y 1970), *Moderne Spanische Erzähler* (1963), *Forma literaria y sensibilidad social* y *Nietzsche en España* (1967), *Novela española de nuestro tiempo* (1970 y 1975), Premio Nacional de Literatura (1971), *Clarín en su obra ejemplar* (1985). Ha editado *La Regenta* y *El Señor y lo demás, son cuentos,* de Clarín; *Cinco horas con Mario* y *La mortaja,* de Miguel Delibes, y la novela de Jacinto Octavio Picón *Dulce y sabrosa.* Es autor de numerosos estudios sobre Quevedo, Lope de Vega, Galdós, Clarín, Machado, Jiménez, Valle-Inclán, Cernuda, Lorca, y sobre varios poetas y novelistas contemporáneos.

Guillermina M. Supervía nació en Albacete, en 1912. Es maestra y licenciada en Filosofía y Letras, y ha realizado cursos de postgrado en diversas Universidades. Ha realizado diversas actividades y ocupado diversos cargos, entre los que destacamos: cofundadora y presidenta del Comité Español de la Asociación Nacional de Escuelas Independientes (en EE.UU.); directora de la Escuela Graduada de Liria y de la Casa de la Infancia Giner de los Ríos (en España); fundadora y director del Instituto-Escuela (República Dominicana). Ha publicado diversos artículos en varias revistas, principalmente en *Revista de Educación* (República Dominicana). Es autora del libro *La Cruz Verde. Vida y leyendas de México.* También ha publicado, en colaboración con otros autores, diversos libros de texto destinados al aprendizaje del español por anglohablantes.

MARTÍN DE UGALDE nació en Andoain (Guipúzcoa), en 1921. Al estallar la guerra civil, marchó con su familia huyendo de los fascistas a Francia, donde permaneció hasta que llegaron los alemanes en 1940. De regreso a España, marchó de nuevo, esta vez a Venezuela, en 1947. Tras dos años en la Northwestern University (Evanston, EE.UU.) se graduó en Periodismo, y, de regreso a Venezuela, trabajó en Creole Petroleum Corporation, al frente de las publicaciones de la compañía, hasta 1969, en que regresó al País Vasco, con su mujer y tres hijos, queriendo servir a la resistencia antifranquista. Consejero del presidente Leizaola en la clandestinidad, editó la revista, también clandestina, del PNV. Obligado a marchar de nuevo a Francia, publicó algunos libros entre 1973 y 1976, año en que, muerto Franco, pudo regresar. Ha dirigido varias revistas en Caracas y escrito varios cuentos, así como un ensayo sobre Unamuno. Preocupado por la literatura y cultura vasca, ha publicado unos treinta volúmenes, ocho en vasco y el resto en castellano. Ha obtenido varios premios de cuentos en Venezuela, Madrid y el País Vasco.

MICHAEL UGARTE, que obtuvo el grado de doctor (Ph.D.) en la Cornell University, es en la actualidad profesor asociado en la Universidad de Missouri-Columbia. Ha escrito diversos artículos sobre literatura española; entre otros, sobre Juan Goytisolo, Américo Castro, Martín Santos, Luis

Cernuda, Max Aub y José Cadalso. Es, asimismo, autor de los siguientes libros: *Trilogy of Treason: An Intertextual Study of Juan Goytisolo* (1982) y *Shifting Ground: Spanish Civil War Exile Literature* (1989).

Arturo del Villar. Nacido en Madrid en 1944, cursó estudios de Filosofía y Letras, Derecho y Periodismo, y ha trabajado en diversos medios de comunicación; en la actualidad lo hace en un semanario técnico. En 1981 fundó la editorial Los Libros de Fausto, dedicada exclusivamente a la poesía y con una clara predilección juanramoniana: desde 1987 tiene en publicación los *Cuadernos de Zenobia y Juan Ramón,* en los que se dan a conocer textos de y sobre sus titulares. Además de estas facetas laborales cultiva la literatura como creador y como crítico. Ha publicado nueve libros de poesía, una novela, cuatro monografías sobre arte y otros cuatro libros de ensayos literarios, el último de los cuales se titula *Crítica de la razón estética* (*El ejemplo de J.R.J.*). Ha editado numerosas obras de Juan Ramón, entre las que cabe recordar *Crítica paralela, La obra desnuda, Elejías andaluzas, Autobiografía y artes poéticas, Tiempo y Espacio,* entre otras, así como diversas antologías, y también el libro de Zenobia titulado *Vivir con Juan Ramón.*

ÍNDICE

LA PROSA EN EL EXILIO DE LAS AMÉRICAS

LUIS BUÑUEL EN EL EXILIO DE HOLLYWOOD